モラル・ハラスメント
人を傷つけずにはいられない
マリー=フランス・イルゴイエンヌ
高野 優［訳］
紀伊國屋書店

Marie-France HIRIGOYEN
LE HARCELEMENT MORAL
La violence perverse au quotidien

モラル・ハラスメント

目次

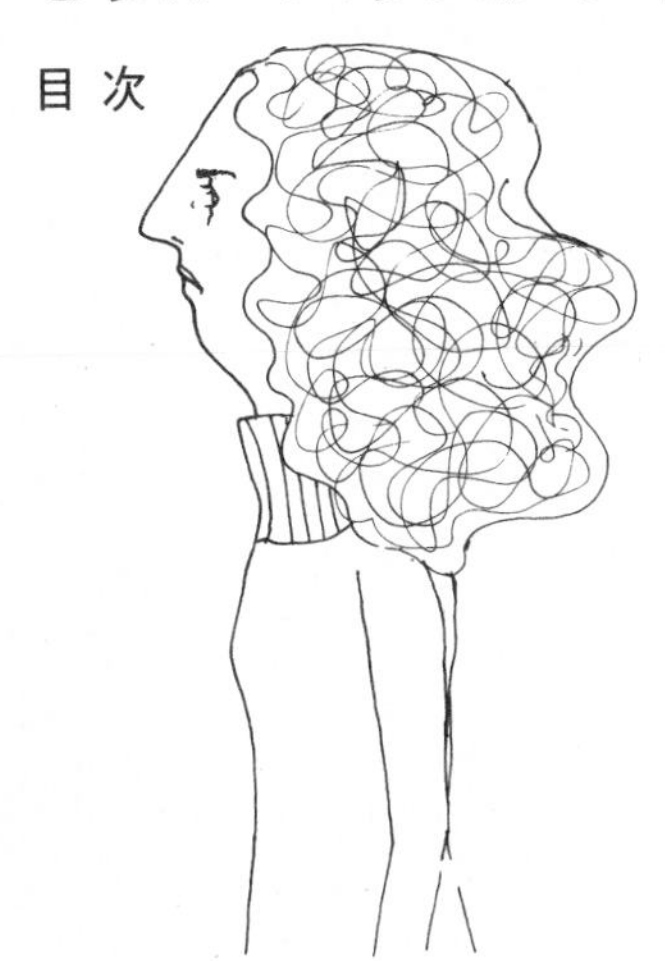

イラストレーション
喜嶋桃子
ブックデザイン
鈴木成一デザイン室

訳者まえがき

家庭でも学校でも職場でも、人間関係に悩んでいる人はたくさんいる。こんなに一生懸命やっているのに、どうしてあの人は自分のことを認めてくれないのだろう？　どうして皮肉を言ったり、嫌味を言ったりして自分のことを傷つけるのだろう？　あるいは、自分を見るたびに顔をそむけ、口をきいてくれないのだろう？　あなたはそういった経験をしたことはないだろうか？　そんな時、あなたはもしかしたら、相手がそういう態度を示すのは自分がいけないからだと考えるかもしれない。自分でも気がつかないうちに相手を傷つけるようなことを言ったりしたりして、それで相手は怒っているのではないかと……。そうなったら、あなたは相手にわかってもらおうと思って一生懸命説明したり、自分に対する怒りをとこうと思って相手に尽くしたりする。だが、それはまちがっている。あなたはもしかしたら、モラル・ハラスメントの加害者を相手にしているかもしれないからだ。モラル・ハラスメントの加害者に対してそんなことをしたら、状況はますます悪くなるばかりだ。

本書はそういったモラル・ハラスメントについて書かれた本である。モラル・ハラスメントはそのまま訳せば、「精神的な嫌がらせ」だ。しかし、本書では「精神的暴力」、あるいは「精神的虐待」くらいの強い意味を持っていると考えていただきたい。これは肉体的な暴力や虐待と同じくらいひどいことで、はっきり言えば犯罪である。単に「嫌がらせ」というようななまやさしいものではない。世のなかにはこの種の暴力をふるう人、すなわち、平気で人の心を傷つける人々が存在するのだ。そういった人々と関わりあいになると、被害者は精神状態がおかしくなったり、ひどい場合には自殺に追いこまれたりする……。

本書の見取図

この問題を考えるために、本書ではまず第1章で、夫婦や家族のモラル・ハラスメントについて著者が臨床の現場で出会った実例を紹介していく。それを見れば、読者は世のなかにはこんなにひどいことをできる人間がいるのかとあらためてびっくりすることだろう。また、被害者はよくそんなことに我慢していたと不思議に思うかもしれない。だが、被害者が自分でも抵抗できないままに追いつめられていくのがモラル・ハラスメントの過程なのだ。また、この第1章では最近話題になっている子供に対する精神的な暴力も紹介される。

第2章では話を企業に移し、職場でのモラル・ハラスメントが取りあげられる。そこでは、上司が部下を攻撃する、部下が上司を攻撃する、同僚が同僚を攻撃するなど、さまざまな実例が紹介される。著者によると、この職場におけるモラル・ハラスメントは夫婦や家族のものほど激しくはない。だが、個人やグループによって小さなモラル・ハラスメントが日常的に行なわれているので、被害者にはストレスがたまり、その結果、病気休職や辞職に追いこまれることもあるという。この章ではまた、著者は企業がモラル・ハラスメントを助長していると言う。これはうなずける。だいたい、日本でもリストラ（解雇という言葉があるのに！）を行なうために、標的にした人物に対して嫌がらせを行なうマニュアルまで作られているというではないか！ 仕事を取りあげたり、同僚たちと切り離したり、適性から言って向かないはずの職場に配置転換して、労働意欲をそぎ、失敗したら待ってましたとばかりに解雇する。これがモラル・ハラスメントではなくて何であろう？　そこまで行かなくても、職場で小さな権力を握っている人間が部下や同僚にモラル・ハラスメントを行なっていても、企業は見て見ぬふりをしていることが多い。そうやって加害者が大手をふって暴力を楽しんでいる間、被害者のほうは起ったことを自分のせいにして悩み、苦しんでいく。夫婦や家族におけるモラル・ハラスメント同様、これは決して放っておける問題ではない。

それではモラル・ハラスメントの加害者や被害者とはどういう人々なのだろう？　また、加害者はどういった形で被害者をモラル・ハラスメントの過程に導き、どういった方法で相手に攻撃を加えていくのだろう？　それを説明したのが本書の第3章から第7章までである。著者によると、人間は誰でもモラル・ハラスメント的な行為をすることがあるという。だが、私たちがすべてモラル・ハラスメントの加害者であるとは言えない。普通の人間がそんなことをしたら、罪悪感を覚えて、自分のしたことの埋めあわせをしようとするからだ。だが、モラル・ハラスメントの加害者は罪悪感を感じない。その度合に濃淡はあるだろうが、世の中にはモラル・ハラスメントの加害者という人種が存在するのだ。本書によると、それは〈自己愛的な変質者〉である。自己愛的な性格の特徴をいくつかあげると、誇大妄想的でたとえ業績がなくても、自分には才能があり、仕事ができると思っている。また人からもそう認められたい。自分が特別であり、自分のためなら誰もが喜んで尽くしてくれるべきだと思っている。自分の目的のために他人を平気で利用する。他人に対する共感に欠け、誰かが苦しんでいるのを見ても同情を感じない。他人を羨望する、などである。モラル・ハラスメントの加害者について言えば、これに加えて、罪悪感を感じず、自分を省みることができない、起こったことの責任はすべて他人のせいにする、などがあげられる。

いっぽう被害者のほうは、いわゆる〈メランコリー親和型〉と呼ばれるタイプの人間である（第7章）。その特徴は、几帳面で家庭や職場の秩序を愛し、まわりの人々に献身的に尽くす。真面目で責任感が強いので、仕事の面では成功することが多い。だが、罪悪感を持ちやすく、抑うつ状態になりやすい傾向を示す。また、子供の頃の出来事のせいで、他人の支配に屈しやすい、などである。

こうしてみると、加害者と被害者はみごとな対称をなしていることがわかる。片方は罪悪感を持ちやすく、片方は罪悪感を感じない。片方は責任感が強く、片方は他人に責任を押しつける。片方は献身的に人に尽くし、片方は人から尽くされて当然だと思っている。また、片方は支配に屈しやすく、片方は他人を支配したいと思っている……。加害者と被害者はまさに出会うべくして出会ったように思われる。といっても、それによって被害者に責任を分担させることはできない――この点については、著者は力説している。それはともかく、こういった性格を持つ二人の人間によってつくられていくのが、特に夫婦におけるモラル・ハラスメントの関係である。

さて、この二人の間で、関係はまず加害者が被害者を惹きつけることから始まる。それができると、今度は相手が自分から離れられなくなるように少しずつ影響を与え、被害者の考えや行動をコントロールしていく。これがモラル・ハラスメントにおける〈支配の段階〉である。この段階では、ちょっとした嫌味や皮肉、相手を拒否するような口調や態度など、モラル・ハラスメントに特有のコミュニケーションの仕方で被害者に対する攻撃が行なわれる。だが、それはひとつひとつを取ってみれば、それほど問題にするようなものだとは言えない。その結果、被害者は相手の真意をはかりかね、そんなふうになったのは自分のせいだと思ったり、頭が混乱して何も考えられなくなったりする。そうやって、相手の支配に組みこまれていくのだ。しかし、そこで被害者が自分を取り戻そうとして加害者に反抗したりすると、加害者は憎しみを感じ、いよいよ精神的な暴力をふるいはじめる。この暴力とは中傷や罵倒など、言葉による冷たい暴力である。だが、それは相手に責任を押しつけるような巧みなやり方でふるわれ、また被害者のほうもすでに精神的に支配されているので、それが暴力であると認識することが難しい。相手に悪意があるとも想像できない（夫婦の場合、自分が好きになって結婚した相手なのだから、それはある意味で当然だ）。その結果、被害者はひとりで責任を感じ、誰かに相談することもできずに苦しんでいく。これがモラル・ハラスメントにおける〈暴力の段階〉である。このあと、苦しみに耐えかねた被害者が相手と別れる決心をすると、加害者は憎しみをあらわにし、今度は明らかな悪意をもって被害者を攻撃していく。モラル・ハラスメントはこのような過程をたどって行なわれるのである。第3章から第5章ではこういったモラル・ハラスメントの過程や方法が説明される。特に第4章では、相手と話すのを拒否する、わざと冷たい口調で話す、不愉快なほのめかしをする、人前で笑いものにする、などさまざまな攻撃の方法が示されている。このあたり、モラル・ハラスメントの加害者でなくても思わずやってしまっていることがいくつもある。いたずらに人を傷つけたくないと思ったら、普通の人でも参考になるだろう（本物の加害者はたぶん参考にはしない。加害者はどんな状況にあっても、むしろ自分のほうが被害者だと思っているからだ）。

こうして加害者や被害者について詳しく説明したあと、第8章と第9章ではモラル・ハラスメントが被害者に与える影響について考察し、次いで第10章と第11章ではそれぞれ夫婦や家族、企業におけるモラル・ハラスメントの被害者に助言を呈する。そして、最後に第12章で被害者の救済の問題を論じ、いくつかの療法を紹介する。以上が本書のおおざっぱな見取図である。

著者の立場

著者のマリー＝フランス・イルゴイエンヌは一九七八年、パリのサン・タントワーヌ大学の医学部で医学博士の学位を取得したあと、一九七九年に精神科医として開業。精神医学のほかに精神分析学や家族療法学などを学んだ臨床医である。また、診療のかたわら、産業医の研修を受けたり、アメリカとフランスの大学で〈被害者学〉も学んでいる。

これは著者自身が序章で言っていることであるが、本書の特色を考える時、著者が〈被害者学〉を学んだということが大きく影響していると思われる。というのも、本書は基本的にモラル・ハラスメントの被害者の立場にたって書かれているからだ。モラル・ハラスメントの加害者——すなわち〈自己愛的な変質者〉は子供の頃に心に大きな傷を受け、そのトラウマのせいでこういった人格になったと考えられる。もしそうなら、加害者は自分自身が過去の出来事の被害者であるとも言える——そういった意味ではかわいそうな人々でもあるのだ。だが、著者は過去の出来事を理由に〈自己愛的な変質者〉を被害者としては扱わない。あくまでも、モラル・ハラスメントの加害者として扱うのだ。これはある意味では正しい。著者の言うように——そして訳者もそう思うが——もしこれが犯罪的な行為ならば、まずその点が問題にされなければならないからだ。暴力の背景を探って加害者にも同情の余地があると考えていくのはそのあとでよい。実際、モラル・ハラスメントの被害者が思いあまって肉体的な暴力をふるい、加害者を殺してしまったら、情状酌量されるにしろ殺人の罪を問われるではないか？　いや、その情状酌量もどの程度までしてもらえるか……。社会は精神的な暴力には甘いからである。そう考えたら、著者の立場には納得がいく。守られるべきはまずモラル・ハラスメントの被害者のほうなのだ。

そのことに関連して、著者は精神的な暴力は肉体的な暴力と同じくらい、あるいはそれ以上に恐ろしいものだと考え、社会はもっとこういった暴力に厳しい態度で臨まなければならないと言明する。これが本書のもうひとつの特色である。

「モラル・ハラスメント」という言葉の持つ力

本書を訳しながら、訳者はひとつの言葉が持つ力についてよく考えた。たとえば、「解雇」を「リストラ」と言いかえて、企業が胸をはって人員整理ができるなら、解雇される側のサラリーマンは「そのやり方はモラル・ハラスメントだ」と言って対抗できるのではないか？　そうではなくても、加害者から精神的な暴力をふるわれて苦しんでいる人々が「これはモラル・ハラスメントだ」と思うことでどれほど救われるだろう？（これは本書のなかでもたびたび強調されている）。「モラル・ハラスメント」という言葉を武器に被害者が状況と戦い、またそれによって心が救われるなら、精神的な暴力をふるって人の心を傷つけるやり方を「モラル・ハラスメント」と名づけることは大切である。また、そういった状況にあらたに名前をつけるだけでなく、すでに存在している言葉――すなわち、「セクシュアル・ハラスメント」や「ドメスティック・バイオレンス（DV）」、「児童虐待」などの精神的な側面を問題にする際にも、この「モラル・ハラスメント」という言葉は有用だろう。ただし、言葉は同時にひとり歩きするものでもある。この言葉を知ったことによって、モラル・ハラスメントの加害者である〈自己愛的な変質者〉が「それはモラル・ハラスメントだ」と言って、逆に被害者を攻撃するかもしれない。あるいは、決して加害者ではない人間に対して、「あの人物はモラル・ハラスメントの加害者だ」と集中砲火を浴びせる事態が出てくるかもしれない。そうなったら、それこそがモラル・ハラスメントである。その風潮はいましめたい。そういったことを踏まえたうえで、本書がモラル・ハラスメントに苦しむ人の救いになることを願いたい。

最後になったが、訳文の作成にあたっては紀伊國屋書店出版部の藤崎寛之氏に数々の貴重なご助言をいただいた。ここに感謝の意を表したい。

一九九九年十一月

高野　優

モラル・ハラスメント

序章

どうして私がそんなひどいことをされなければならないの？

《言葉をうまく使えば、自分の手は汚さずに
相手を辱めたり、殺したりすることができる。
人生の最大の喜びは、他人を辱めることである》

ピエール・デスプロージュ

人間関係のなかにはお互いに刺激を与える良い関係もあれば、モラル・ハラスメント（精神的な暴力）を通じて、ある人間が別の人間を深く傷つけ、心理的に破壊してしまうような恐ろしい関係もある。精神的に痛めつけることによって、相手を精神病に導いたり、自殺に追いこんだりすることは決して難しいことではないのだ。それほど激しいものではなくても、夫婦や家族、職場やそのほかの社会生活のなかで、私たちはさまざまなレベルで精神的な暴力——すなわち、モラル・ハラスメントの暴力がふるわ

れているのを目撃している。だが、残念なことに、私たちの社会は肉体的な攻撃を加えないこういった暴力に対して目をつぶりがちである。他人の自由を尊重するということを口実に、モラル・ハラスメントを大目に見てしまうのだ。

モラル・ハラスメントによって人の心を傷つける行為は映画やロマン・ノワールの格好の主題となっている（たとえば、アンリ＝ジョルジュ・クルーゾ監督の『悪魔のような女』、一九五三年[1]。また、ロマン・ノワールは犯罪を中心にして社会を描く小説のこと）。だが、そこでは観客や読者はそれが明らかにモラル・ハラスメントで、ある人物が別の人物を精神的に操って追いつめていくのだとわかっている。しかし、それが日常生活のなかで行なわれているのを見ると、モラル・ハラスメントに対して急に弱腰になる。

映画に描かれたモラル・ハラスメント

また、映画で描かれているにしても、私たちはそのモラル・ハラスメント的な行為を楽しんで見ていたりする。たとえば、エティエンヌ・シャティリエ監督の『ダニエルばあちゃん』（一九九〇年）[2]。この映画ではひとりの老婦人がまわりの人間の心を傷つけていくのだが、私たちはそれを見てむしろ楽しんでしまうのである。映画はまず、ダニエルというこの老婦人が年とった家政婦を精神的に苦しめ、事故によって殺してしまうところから始まる。だが、観客は心のなかでこうつぶやく。〈家政婦がそうなったのもしかたがない。だって、家政婦は相手に服従しすぎたのだから〉と……。それから、老婦人は甥夫婦のもとに引きとられるのだが、そこでも意地悪のかぎりを尽くす。甥夫婦は老婦人を喜ばせるためにできるだけのことをする。だが、そうすればするほど、老婦人は甥夫婦に対してモラル・ハラスメントを行なうのだ。

悪意のほのめかしをしたり、嘘をついたり、ちょっとした言葉で相手を辱めたり、とモラル・ハラスメントを行なう方法はたくさんある。その方法を駆使して、老婦人は甥夫婦の心を揺さぶり、精神状態を不安定にさせていく。だが、こういった攻撃を受けても、甥夫婦はそこに悪意がひそんでいるとはなかなか気がつかない。それどころか、老婦人の気持ちを理解しようとしたり、起こったことに責任を感じて、自分たちを責めたりする。〈ばあちゃんがこんな態度をとるのは、きっと自分たちが何かいけないことをしたせいにちがいない〉。そう考えるのだ。これはきわめてモラル・ハラスメント的である。加害者と被害者の間ではよくそういったことが起こるのだ。ダニエルばあちゃんは怒りをあらわにするわけではない。ただ、冷淡で意地悪なだけだ。また、決定的に甥夫婦を敵にまわすやり方はとらない。そんなことは絶対にしない。そうではなく、一見取るに足らない小さな攻撃を通じて、相手の精神を破壊してしまうのだ。実際、相手を破壊することにかけては、ダニエルばあちゃんは徹底的である。なにしろ、立場を逆転させて、第三者から見たら自分のほうが被害者にしか見えない状況にまで、相手の行動を導いてしまうのだ。甥夫婦は精神的に追いつめられた結果、心ならずも迫害者の立場になり、八十二歳のこの老婦人をひとりアパルトマンに残して出ていってしまう。これだけ見たら、誰だって甥夫婦を非難するだろう。いっぽう、老婦人のほうはアパルトマンに閉じこもり、ドックフードを食べて暮らすのである。

このユーモアにあふれた映画では、被害者たちはモラル・ハラスメントに耐えかねて老婦人に肉体的な暴力をふるうようなことまではしない(現実のモラル・ハラスメントではそういったことがよく起こる。加害者は被害者にそうさせるよう仕向ける場合さえあるのだ)。そのかわりに、映画の被害者たちは——特に最初のうちは——老婦人に対して優しくふるまい、その結果、老婦人のほうにも優しくなってくれることを期待する。だが、その期待はいつも裏切られ、それどころか逆効果になる。老婦人にとってあまりに優しくされすぎることは、耐えがたい挑発にほかならないからだ。映画では最後になって、ようやくこのダニエルばあちゃんに気に入られる女性が登場する。だが、その女性はダニエルばあちゃんに優しくしたのではない。ダニエルばあちゃんを屈服させたのだ。老婦人は初めて自分と同じレベルの相手を見つけ、二人の間にはほとんど愛情と言っていいような友情が生まれる……。

私たちはこの老婦人の行動を面白がり、また感動したりもする。それは老婦人がこれほど悪意のある行動を示すのは、その裏に大きな苦しみがあるせいだと感じるからだ。甥夫婦の哀れみを誘ったように、老婦人は観客の哀れみを誘う。だが、そうすることによって、老婦人は甥夫婦の心と同様に観客の心も操っているのだ。観客はかわいそうな甥夫婦には同情しない。甥夫婦たちは愚かに見えてしかたがないからだ。甥夫婦が優しくなればなるほど、ダニエルばあちゃんは苛立ち、観客もまた苛立つのだ。

モラル・ハラスメントの加害者の〈変質性〉

しかし、だからと言って、老婦人のしていることがモラル・ハラスメントでなくなるわけではない。また、映画であればともかく、現実にはこんなことが許されてよいはずがない。老婦人のしたことは、目に見えない、あるいは見える悪意を通じて文字どおり相手に苦痛を与え、本人はそう意識していなくても相手の精神を破壊することだからだ。一見したところなんでもないようなほのめかしも、それが巧みに用いられれば、相手を動揺させたり、もっとひどい場合には相手の精神を破壊することができる。それはまわりの人間にも止めることができない……。モラル・ハラスメントの加害者とは、そうやって相手を傷つけ、貶めることによって自分が偉いと感じ、自分の心のなかの葛藤から目をそむけるような人間なのだ。そうして、うまくいかないことはすべてほかの人の責任にして、自分のことは考えなくてもすむようにする……。「私には責任がない。悪いのは相手のほうだ」。そう考える人間なのだ！　罪悪感もなければ、精神的な葛藤から来る苦しみも感じない。モラル・ハラスメントの加害者の〈変質性〉はまさにそこにある。

確かにモラル・ハラスメント的な行為をすることは誰にでもある。だが、そういった行為は一定の期間に何度も繰り返されたりしなければ、他人の心を破壊するまでには至らない。人間は誰でも――たとえば怒った時などに、相手を傷つけるようなことを言ったりしたりする。だが、そういった行為は「あんなことはしなければよかった」と必ずあとで反省されるものだ。だが、モラル・ハラスメントの加害者はそんなことはしない。自分を省みることなどは決してしない人間なのだ。したがって、加害者はいついつでも加害者である――その方法によってしか他者との関係をつくれないのだ。たとえしばらくの間、モラル・ハラスメントが表にあらわれなかったとしても、自分が何かに参加して、起こったことに責任を感じなければならなくなった状況では、必ず誰かを巧みに攻撃してその人間に責任を押しつける。責任を感じて自分を見なおすことには耐えられないからだ。こういった人々は他人を破壊し、貶めることによってしか生きていくことができない。というのも、まず第一に、他人に対する評価を下げることができれば自分が優れた人物だと感じることができる。また、そうすることによって権力を手に入れることも容易になるからだ。だいたいが他人から賞讃されるのを渇望している人々なのである。だが、その反対に他人に対する尊敬や同情は感じたことがない。他人との関係には興味を示さないからだ。いや、それどころではない。もともと他人を人間とは認めていないのだ。他人を人間と認め、その苦しみを理解することができなければ、他人を尊敬することなどできない……。そういった意味で、モラル・ハラスメントの加害者はきわめて自己愛的（ナルシシック）な人々なのである。

モラル・ハラスメントに寛容な社会

モラル・ハラスメントの暴力は相手の心を支配し、自分の思うように操るという形で表われる。そういった行為には魅力があり、かなり多くの人間が惹きつけられる。反対にその暴力をふるわれることを考えると恐怖を覚える。その結果、普通の人々はモラル・ハラスメントの加害者（第6章で説明する〈自己愛的な変質者〉）を見ると、羨ましいと思うことさえある。というのも、そういった人々は並はずれた力を持っていて、いつも勝者の側に立っているように思えるからだ。実際、この種の人々は他人を操ることにたけているので、政界や実業界で幅をきかせることが多い。したがって、普通の人々は羨ましいと思うと同時に、恐れを抱く。こういった人々に逆らうのは得策ではないと本能的にわかっているからだ。これは強者の論理が支配する世界である。いちばん強い者がより多くのものを享受し、苦しみは他人に押しつける。その反対に、被害者のことはあまり問題にされない。被害者は弱く、世慣れていない人間だと見なされ、それだけで軽く扱われる……。そうして、他人の自由を尊重するという口実のもとに、状況がいくら深刻でも、社会全体がモラル・ハラスメントに目をつぶってしまうのだ。確かに他人の意見や行動に口を出さないのというのは現代の風潮である。私たちはそれが不愉快で、道徳的に非難すべきことのように思われても、何も言わずにいることが多い。また、私たちは権力を握っている人間が嘘をついたり、他人を操ったりしているのを見ても、そのことに対してはびっくりするほど寛容になっている。目的が手段を正当化するのだ。だが、それはどこまで受け入れてもよいことなのだろうか？　私たちは原理原則を見失い、していいことと悪いことの境界がわからなくなって、他人のすることに無関心になっている。だが、それによってモラル・ハラスメントの共犯者になっているのではないか？　寛容になるのもよいが、それにははっきりと定められた限度を設定する必要があるのではないか？　といっても、モラル・ハラスメントの暴力とは、それがいくら恐ろしいものでも心の領域でふるわれるものである。また、現在の社会や文化はこのタイプの暴力を大目に見る傾向にあり、その結果、モラル・ハラスメント的な行為は広がりつつある。それに加えて、私たちの時代はそれがどんなものであれ、基準を設けるのを拒否する時代である。そういったなかで、モラル・ハラスメントに対する限度を設定することは、他人の権利に対する侵害だと見なされる。そんなことをしたら、逆に自由を束縛すると思われてしまうのだ。実際、私たちは道徳や宗教による基準を失っている。そういったものがかつて社会の規範として存在した時には、私たちは「そんなことはするものではない」と、堂々と口にすることができた。しかし、そんなことはもう不可能になっているのだ。それに代わるものは、もはやメディアしかない。私たちはその出来事がメディアによって伝えられて世のなかに知らされた時、初めて憤慨することができるのである。当然のことながら、モラル・ハラスメントを抑制するのに、政府や財界などの権力の側にいる人間はあてにできない。権力は自らの内部に枠を設けず、指導者やそれに協力している人々の責任を軽減しようとするからだ。

対処の難しさ――したたかな加害者

こういった行為を前にきちんとした対処法が見つからないのは精神科医たちも同じである。モラル・ハラスメントは〈変質的〉[3]な行為である。だが、一般に精神科医たちは〈変質〉という言葉を使うことをためらう。それを使うのはモラル・ハラスメントの加害者に対して無力感を表明する時か、あるいは加害者が他人を操るその巧妙さに興味を抱いた時だけだ。〈精神的変質〉という言葉にさえ異議を唱える医師たちもいて、そういった医師たちは〈精神病質〉という、より一般的な言葉を用いる。だが、その言葉は治療をできない患者は全部そこに分類してしまうというがらくた入れなのだ——それでは何も言っていないのと同じである。しかしながら、私が言う〈変質〉には「凶悪な」というニュアンスがこめられている。凶悪さは精神病的な障害から来るものではない。他人を人間として考えることができないという〈能力の欠如〉と、自分のためにすべてを利用しようとする〈冷たい合理性〉が組みあわさってできたものだ。たとえモラル・ハラスメントの加害者の過去に不幸な出来事があって、それが加害者の精神に大きな影響を与えているにしても、簡単に精神障害の範疇に入れて、その責任を軽減すべきではない。それに、いずれにしろ、モラル・ハラスメントの加害者はしたたかである。確かにそのうちの何人かは軽犯罪をおかして裁判を受けることもあるだろう。だが、その大半は巧みに能力を発揮して社会に適合し、人を惹きつけるその魅力をふりまきながら、自分が通った道すじに犠牲者の山を築いていくのだ。精神科医や裁判所の判事、教育者など、職業的にモラル・ハラスメントに関わることのある人々も、うっかりするとすぐに加害者の罠にはまり、加害者を被害者だと思わされてしまう。そういったいわば専門家を惹きつけるために、加害者は専門家が期待するとおりにふるまい、たとえば相手が精神科医であれば、神経症的な症状を示して見せることさえある……。そのあとで、加害者が本当の姿を見せて、支配への欲望をあらわにすると、精神科医たちは騙され、嘲弄され、辱められたと感じるのだ。その結果、精神科医たちはモラル・ハラスメントの加害者になるようなタイプの人間にはことさら神経をとがらせている。たとえば、医師たちの間では「気をつけろ、あれは〈変質者〉だ」とよく言いかわされることがある。それはつまり、「あの人物は危険だ」、あるいは「医師の力ではどうすることもできない」ということを意味している。こうして、医師たちもまた被害者を助けるのをあきらめてしまうのだ。〈変質者〉という言葉が加害者に対する無力感を表明する時に使われると言ったのはそのことである。だが、私はあらためて、「凶悪な」というニュアンスをこめて〈変質者〉という言葉を使いたい。もちろん、ある人間を〈変質者〉と名づけるのは重大なことである。この言葉は連続殺人犯のような、精神科医でさえ想像ができないほどきわめて残虐な行為をおこなう人間に使われるのが普通だからだ。しかし、これからこの本のなかで述べるように、モラル・ハラスメントの加害者は心理的に相手を殺していき、その行為を繰り返していく。ちょうど肉食動物がほかの動物の命を自分のものにして生きていくように、モラル・ハラスメントの加害者は他人の人生を自分のものにして生きていくのだ。これは精神の連続殺人なのである。確かに〈変質者〉という言葉はショッキングで、人を戸惑わせるだろう。そこには道徳的に相手を非難する意味あいも含まれている――そして、精神科医は患者を道徳的に非難するのを拒否する……。しかし、だからと言って、すべてを受け入れてよいものだろうか？　私からすれば、モラル・ハラスメントの加害者を〈変質者〉と名づけないことのほうがより重大だと思われる。というのも、そうしなければ人々が事態を正しく認識することができず、被害者たちを打ち捨てておくことになってしまうからだ。

心理療法家（セラピスト）として、たくさんの被害者に接してきた結果、私は被害者がどれほど苦しみ、また加害者の攻撃から身を守るのが難しいか、よく知っている。そういった立場から、この本のなかでは、加害者がどのようにして被害者を身動きできなくさせ、身を守るのを阻んでいるか示していこう。それから、被害者が自分の置かれている状況を理解しようと思っても、そのための道具を持たないということにも触れてみたい。それと同時に、モラル・ハラスメント的なコミュニケーションを分析することによって、モラル・ハラスメントが行なわれる過程を明らかにし、いま現在の被害者や未来の被害者が加害者の網から逃れる助けになりたい。また、できるかぎり、被害者の治療の問題についても考えてみることにしよう。というのも、被害者がセラピスト――とりわけ精神分析医のもとに相談に行った時、話をわかってもらえなかったということが多いからだ。精神分析医が被害者に対して、〈どうしてこんな被害を受けたのか?〉、〈それは受けたほうにも責任があるのではないか?〉、〈たとえ無意識にしろその状況になることを望んでいたのではないか?〉と、そういったことを考えてみるよう忠告することさえあるのだ(被害者に対してはこれは逆効果である。被害者は分析医に拒否されたと感じるだろう)。だが、分析医がそういった態度をとるのもしかたがない。精神分析は患者の心的装置、すなわち、患者の心のなかで起こったことだけを問題にして、現在患者がおかれている状況は考慮に入れないからだ。その結果、医師は被害者を加害者に対するマゾヒスト的な共犯者だと考えがちで、そう考えることがどんなに重大なことかわからないのである。仮に被害者を助けたいという気持ちがあったとしても、道徳的な価値判断をしないという理由から〈加害者〉と〈被害者〉という言葉を使うことをためらい、結果として被害者の罪悪感を増大させて、事態を悪化させてしまうこともある。そういったことからすると、モラル・ハラスメントの被害者を救済するのに、精神分析をはじめとする古典的な療法はふさわしくないように思われる。このタイプの被害者を救うにはそれに適した特別な方法が必要なのだ。そういったことにも触れてみたい。

本書の目的――被害者の側に立って

私がこの本のなかで目指しているのは、モラル・ハラスメントの加害者を裁判にかけて糾弾することではない――もっとも、仮にそういったことをしても、加害者は容易に自分を正当化してしまうだろう。私の目的は加害者の罪を問うことではない。そうではなく、ほかの人間にとって加害者がどれほど危険な存在であるかを知らせることによって、現在や未来の被害者が身を守れるようにすることである。加害者の行動が抑うつ症やほかの精神病から自分の身を守る防衛措置だとしても――それはまったくそのとおりなのだが――だからと言って、これほど〈変質的〉な、すなわち凶悪な行為が許されてよいはずはない。加害者はそのひとつひとつを見れば取るに足らない言葉や態度を通じて被害者を苦しませたり、操られたという屈辱感を抱かせたりする。いや、もっと重大なことには、被害者のアイデンティティーを破壊して、死に追いやることさえあるのだ！ また、モラル・ハラスメントの加害者は被害者にとって直接危険であるばかりではなく、まわりの人々にも間接的な影響を与える。加害者の行為に触れることによって、まわりの人々は善悪の判断基準を失い、他人を犠牲にしても自分さえよければ何をやってもいいというふうに思う恐れがある。これは重大な問題である。

このような考えから、この本のなかではモラル・ハラスメントがどういうものであるか理論によって説明した部分は別にして、そのほかの部分では意図的に〈被害者学〉の立場にたって、すなわち被害者の側に立って話を進めている。〈被害者学〉はもともと〈犯罪学〉のひとつの分野にすぎなかったものを、最近、アメリカで独立させてひとつの学問にしたものである。そのなかでは、ある人間がどうして被害者になってしまうのか、その理由を分析したり、被害者にとっての事件の影響や、被害者の権利などが研究される。そういったことから、フランスでも救急医師や精神科医、セラピスト、法律関係者など、被害者の救済に責任を持つ多くの人々が学ぶようになっており、一九九四年からは大学の専攻科目として認められ、免状も取得できるようになっている。モラル・ハラスメントによって精神に攻撃を受けた人間は、まさしくこの学問が対象としている被害者に相当する。精神に傷を受けたことによって、その人間の心の状態は比較的長期にわたって悪いほうに変化するからだ。たとえ、精神的な攻撃に対するその人間の反応の仕方がモラル・ハラスメント的な関係をつくるのに役立ち、その人間自身が望んでその関係に入ったように見えたとしても、その人間が自分には責任のない状況に苦しんでいるという事実を忘れてはならない。実際、こうした人間、つまり被害者が診療室に訪れたのを見ると、知的な機能が停止し、自信を失い、自己主張をするのが困難で、恒常的な抑うつ状態に陥っていることが多い。抗うつ薬はまったく効かず、その抑うつ状態は自殺を引き起こすことさえある。だが、そこで難しいことは、被害者がその状況を正しく認識していないことだ。被害者は配偶者や周囲の人々に対する不満を口にする。しかし、そこに恐ろしい暴力がひそんでいるのに気づいていることは稀で、そういったことについては話そうともしない。これは加害者によって、かなり初期の段階から、被害者の心が混乱させられているからだ。そのため、時にはセラピストのほうも、これはモラル・ハラスメントの被害なのだと気がつかないこともある。いずれにしろ、被害者たちに共通するのは、自分が置かれた状況をどう言葉にしてよいのかわからないということだ。被害者は自分が苦しんでいるのはわかっているが、そこに本当に暴力があるとは想像することができない。〈攻撃されたと思うのは気のせいで、誰かが言っていたように、自分で勝手にそう思いこんでいるだけなのではないか?〉そういった気持ちをぬぐいさることができないのだ。そうして、起こったことを話そうとすると、なかなかうまく表現することができず、結局はわかってもらえないと感じてしまうのである。

この本のなかで、私はまた意図的に〈加害者〉という言葉と〈被害者〉という言葉を使用したいと思う。というのも、たとえ目に見えない形でふるわれているにせよ、それが〈暴力〉であることは明らかだからだ。加害者は被害者のアイデンティティーを攻撃し、その個性を奪おうとする。これはまさしく精神の破壊行為である。その結果、被害者は精神病や自殺に追いこまれることもあるのだ。また、〈変質者〉という言葉も残そうと思う。というのも、この言葉は限度を越えていることをはっきりと意味するからだ。まず限度を越えるほどに権力を求める気持ちが強く、それから、限度を越えるほどに自己愛的なのがモラル・ハラスメントの加害者なのである。

第1部
モラル・ハラスメントとは何か

私たちが普段暮らしているなかで、モラル・ハラスメントは決して珍しいものではない。あまりよく見かけるので、それがあたりまえのことなのかと思ってしまうくらいだ。それは人を人と思わず、嘘をついたり、相手を操ろうとすることから始まる。もし誰かにそういったことをされたら、私たちは耐えられないと感じる。だが、家庭でも職場でも、それが始まった段階で止めてしまわなければ、それは次第に悪辣(あくらつ)なものになっていき、被害者の心の健康に重大な影響をもたらす。被害者はまわりの人々にも理解されず、ただ黙って苦しみに耐えるしかない。

当然のことながら、こういった精神的な暴力は昔から存在した。だが、家族のなかではそれが見えにくかった——その状態はいまでもあまり変わらない。また、職場においては、景気がよくて雇用が十分な時代には、人々はそれに対応することができた。被害者はその会社を辞めればよかったからである。だが、現在のように失業率が高くなってくると、被害者は心や身体の健康を犠牲にしても会社にしがみつかざるを得ない。といっても、被害者のうち何人かは立ちあがって、なかには訴訟を起こす人々もいる。その現象はメディアで報道され、ようやく社会的な問題になってきたところだ。

心理療法家(セラピスト)として、私はこれまで多くの人生に立ち会ってきた。それは患者の心のなかの現実と実際に起こった現実が一緒になってなかなか見分けがつかない世界なのだが、話を聞いてみて驚くのは同じようなケースに苦しんでいる人が大勢いるということだ。誰もが特別だと思っている悩みが、実は多くの人に共有されているのである。モラル・ハラスメントもその例に洩れない。

だが、患者がその苦しみをセラピストに伝えるのは難しい。というのも、モラル・ハラスメントの場合、加害者の言葉がどんなイントネーションで言われたのか、その裏にはどんなほのめかしがあるのか、それが非常に重要なことだからだ。実際、そういった言葉のイントネーションやほのめかしのひとつひとつを見れば、別に気にする必要もない、取るに足らないものであることが多い。だが、それが全体としてまとまりを持った時には精神を破壊するだけの力を持ってくるのである。被害者はこの恐ろしいゲームに巻きこまれ、自分も加害者と同じようなことをすることもある。これは別に不思議なことではない。というのも、モラル・ハラスメント的な行為は、自分の身を守るためなら誰でもすることがあるからだ。これによって被害者にも罪があると言う人がいるが、それはまちがっている。

これまで診療を続けている間に、私は同じひとりの加害者がさまざまな状況のなかで他人の精神に対して何度も破壊的な行為を繰り返しているのを見たことがある。そういった例は決して珍しくはない。職場や家庭で、部下や同僚に対して、配偶者や子供に対して、モラル・ハラスメントの加害者は人の心を攻撃しつづけるのだ。本書を始めるにあたって、私はその点を強調しておきたい。モラル・ハラスメントの加害者が通ったあとには、死体の山が築かれている。だが、本人は知らん顔して、外から見れば社会に適応した生活を続けているのである。

第1章　家族におけるモラル・ハラスメント

❖――夫婦間のモラル・ハラスメント

たとえば、夫から（あるいは妻から）モラル・ハラスメント、つまり精神的な暴力を受けていると訴えても、それは否定されたり、夫婦の間の力関係の問題にすぎないと言われることが多い。精神分析医に相談しても、「その関係は二人でつくりあげたものだ」と指摘されたり、あげくのはてには「あなたのほうが悪い」と言われてしまうこともある。そうなったら、相手の暴力によって被害者がどれほど心理的に傷ついていても、そんなことは問題にもされず、被害者は身を守ることができなくなってしまう。だいたい精神的な暴力そのものがなかったことになってしまうのだ。しかし、そのような事態が起こるのも決して不思議なことではない。加害者の攻撃は巧妙で、ひとつひとつのことをとってみれば〈暴力〉だとは言うことができない。そのため、たとえ加害者が相手を精神的に破壊するのに成功したとしても、まわりにいる人々は単に夫婦の性格が合わなかったせいでそんな不幸が起こってしまったのだと考えるのだ。

これから私はそういったモラル・ハラスメントの実例をいくつか紹介していこうと思う。このなかで、被害者たちはまずモラル・ハラスメントの被害にあったことに気づき、それから証拠を集めて、身を守ることを学んでいくようになる。それには数ヶ月、時には数年が必要である。実例の長さがちがうのはその長短による。

支配の段階

最初にモラル・ハラスメントの加害者と被害者について簡単に説明しておくと、モラル・ハラスメントの加害者はきわめて自己愛的(ナルシシック)な人間である。いっぽう被害者のほうは罪悪感を持ちやすいタイプの人間である。この二人の間で、モラル・ハラスメントの関係は、加害者がまず相手を惹きつけるという形で始まり、それから相手の精神を支配し、暴力をふるうといった経過をたどる……。

さて、加害者であるこの自己愛的な人間は、本当の意味で相手を愛するということはできない。夫婦におけるモラル・ハラスメントはこの愛情の欠如によって起こる。あるいは、自分が執着している相手(自己愛的な人間からしてみれば自分が愛していると思っている相手)との心理的な距離が近くなりすぎた時に起こる。

相手と接近しすぎると、自己愛的な人間は恐怖を覚える。それによって自分が相手に侵入されてしまうのではないかと思うからだ。そこで相手に見えない攻撃を加えて親密になりすぎるのを防いだり、あるいは逆に相手に侵入して、その考えや行動を支配しようとする。そうすれば、相手に自分の考えを否定されて自尊心が傷つけられるようなことがないからだ。もちろん、相手を支配しておけば、相手が自分から離れていくこともない。自己愛的な人間にとって、自分に力があることを確認するには何も言わずにそれを認めてくれる人間が必要なのだ。そのためにも相手を自分に従属させ、さらに言えば相手を

〈所有〉する関係をつくろうとする。そのやり方は巧妙で、特に最初のうちは言葉以外の態度や行動で相手の言動をそれとなく非難し、自分の思いどおりに操ろうとする。これに対して被害者のほうは、もともと罪悪感を持ちやすい性格であることから、相手の態度や行動からその非難を読みとり、相手がそんなふうにするのは自分がいけないせいだと考えて身動きがとれなくなってしまう。

相手の考えや行動を抑えつけて、相手が自分に入ってこられないようにするというのは、相手を本当には愛していない証拠である。言葉によらない加害者のメッセージとは、「私はあなたを愛していない」ということなのだ。だが、それによって相手が自分から離れていかないように、そのメッセージは間接的に伝えられる。その結果、被害者のほうはいつでも欲求不満を抱えている状態になる。また、加害者はそこで何が起こっているかについて被害者に気づかせないようにする。イギリスのミステリ作家、パトリシア・ハイスミスは《ル・モンド》紙のインタビューに答えて、こう言っている。「相手に惹きつけられたり、恋に陥っていたりすると、考える力が働かなくなって、相手の本当の姿が見えなくなるでしょう？　反対に、魅力を持っている人間は相手に物を考えさせないような行動をとることが多いのよ」

モラル・ハラスメントの加害者——すなわち自己愛的な人間は、何が起こっているかわからない状態に相手を陥れ、身動きできなくさせる。そうすれば、自分が恐怖を抱いている〈親密な夫婦関係〉に入らなくてもすむからだ。それによって、加害者はほとんど危険を感じなくてもすむところまで相手を遠ざけるのである。自分の心のなかに入ってこられたくなかったら、相手を攻撃し、抑えつけ、〈所有〉するしかない。その時に、自分がされたくないことを相手にすることになっても、それは自己愛的な人間にとってはどうでもいいことだ。大切なのは相手を支配して、自分のコントロールのもとにおいておくということなのである。こういった支配は状況をかぎれば、ごく普通の夫婦関係にも見られる。自分のほうが支配的な立場にたとうと、どちらか一方が相手の力を弱めようとするのだ。だが、それは健康な自己愛（ナルシシズム）から来ていて、状況によって夫婦のどちらからでも行なわれる。これに対して、モラル・ハラスメントの加害者が行なう支配は一方的で、その程度も限度を越えている。加害者はそれこそ休むまもなく、かなり長い間にわたって目に見えない攻撃を加え、それによって相手を支配していくのだ。

こういった関係は、もちろん、被害者のほうがよほど寛大でなければ成り立たない。被害者は相手に何をされても怒りを表に出さず、この関係を続ける。こうしたことから精神分析医たちは、被害者がこの関係から無意識のうちに利益を引きだしているのではないか、被害者はマゾヒストなのではないか、と解釈することもある。だが、このあとで述べていくように、この解釈は的を射ていない。というのも、被害者はモラル・ハラスメントを受ける前にも、また相手の支配を脱してその影響から逃れたあとにも、自罰的な——すなわちマゾヒスト的な傾向を示さないことが多いからだ。また、そう解釈するのは危険なことでもある。分析医にそう言われたら、被害者はますます罪悪感を強め、その結果、モラル・ハラスメントの状況から抜けだすのが難しくなってしまうからである。

被害者が相手に対して寛大な態度を示すのは、家族に対する忠誠心から来ることが多い。それはたとえば、わがままな父親に母親が尽くしてきたのを見てそれを真似している場合もあれば、家族の誰かのナルシシズムが傷ついているなら、自分が〈慰め役〉になるのが当然だと思っている場合もある。いずれにしろ、被害者はそれが自分の使命だと感じ、その使命を果たすことに身を捧げているのだ。

それでは、これからモラル・ハラスメントの段階にそって、実例を見てみよう。まず最初は〈支配の段階〉の例である。

〈実例　アニーとバンジャマンの場合〉

アニーとバンジャマンは二年前に出会った。その頃、アニーは妻子ある男との不倫の関係に悩んでいた。バンジャマンはアニーに恋をし、不倫の相手に嫉妬した。そして、アニーと結婚して、子供をつくることを望んだ。アニーはなんのためらいもなく不倫の関係を清算し、バンジャマンと一緒になる決心をした。二人はアニーのアパルトマンで新婚生活を始めた。

だが、その瞬間からバンジャマンの態度が変わった。アニーに対して距離を取り、あまり関心を示さなくなったのだ。優しくなるのはセックスを求める時だけだ。アニーは最初、説明を求めた。しかし、バンジャマンは自分の態度は変わっていないと、アニーの言葉を否定した。喧嘩になるのを恐れて、アニーはそれ以上は何も言わなかった。そして、なるべく自分を抑えて、できるだけ明るく見えるようにふるまった。しかたがない。アニーが苛立ちを見せても、バンジャマンはアニーの気持ちを理解しようとはしない。いや、それどころか、そっぽを向いて不機嫌な顔をするのだ。アニーは少しずつ落ちこんでいった。

しかし、そんなアニーの努力にもかかわらず、関係はいっこうに改善されず、アニーはバンジャマンの拒絶に出会うたびに驚きを覚えた。そのうちに、バンジャマンのほうも自分の態度が変わった理由を説明した。その理由とはただ単にアニーが落ちこんでいるのを見るのが嫌になったというのだ。ということは、二人の関係がうまくいかない原因は自分の抑うつ状態にあったのだ。そう考えて、アニーは自分の抑うつ状態を改善するために心理療法を受けることにした。自分のためというより、むしろ二人のために、さらに言えばバンジャマンのために治療を受けることにしたのである。

夫婦であることを認めない

ところで、アニーとバンジャマンは同じ職業についていた。だが、仕事のうえではアニーのほうがずっと経験があった。そのため、バンジャマンは時々、アニーに忠告を求めることがあった。だが、そういった時でも、決して批判めいた言葉は許さなかった。「もううんざりだ。そんな話は聞いてもしかたがない」。そう言って話を打ちきった。そのいっぽうで、アニーの考えを横取りし、自分の功績にしてしまう。しかも、アニーに協力してもらったことは否定し、感謝することもない……。

また、アニーが誤りを指摘すると、たぶん秘書がまちがってメモしたのだろうと責任を他人になすりつける。説明を求めるとまた関係が悪化するので、アニーは信じるふりをするしかなかった……。

さて、結婚した最初の頃から、バンジャマンは仕事や外での出来事をほとんどアニーに話さなかった。アニーはたまたま友人たちがバンジャマンにおめでとうと言っているのを聞いて、バンジャマンが昇進したのを知ったくらいだった。アニーに対して秘密を持っていただけではない。バンジャマンはよくアニーに嘘をついた。たとえば、仕事で旅行に出かけ、これこれの電車で帰ってきたと言う。ところが、上着のポケットを調べてみると、まったく別の切符が入っていたりするのだ。

また、公的な場に出ると、必ずアニーと距離をとった。たとえば、あるカクテル・パーティーの時のこと、バンジャマンが知らない人と一緒にアニーのほうに近づいてきたことがあった。だが、アニーのことを妻としては紹介しない。そのかわりにまずアニーに握手をし、一緒にいた人には

「こちらはマドモワゼル某（なにがし）、これこれの仕事をしています」と説明したのだ。そのあとでアニーが理由を尋ねても、急いでいたとかなんとかもごもごと言いわけするだけだった。

私生活ではアニーが金を使いすぎると言って非難した。アニーも仕事をして生活費を稼いでいるのに、そんなことは考えたこともないようだった。アニーの持ち物が増えると不機嫌になり、浴室の戸棚がアニーの化粧品で埋まっているのを見ると、人前でアニーを嘲弄するようなことを言った。「まったく、あれだけのクリームを顔に塗りたくるなんて信じられないね」。また、細かい習慣にもうるさく、アニーがスリッパを脱ぎっぱなしにしていると、「自分ではいたものは自分で片づけろ」とまるで子供に対するように注意した。

バンジャマンはアニーの言葉や行動、お金の使い道のいちいちを取りあげ、辛辣に批評した。そういったことが重なってくると、アニーは自分はどうしてこんな男に愛情を感じているのだろうと不思議に思うこともあった。バンジャマンは夫婦のことについて話すのを拒否した。「夫婦なんて言葉は時代遅れだ」。そう言って、まともに取りあおうとしないのだ。いや、それどころか、アニーを妻だとは考えていないような行動を示すことがあった。さきほどのカクテル・パーティーのことにはとどまらない。たとえば、ある日のこと、二人で街を歩いていると、ピエロの格好をした大道芸人が手品を見せようと二人を呼びとめたことがあった。大道芸人はバンジャマンに言った。「一緒にいるのは奥さまでしょう？」ところが、バンジャマンは返事をせず、急いでその場から逃れようとしたのだ。アニーは思った。〈バンジャマンが返事をしなかったのは、いや、できなかったのは自分たちを夫婦だと思っていないせいだ。私はこの人の妻ではない。でも、だからと言って、婚約者でもなければ恋人でもない……。バンジャマンはこの問題について何も考えたことがない。

私たちが夫婦であることを考えるのは、この人には重すぎるんだ〉

それでもアニーは二人のことについて話をしようと持ちかけてみることがあった。だが、バンジャマンはいつもこう答えた。「いまはそんな話をする時じゃない！」そのほかにも、二人の間には決して話題にできないことがあった。アニーがその話題を口にすると、結局は自分が傷つくことになるからだ。たとえば、子供のことがそうだ。赤ちゃんがいる友人の家に遊びに行くと、アニーはできるだけ赤ちゃんに興味を示さないように努めた。そんなことをすると、アニーが子供を欲しがっていると思って、バンジャマンが不機嫌になるからだ。アニーは赤ちゃんを見ても声の調子を抑え、関心がないようなふりをした。

妻を支配下におこうとする

バンジャマンはアニーを支配したがった。といっても、経済的には自立していることを望み、そのうえで服従することを要求するのだ。もしアニーが反抗的な態度を見せるようなことがあると、バンジャマンは不安そうな顔をし、アニーに対して拒絶的な態度をとった。

また、夕食の時など、アニーが何か話をすると、バンジャマンは驚いたような顔で天井を見つめることがあった。アニーは最初、〈きっと私が見当はずれなことを言ってしまったせいだわ〉と思った。そして、そんなことが続くうちに、発言を控えるようになった。実を言うと、バンジャマンはアニーの言うことはくだらないと最初から決めつけていたのだが、アニーはそうは思わなかった（といっても、心理療法を受けはじめてからは、アニーはバンジャマンの言葉を全面的に受け入れるようなことはせず、たとえ二人の間に緊張が高まっても反論するようになったのだが……。しかし、それはずっとあとのことだ〉。

アニーが何を言っても、バンジャマンは取りあってくれない。そういったせいで、二人の間には話しあいがなかった。ただ、いっぱいになった壺から水があふれるように、アニーがもう我慢できなくなった時、言い争いが起こるだけだ。その場合も、苛立っているのはアニーだけだ。バンジャマンはただ驚いたような顔をして、こう言う。「きみはまたぼくを非難するつもりか？　わかってるよ。きみにとっては、みんなぼくがいけないんだろう」。それを聞くと、アニーのほうは必死に抗弁する。「あなたがいけないなんて言ってないわ。私はただ、何がうまくいかないのか二人で話しあいたいだけなのよ」。だが、バンジャマンはいっこうに理解した様子を見せず、言葉を巧みに操って、最後にはアニーに罪悪感を持たせることに成功してしまう。バンジャマンにとっては、二人の間で何がうまくいかないかと考えること自体が「あなたがいけない」と言われているのと同じことなのだ。もっとも、たいていはそこまでいかず、バンジャマンはアニーが話を始める前にうまく話題をそらしてしまうのが普通だった。

〈私のどこが気に入らないのか話してくれればいいのに……。そうすれば、いくらでも話しあいができるのに……〉。アニーはよく思った。

二人は次第に意見が対立するような話題を避けるようになった。自分の意見がそのまま受け入れられないと、バンジャマンが機嫌を悪くするからだ。また、バンジャマンが不愉快な顔をするので、アニーの仕事の成功についても話をすることがなくなった。

アニーは自分自身の考えを捨て、個性を発揮するのをあきらめるようになった。そうしなければ、事態はますます悪化し、日常生活そのものが耐えられなくなっていくからだ。だが、そのためには多大な努力を必要とした。

そういったなかで、それでもアニーは時おり自分を主張し、時には別れ話を持ちだしてみることもあった。だが、バンジャマンは「きみに対してこれ以上してあげられることは何もない。でも、きみと別れたくない」と言って、アニーをひきとめた。

アニーはいつもバンジャマンのほうから近づいてきてくれることを期待していたので、それを聞くと希望を取り戻し、また関係を続けることになった。

もちろん、この関係が異常だということはアニーにもよくわかっていた。だが、アニーは何を基準にどう行動すればよいのか、自分でもわからなくなっていたので、バンジャマンが何をしようとそれを許し、逆にバンジャマンを守る必要を感じていた。バンジャマンは決して変わることはないだろう。アニーにはそれがよくわかっていた。そうなったら、〈私があの人に合わせるか、それとも別れるか、そのどちらかしかない〉。そう思いつめるようになっていた。

だが、状況は悪くなるいっぽうで、二人の間では性生活もうまくいかなくなっていた。バンジャマンが愛を交わすことを望まなくなったのだ。アニーは時おり、そのことについてバンジャマンに話してみた。

「こんなふうには暮らしていけないわ」

「しかたがないだろう？　セックスなんて頼まれてするもんじゃない」

「じゃあ、私はどうすればいいの？」

「どうすることもできないよ。まったく、きみはすべてを支配したがるんだから！」

アニーは言葉ではなく、行動で愛情を示そうとしたこともあった。だが、アニーがバンジャマンに優しくキスをしようとすると、バンジャマンはアニーの鼻の頭を舐めたりした。そうして、アニーが抗議をすると、きみにはユーモアのセンスが欠けていると非難するのだ。

では、どうしてアニーはバンジャマンと別れなかったのだろう？

相手に罪悪感を持たせる

アニーから見て、もしバンジャマンが本当にひどい男に思えたら、話はもっと簡単だったろう。だが、バンジャマンはかつては優しい恋人だったこともあった。もしそうなら、いまはたまたま悪い面を見せているだけだ。また元のように戻ってくれることもあるはずだ。いや、自分の力で元のように戻してみせよう。アニーはそう考えて、その変化の兆しを窺っていたのだ。いつの日か、もつれた糸がほどけて二人はコミュニケーションをすることができるのではないか、そう希望を抱いていたのだ。

アニーは結婚してバンジャマンが変わったのは自分の責任だと思っていた。自分がつまらないことで落ちこんだりするから、バンジャマンがそれに我慢できなくなったのだ。また、アニーは自分が魅力的でないことにも罪悪感を覚えていた（以前、バンジャマンは友人たちの前でアニーの服装があまりセクシーではないと冗談を言ったことがあった）。それだけではない。自分がバンジャマンに優しくなかったのではないかと、そのことにも罪の意識を感じていた（バンジャマンはアニーが優しさに欠けるとほのめかすことがあった）。

そうして、いまの関係は確かにうまくいっていないが、それでもバンジャマンと別れてひとりになるよりはましだと考えていた。というのも、前にバンジャマンにこう言われたことがあったのだ。

「もし別れるようなことになっても、ぼくはすぐに別の相手を見つけられる。でも、きみはずっとひとりで暮らすことになるだろう」。バンジャマンと比べれば、自分のほうがはるかに社交的だとわかっていたが、それでもアニーはバンジャマンの言うとおりだと思った。バンジャマンの言葉を聞くと、アニーは自分がひとりぼっちでいる姿を想像してしまったのだ。過去のことを悔やみながら、ひとりで生活している姿を……。

この例を見ると、アニーがバンジャマンの攻撃を受けて、精神的に支配されているのがよくわかると思う。これはアニー自身も意識していたことだったが、実を言うと、アニーの両親も夫婦の関係がうまくいっていなかった。両親はただ義務を果たすためだけに一緒に暮らしていたのだ。そのため、夫婦の間で問題があってもそれをはっきりさせず、ひそかに傷つけあうということを繰り返していた。アニーはそんな家に育ったのである。アニーがバンジャマンに惹かれ、モラル・ハラスメントの過程に引きこまれていったのは、この育った環境にも影響されている。

暴力の段階

次は〈暴力の段階〉である。モラル・ハラスメントの暴力は、夫婦の関係が危機を迎えた時に、よく現われることがある。仮にそれまでモラル・ハラスメント的な行為があまり表にあらわれていなかった夫婦でも、片方の配偶者が強い自己愛的な性格を持っていると、その危機の責任を自分で引き受けることができず、その結果としてモラル・ハラスメント的な暴力をふるうことがあるのだ。まずはその例を見てみよう。

〈実例　モニックとリュシアンの場合〉

モニックとリュシアンは比較的穏やかに結婚生活を送ってきた。ところが、結婚してから三十年目に危機が訪れた。リュシアンが半年前から別の女性と関係を持つようになり、そのことを突然、モニックに告げたのだ。リュシアンは自分にはどうしようもなかったのだと言いわけし、離婚をするつもりはないが、その女性との関係も続けたいと言った。モニックはそれを拒否した。すると、リュシアンは家を出ていってしまった。

それ以来、モニックは深い悲しみに沈むようになった。一日じゅう泣き暮らし、眠ることも食べることもできない……。そうして、冷や汗が出たり、胸苦しさを覚えたり、動悸がするなど、心身症の兆候を示すようになった。モニックは激しい怒りを感じていた。だが、それは自分を苦しめた夫にではなく、夫をつなぎとめることができなかった自分自身に対してだった。もし、ここでモニックが夫に対して怒りを感じることができていたら、彼女は容易に自分を守ることができただろう。だが、そうするためには夫が自分に対して精神的な暴力をふるったという現実を受け入れなくてはならない。モニックのように精神的にショックを受けた場合は、現実を拒否し、それがどれほど苦しいものであっても、相手の態度が変わることを期待するという心の動きを示すことがある。モニックもそうした……。そのほうが楽だったからだ。

リュシアンは夫婦の関係を維持するために定期的に一緒に昼食をとることをモニックに要求した。モニックはそれを受け入れた。それを断ったら、夫が自分のことを忘れてしまうだろうと思ったからだ。また、その時にはあまり落ちこんだ顔はできない。そんなことをしたら、夫がもう自分と会いたくないと言うと思ったからだ。モニックは自分のかかっていた精神分析医に相談した。すると、分析医はなんとリュシアンの愛人と会ってみることを助言した。そうすれば、「もっとコミュニケーションが頻繁に行なえる」と言うのだ！

この例を見れば、リュシアンが妻の苦しみを理解しようともしなかったことは明らかである。実際、モニックに会っても、リュシアンは「そんな落ちこんだ顔を見るのはうんざりだ」と言うだけだった。そうして、〈自分は夫をひきとめておくために必要なことをしなかった〉とモニックに罪悪感を持たせることによって、夫婦の危機の責任をすべてモニックに押しつけてしまったのだ。

このように自己愛的な性格が強い人間にとって、夫婦関係の破綻はモラル・ハラスメントの暴力がふるわれるきっかけとなることがある。というのも……。そういった人間は結婚生活に高い理想を抱いていて、現実よりもその理想のほうを信じようとするため、現実の破綻を認めようとはしない。自分の結婚生活がまちがいであっていいはずはないと考えるからだ。その結果、少なくとも見かけだけは配偶者と正常な関係を保っていることがある。ところが、そこでたとえば愛人ができたりすると、大きなジレンマに陥ることになる。愛人をとるか、結婚生活を理想どおりに行なったという心的現実（幻想）をとるか……。そこでもし、愛人をとるなら、破綻の責任はもちろん相手が取らなければならない。自己愛的な人間は自分の責任を認めることができないからだ。こうして、相手に責任を転嫁するためにモラル・ハラスメント的な暴力がふるわれることになるのである。この場合、その暴力は理想が高かっただけに激しくなる。自分の愛が冷めたのは相手が悪いせいだ。どこがどう悪いとは言えないが、ともかく相手のせいなのだ。自己愛的な人間はそう考える。といっても、愛が冷めたことは言葉では伝えられない。ただ行動で表わされるのだ。

いっぽう相手がそういった形で気持ちを伝えてくると、被害者のほうはひたすら不安な状態に陥る。話しあいでその問題を解決することができないので、その不安からは決して抜けだすことができない。だが、奇妙なことに、この段階では被害者は相手に怒りを感じない。それよりも、恥の意識を感じる。被害者は自分が愛されなかったことを恥じ、屈辱を受け入れたことを恥じ、自分が傷つけられてしまったことを恥ずかしく思うのだ。モニックの場合もそうだ。その結果、怒りがリュシアンには向かず、自分に向かったのである。

モニックとリュシアンの場合、リュシアンが愛人をつくったことによってモラル・ハラスメントの暴力が姿を現わしたのであるが、その前にモラル・ハラスメント的な関係がなかったかと言うと、そうとも言えない。モラル・ハラスメント的な関係は理想の結婚生活という幻想の裏に隠れていただけの可能性があるからだ。いずれにしろ、破綻が現実のものとなった段階で、加害者の心には憎しみがわきおこる。この憎しみは被害妄想に近い。というのも、結婚生活が破綻したのは相手のせいだと思っているからだ。ここで加害者と被害者の立場は逆転する。加害者の心のなかでは自分のほうが被害者になるのだ。また、第三者の目が見てもそれが真実だと思われるように、加害者は相手を挑発して肉体的な暴力をふるわせることもある。そうやって、相手の信用を失わせるような事態をつくりだすのだ。その結果、被害者のほうはどんなことがあっても罪悪感を持たされることになる。次はモラル・ハラスメントの関係に入ってから、別れに至るまでの過程を見てみよう。

〈実例　アンナとポールの場合〉

アンナとポールはともに建築家で、仕事の関係で出会った。ポールはすぐにアンナと一緒になることに決め、アンナのアパルトマンにころがりこんだ。だが、感情的な部分では距離をとり、本当に気持ちが触れあうようなことは避けた。人前では特に優しい言葉をかけたり、愛情を示したりするのを拒否し、手をつないで歩いている恋人たちを見ると軽蔑したような顔をした。

ポールは自分のことを話すのも苦手だった。そのため、いつも冗談を言って、なんに対しても嘲っているような態度をとった。それによって、いつも自分は安全なところに隠れ、何かの事態に身をさらすことを避けていたのだ。

また、極端な女性蔑視の考えを持っていて、いつもこう言っていた。「女はみんなペニス羨望を持っている。つまり、男より劣った存在だということだ。まったく、どうしようもない。でも、女なしですますことはできない……」

そんなポールと一緒にいて、アンナはたとえ冷たくされても、それはポールが内気で恥ずかしがり屋だからだと思った。厳しくされてもそれはポールが強い人間だからだと思い、あまり物を言わないのは本物の知識を身につけているからだと思った。そうして、自分の愛でポールの心をやわらげることができるだろうと信じていた。夫婦の関係に安心したら、もっと優しくなってくれるだろうと……。

被害者の立場に身を置く

アンナとポールの間には暗黙の規則ができていた。人前であまりべたべたしないという規則だ。

アンナはそれももっともだと思い、この規則を受け入れていた。だが、相手と親密になりたいという気持ちはポールよりもずっと強かったので、この関係を続けるにはアンナのほうが努力することになった。ポールは自分が気難しいのを不幸だった子供時代のせいにしていた。だが、それを詳しく説明するわけではなく、何かのおりに断片的に口にするだけだった。時にはそういった言葉が互いに矛盾することもあった。たとえば、「小さい頃、まわりの人間は誰もぼくをかまってくれなかった」と言ったかと思うと、「もし祖母がぼくをひきとってくれなかったら……」と言ったりするのだ。また、「父親はたぶん本当の父親ではなかったにちがいない」と、よく口にした。

こうやって被害者の立場に身を置くことによって、ポールはアンナが自分に同情し、寛容な態度で接するよう仕向けた。アンナのほうも小さな頃から家族の関係を修復するのに一家の〈慰め役〉を務めていたこともあって、ポールに惹きつけられた。アンナにとって、ポールは慰めてやらなければならない小さな男の子のように見えたのだ。

共依存的な関係

ポールはすべてを知っている人間だった。政治についても、また自分たちのまわりのことについても、誰が能力のない人間で誰が比較的ましなのか、何をすればよいか、何をしてはいけないか、そういったことをすべて知っていた。自分がよく知っていることを示すために、ポールは時おり、何かを言いかけ、最後まで言わずにただうなずいていることもあった。

いっぽう、アンナのほうはすべてに対して自信がなかった。アンナは何かを言いきることのできない人間だったのだ。自分の考えに確信が持てないせいで、アンナは他人を非難するようなことはしなかった。いや、それどころか、いつも相手を許す理由を見つけようとした。そうして、自分の意見を言う時には、必ず幅を持たせるようにした。それを聞くと、ポールはきみは物事を複雑にしすぎると言って、アンナを馬鹿にした。だが、そのいっぽうで、アンナの自信のなさを自分に都合のよい関係をつくるのに利用した。その結果、アンナはポールのいる前では自分を抑え、ポールが望んでいるように——というよりは、これがポールの望みだろうと自分が推測したとおりに行動するようになった。また、自己主張をするのを避け、ポールに合わせてこれまでの習慣も変えるようになった。

ポールはすべてを知っていて、アンナは何かを言いきることができない。すなわち、ポールは何ごとにも自信を持ち、アンナは自信が持てない……。二人の関係においてはこれが基本になった。ポールはアンナがなんでも言うことをきき、自分の意見をいつでも受け入れてくれると感じた。アンナのほうもポールの判断に従うのが楽だと感じるようになった。

自分のほうが優位に立ちたがる

だが、そのいっぽうで、つきあいだしたその初めから、ポールはアンナに対してかなり批判的な態度を示した。特に人前でアンナが返事をできないような状況の時を選んで、アンナを嘲弄するようなことを言った。そうして、あとでアンナがそのことを話題にしようとすると、冷たい態度で、そんな小さなことで騒ぎたてるなんて、きみは恨みがましいと非難した。もちろん、嘲弄するのはやめない。それは取るに足らないことから始まり、次第にアンナの趣味など、心のなかのことにまで踏みこんできた。たとえばパーティーなどがあったりすると、その席で友達をつかまえ、「知ってるかい？　アンナは古くさい音楽ばっかり聞いてるんだぜ」と言ったりするのだ。あるいは、「信じられるか？　アンナは乳房をひきしめるクリームを買ってるんだぜ。胸なんかないくせにね。無駄づかいもいいところだよ」とか、「アンナはこんなことも知らないんだぜ。そんなの常識だっていうのに……」とか言うこともある。

友達と一緒に夫婦で週末旅行に出かけた時には、みんなの前でアンナのスーツケースをあけて、こう言ったこともあった。「すごい荷物だろ？　アンナはぼくのことを引っ越し屋だと思っているんだ。浴槽を持ってこなかったのが不思議なくらいだ」

それに対してアンナが、「いいじゃないの。私のスーツケースは私が持って歩くんだから……」と反論すると、「そうだよ。でも、きみが疲れたりしたら、ぼくはおつきの者のようにそいつを持って歩かなくちゃならないんだぜ」と言う。

そうして、女はずる賢くて、いつも男に手助けをさせようとする、と話を一般化してしまうのだ。ポールはアンナを困らせることを目的にしているようだった。だが、アンナのほうは、攻撃されているとは思うものの、ポールが悪意で言っているかどうかとなると確信が持てなかった。ポールの口ぶりがどっちつかずで、冗談を言ってるようにも受け取れるからだ。まわりにいる人たちも、悪意の言葉だとは思っていないように見える。アンナはユーモアのセンスが欠けていると言われるのを恐れて、何も答えることができなくなってしまった。

アンナが誰かに褒められたりして、自分よりも優位に立ったと感じると、ポールはいっそう激しくアンナを批判した。ポールはアンナが会社で恵まれた地位にあり、そのため仕事のうえでも成功し、自分よりもお金を稼いでいることにコンプレックスを感じていた。それはアンナにもわかっていた。だが、アンナを批判する時、ポールは必ずこう言った。「ぼくはきみを非難しているわけではない。ただ、事実を言っているだけだ」

直接的なコミュニケーションを拒否する

そのうちに、ポールはアンナに秘密でアシスタントの女性と愛人関係になり、その女性と暮らすことを考えはじめた。その頃からアンナに対する攻撃は激しさを増し、あからさまにアンナの心の安定を揺さぶりはじめた。

たとえば、仕事がうまくいかないとか、資金の問題があると言って、いつも不機嫌な顔をしている。あるいは、夕方になると、アンナよりも早く家に帰って、酒のグラスを手にテレビの前にむっつりと座りこんでいる。そうして、アンナが帰ってくると、「お帰り」とも言わず、「夕飯はどうするんだ?」と訊くのだ。もちろん、アンナのほうには顔を向けようともしない(妻に対して不機嫌を表わす古典的なやり方だ)。

ポールはアンナを直接非難するわけではなかった。だが、なにげない言葉を非難の口調で口にするので、聞いているほうは責められているような気がするのだ。アンナはどうしてポールが自分を非難するのか、説明を求めて理解しようとした。だが、ポールは巧みに身をかわし、アンナを非難したわけではないと否定する。そう言われたら、アンナのほうはどうすることもできなかった。

また、ポールはアンナのことを〈おばあちゃん〉と呼びはじめた。そのことでアンナが抗議すると、〈太っちょばあちゃん〉とあだ名を変えて、こう言った。「きみは太っていないんだから、何もきみのことだと思う必要はない」

どうして自分がこれほど苦しまなければならないのか、それを理解しようとすると、アンナはいつも壁にぶつかった。その壁は決して打ち破ることができなかった。その結果、アンナは次第に苛立つようになった。すると、ポールはたちまち「きみは怒ってばかりいる攻撃的な女だ」と言うようになった。そうしたことによって、アンナは二人の問題を十分な距離をとって考えることができず、あいかわらず理由もわからないままポールから攻撃を受けることになった。問題を冷静に見つめることができないので、ポールの攻撃を防ぐことができなかったのだ。

普通の夫婦喧嘩とちがって、二人の間には対立というものがなかった。したがって、仲直りをすることもない。ポールは決して声を荒げることがなかった。しかし、そのかわりに冷たい敵意を示し、アンナがそう言うと、即座にそれを否定した。アンナのほうは会話が成り立たないのに苛立ち、大声で叫ぶようになった。すると、ポールが「まあ、落ち着けよ」と軽蔑したように言う。アンナは自分が能力のない、軽蔑されてもしかたがない人間だという気がしてきた。

二人の間のコミュニケーションはただ視線だけで行なわれるようになった。ポールの視線には憎しみが宿り、アンナのほうは非難の眼かあるいは恐怖の眼でポールを眺める……。ただそれだけのコミュニケーションだ。

セックスを拒否する

アンナはポールの真意をつかみかねた。だが、ひとつだけ確かなことは、ポールがセックスを拒否したことだ。その問題についてアンナがポールと話をしようとすると、ポールはいつも「いまはそのことを話す時じゃない」と答えた。しかたなく、アンナはポールを夕食に誘い、レストランでその話題を持ちだした。ところが、アンナが自分の悩みについて打ち明けようとすると、ポールはそれをさえぎり、「わざわざこんなところにまで来て夫婦喧嘩をするつもりか？　しかも、セックスのことなんかで……。恥ずかしいとは思わないのか？」と言った。それを聞いてアンナが泣きだすと、ポールは怒りだした。「そんなことくらいで泣くなんて、きみは抑うつ症なんじゃないか？　いい加減にめそめそするのはやめてくれ！」

そのあとで、ポールはこう言って自己弁護した。「きみみたいな女とどうしてセックスができるんだ。きみはペニス羨望のがみがみ女だ。まったくおぞましい……」

意地悪をして悪意を示す

そんなことがあってからしばらくたったある日、ポールはアンナの手帳をどこかに隠すことまでした──アンナが帳簿をつけるためのメモとして使っている手帳だ。アンナは最初、ポールが隠したとは思わず、いろいろなところを捜して、それからポールに尋ねた。しかし、ポールはそんなものは見なかったと言って、逆に、きちんと整理していないからだとアンナを非難した。だが、アンナは確かに自分の部屋に手帳を置いた記憶がある。それはまちがいない。そして、その部屋に入れるのはポールだけなのだ。「そんなものは見なかった」と答えた時、ポールの眼にはアンナが凍りつくほどの憎しみが浮かんでいた。アンナは茫然とした。ポールがどこかに隠したのはまちがいない！　だが、ポールがより攻撃的になることを恐れて、アンナはそれ以上は言わないことにした。

だが、このことでいちばん恐ろしかったのは、ポールがそんなことをした理由がどうしても理解できないことだった。アンナはその理由を考えてみた。自分が何か悪いことをしたせいで、ポールは仕返しをしようとしたのだろうか？ それとも、嫉妬のせいだろうか？ 妻のほうが自分よりも仕事をしていると確かめたかったのだろうか？ あるいは、手帳のなかに妻の失敗を見つけ、それを利用しようとしたのだろうか？

いずれにしろ、ポールは自分に対して悪意を持っているのではないか？ そう考えると、アンナは恐怖に震え、その恐ろしい考えをふりはらおうとした。そんなことは絶対に信じたくなかった。だが、その恐怖は身体的な異常に転換され、ポールの冷たい視線に出会うと、アンナは身体の調子がおかしくなった。

こうなると、アンナもポールに悪意があることを認めないわけにはいかなくなった。ポールは自分を〈破滅〉させようとしているのだ。もちろん、イギリスの推理小説にあるようにコーヒーのなかに毎日少しずつ砒素を入れていくわけではない。だが、毎日のように悪意を示すことによって、精神的に破壊しようとしているのだ。

相手が存在しないかのようにふるまう

アンナの苦しみを見ないようにするために、ポールはアンナを〈物体〉のように見なした。アンナを見る時も、感情のない冷たい表情で眺める。アンナが泣きわめいたりしても、馬鹿をみるだけだ。アンナはポールの前で自分が存在しないように感じた。泣いても苦しげにため息をついても、ポールには届かない……。こうして、コミュニケーションが成立しなくなると、アンナの心は激しい怒りで占められるようになった。そして、その怒りをぶちまけることができない状態が続くと、不安がそれに代わった。アンナはこの苦しみから逃れるために、「別れたい」という言葉を口にするようになった。だが、ポールがアンナの言葉に耳を貸さない以上、そのことについても話しあいを行なうのは不可能だった。しかたなく、アンナは息をひそめるようにして暮らし、これ以上緊張が高まって生活が耐えがたいものにならないようにと、ただそれだけに気をつかった。

また、直接的なコミュニケーションは不可能なので、アンナはポールに手紙を書くことにした。手紙のなかで、アンナは〈もうこんな状態を続けていくことはできない。なんとか解決法を見つけたい〉と訴えた。手紙はポールの机に置いた。それからしばらくの間、アンナはポールがそのことについて話してくれるのを待った。だが、ポールが何も言わないので、自分のほうからポールに尋ねてみた。すると、ポールは「何も言うことはない」と冷たく答えた。アンナは自分の手紙では説明が足りなかったのだと思い、前よりも長い手紙を書いた。だが、翌日、ポールの部屋に行くと、その手紙がくず箱に捨てられているのを見つけた。怒りを抑えることができずに、アンナはポールに説明を求めた。だが、ポールは「きみみたいに興奮しやすい女に何も返事をする必要はない」と答えるだけだった。

こうなったら、もう手のほどこしようがない。どんな方法を使っても、ポールは自分の言葉を聞いてくれようとしないのだ。ポールに言葉が届かなかったのは、やはり自分の説明の仕方が悪かったのだろうか？　それ以来、アンナは自分で書いたことをあとから確認できるように、ポールに手紙を書く時には必ずコピーをとっておくことにした。

ポールはアンナの苦しみにまったく理解を示さなかった。それどころか、アンナを見ようとさえしない。アンナの苦しみはいっそう大きくなり、ポールに対する態度もぎこちなくなった。また、日常生活でもさまざまな失敗をするようになり、ポールに非難の口実を与えた。「きみはなんの役にも立たない〈くず〉のようなものだ！」と言われることさえあった。

ポールはアンナとの接触を徹底的に避けた。アンナのほうは逆にいつまでも話しあいをすることにこだわった。

だが、そのうちに、ついにアンナのほうが耐えられなくなって、ポールと別れる決心をした。すると、

「きみはぼくがお金を持っていないことを承知で、ぼくを外に放りだそうというのか？」とポールは言った。

「外に放りだすわけではないわ。ただ、私はもうこの状態に耐えられないだけ……。それに、お金を持っていないと言うけど、あなたは働いているじゃないの。財産だって二人で分けることになるわ」

「ここを出たら、どこに行けばいいと言うんだ？　まったく、ひどい女だ。きみのおかげで、ぼくはどこかのあばら屋で暮らすことになるんだぞ」

ポールが怒ったのを見て、アンナは罪悪感を覚えた。ポールがこれだけ激しく反応するのは、子供たちと離れるのが悲しいからだと解釈したのだ。

子供を利用して嫌がらせをする

二人は離婚をし、子供たちは時おり父親と週末を過ごすことになった。その最初の週末、アンナは通りで偶然、ポールが子供たちを家に連れて戻ってくるところに出会った。子供たちは父親と一緒に仕事をしているシェイラという女の人とともに楽しい時を過ごしてきたと言った。アンナはそ

の時点ではシェイラがポールの愛人だとは気づかず、ポールの顔に勝ちほこったような笑みが浮かぶのを見て不思議に思った。

家に戻ると、子供たちはパパはシェイラに夢中だったと口々に報告した。一日じゅう、シェイラの唇にキスをし、胸やお尻に触っていたというのだ。アンナはようやくポールが勝ちほこったような笑みを浮かべていた理由を理解した。自分には愛人がいると直接アンナに言う勇気がないため、ポールは子供たちを使ってそれを知らせたのだ。しかも、子供たちの前でシェイラと仲のよいところを見せれば、家に帰ってから子供たちが報告し、その結果、アンナが嫉妬するだろう、とそこまで計算していたのだ。この方法を使えば、アンナがどれほど怒っても自分は遠く離れたところにいるので非難を受ける心配はない。アンナの悲しみや恨みは子供たちが引き受けてくれる……。アンナに対しても、また子供たちに対してもひどいやり方だった。

アンナはどうしたらよいのかわからなくなった。もがけばもがくほど深みにはまってしまうのだ。そうして、ただ怒りと不安の間を揺れ動いた。ポールに対してはもう何をすることもできない。何を言うこともできない。すべてが恐ろしかった。苦しみのあまり、もうアンナは戦うことをやめた。ひたすら状況に流され、そして落ちこんでいった。

自分には責任がかからないようにする

いっぽうポールのほうは自分の家族や友人に、「アンナに追いだされて、経済的に困っている」と言いふらした。〈ひどい女〉の役割を押しつけられないようにアンナは弁明しようとした。だが、その方法は、たとえばポールに手紙を書いて自分が感じていることを説明するという、一緒に暮らしている時に使って失敗した方法だった。しかも、アンナはポールを直接攻撃することが怖かったので、夫婦の危機に乗じて夫を誘惑したとシェイラを非難した……。

これによって、アンナはポールの罠にはまってしまった。ポールはアンナの怒りや憎しみから逃れ、この状況の責任を取るかわりに女同士を戦わせるのに成功したのだ。アンナの怒りの矛先をシェイラに向けることによって、自分は傷つかずにすむ。離婚をしても、アンナがおとなしく、従順で、自分を守ってくれる存在であることに変わりはないのだ。少なくとも、ポールにとって、アンナが自分を攻撃しないことはそういったことを意味した。

それでもたった一度だけ、アンナはポールに直接文句を言ったことがある。ポールの家に乗りこむと、無理やり家に入り、それまでためていた怒りをすべてぶちまけたのだ。もうすでに離婚はしていたが、ある意味ではこれが初めての夫婦喧嘩だった。アンナがポールに立ち向かったのはこれが初めてだった。「きみは狂っている。頭のおかしな人間と話をすることはできない」。ポールはそう言って、力ずくでアンナを追いだそうとした。アンナはポールの顔をひっかき、泣きながらポールの家を出た。もちろん、この事件はアンナの非を言いたてるためにすぐにポールに利用された。アンナは自分の弁護士から叱責された。ポールはまた「アンナは頭がおかしい」とか「暴力的な女だ」とかあちこちで言いふらした。アンナはポールの母親からも非難の手紙を受け取った。その手紙には、《冷静になりなさい。あなたの行動は許しがたいものです》とそう書かれていた。

その間、財産の分割についてはアンナとポールの弁護士が話しあっていた。アンナはポールを刺激して手続きが長引くのを恐れ、温厚な性格の弁護士を選んでいた。また、この問題を穏やかに解決したいという気持ちから、相手側の要求にほとんど異を唱えることもなかった。その結果、見た目にはかえってポールより余裕があるように見えた——相手がつまらない人間だと思って見くだしているように……。

そんなアンナの態度に脅威を覚えたのか、ポールはびっくりするような行動に出た。残されたのはアンナの家に昔からあった家具と子供たちのベッドだけだった。財産分割の目録ができあがる寸前になって、別荘の家具をすべて持ちだしてしまったのだ。ちょうど夏のヴァカンスの始まる直前だった。アンナは抗議を行なわないことにした。財産分割など、経済的な問題が片づけば、ポールはもう自分を攻撃してこないだろう、そう考えたからだ。

だが、その考えは甘かった。子供たちのことについて相談する手紙のなかで、間接的な表現ではあったが、アンナが財産をすべて持っていってしまったとポールが非難してきたのだ。アンナは最初、それは嘘だとポールの言葉をしりぞけ、詳しいことはすべて弁護士たちに任せてあるはずだと返事を書いた。だが、それはなんの役にも立たなかった。ポールにしてみれば、どんなことについてでもいいから、ともかくアンナのほうが悪いという形をつくる必要があったのだ。そんなある日、子供のひとりがアンナに言った。「ねえ、パパはママが財産を全部持っていっちゃったとみんなに言いふらしているよ。ママは本当にそんなひどいことをしたの?」

この例でもまたモラル・ハラスメントの加害者が夫婦関係の破綻の責任を相手に押しつけようとしていることがわかる。ポールはアンナのほうから離婚を言いだしたことを利用し、アパルトマンから自分を追いだしたと言って、破綻の責任をアンナに転嫁してしまったのだ。ポールにとって、悪いのはすべてアンナでなければならない。そうでなければ、自分が精神的に耐えられないからだ。こうしてアンナを身代わりの犠牲者（スケープゴート）にすることによって、ポールは自分を省みなくてもすむようになった。夫の裏切りを前にして、アンナは肉体的な暴力をふるうかもしれない。だが、そうなったらポールにとってはしめたものだ。アンナを〈暴力的な女〉だと決めつければいい。その反対に、アンナが落ちこんでいれば、〈抑うつ症〉のレッテルを貼ればいい。こうなったら、もうアンナにはどうすることもできない。ポールに対してどんなやり方をしても、それはまちがったやり方になってしまうのだ。といっても、ポールからすれば、アンナがもっと激しい反応を示してくれたほうがありがたかったろう。そのほうが第三者の目から見てもアンナが悪かったことにしやすいからだ。だが、アンナはたった一度、思いあまってポールの顔をひっかいたほかは、ポールの挑発に乗ったことはなかった。そこでポールは悪口や中傷をふりまいて、アンナの評判を落とすことにしたのである。

治療の過程から言うと、アンナをこの不幸な状態から抜けださせるためには、まずアンナが何をしようと、それはポールの憎しみの対象になってしまうということを彼女自身に受け入れさせる必要があった。また、この関係を改善することは彼女にはできないと本人に認めてもらわなければならなかった。そうして、まず何よりもアンナに自信を取り戻させることが大切だった。アンナが自分自身に対してよいイメージを抱ければ、ポールの攻撃でアイデンティティーを揺るがされることはないのだ。その結果、ポールの支配から逃れ、モラル・ハラスメントの状況から抜けだすことができるのである。

いっぽうポールの気持ちについて説明すれば、ポールは誰かを愛するためには（本当の意味では愛していないとしても）、別の誰かを憎む必要があった――モラル・ハラスメントの加害者はそういった心の動きを示すことがあるのだ。それはモラル・ハラスメントの加害者である自己愛的な人間が世界を〈善〉と〈悪〉に分離していることと関係している。つまり、簡単に説明すると、人間には誰の心にも死に対する破壊的な衝動がある。だが、自己愛的な人間は、その衝動をふり払うために、自分の心のなかにあるその衝動を外の誰かに〈投影〉して、その誰かが自分を破壊しようとしているのだと考える。こうして、モラル・ハラスメントの加害者は、自分が生きていくために〈よい人間〉と〈悪い人間〉をつくりだすのだが、この場合、当然のことながら、新しいパートナーは〈よい人間〉で、これまでのパートナーは〈悪い人間〉になる。その結果、新しいパートナーを〈よい人間〉として理想化するために、これまでのパートナーを〈悪い人間〉として憎むことになるのだ。

誰かを理想化して愛するためには、別の誰かを悪者にして憎まなければならない。新しいパートナーへの愛は、これまでのパートナーへの憎しみのうえに成り立っているのだ。

離婚の時にはよくこういったことが起こる。だが、新しいパートナーとの生活が始まって、多かれ少なかれ愛の理想が崩れてくると、前のパートナーに対する憎しみも弱まってくる。したがって、こういった形の憎しみはそのうちに姿を消してしまうことが多い。しかし、ポールは夫婦や家族に対して非常に理想化されたイメージを持ちつづける人間だった。その結果、別れたあとにいっそうアンナを憎むことによって、新しいパートナーであるシェイラとの関係を理想の状態に保とうとしたのだ。シェイラのほうも、意識していたかどうかは別にして、この憎しみがポールとの関係を守るのに役に立つと感じ、その気持ちをそのままにさせておいた。いや、ポールがもっとアンナを憎むようにあおっていたふしさえある。

いっぽうアンナのほうは生まれつき無邪気な性格だったということもあって、しあわせで優しい関係をつくるには、愛しあっていれば十分だとそう単純に信じていた。したがって、ポールから攻撃を受けた時にも、ほかに愛人がいるせいだとは理解できなかった。その愛人とうまくやっていくためにポールが自分に攻撃を仕掛けてくるのだとは想像もできなかったのだ。その結果、ポールが冷たい態度を示すのは、自分がポールの期待どおりに行動する〈いい妻〉ではないからだと、ただそう考えていた。アンナがモラル・ハラスメントの加害者について知らなかった以上、これはしかたがない……。強度に自己愛的な人間にとって、愛は憎しみに取り巻かれている必要があるのだ。

別れても続く暴力

このようにモラル・ハラスメントの暴力は相手と離婚したり、別れたりする時にいちばん激しくふるわれる。だが、加害者にとってはこれはある意味で自分の身を守る手段だとも言えるので、この暴力をもってして加害者が精神異常であると言うことはできない。といっても、この暴力が加害者のほうから一方的に繰り返され、被害者の精神を破壊するものであることに変わりはない。

相手と別れることになると、モラル・ハラスメントの加害者はいよいよ本性を現わし、陰険な攻撃を始める。加害者はせっかく捕まえた獲物が逃げたと感じるのだ。自己愛的な人間にとっては、これは耐えられない。したがって、別れたあとでも暴力はやむことがない。二人の間にまだ残っている関係を通じて、攻撃が行なわれるのだ。たとえば、アンナとポールのように子供がいれば、その子供との関係を通じて暴力がふるわれる。J=G・ルメールによると、《恋人と別れたあとや離婚のあとには仕返しが行なわれることがある。別れを宣告されたほうは自分自身を憎むことができない。そこで、かつては自分の一部であった相手に憎しみをぶつけることになるのだ[4]》

これは英語で言う〈ストーキング〉である。それをする人間は〈ストーカー〉だ。具体的に言えば、かつての恋人や配偶者が相手をあきらめようとせず、相手の会社の出口で待ち伏せをしたり、昼となく夜となく電話をしたり、直接的、間接的な脅迫の言葉を口にするのだ。モラル・ハラスメントに引きつけて言えば、加害者が捕まえた獲物を手放そうとせず、被害者を支配しつづけようとするのである。

この〈ストーキング〉については、夫婦における肉体的な暴力の問題と同様に、すでにいくつかの国でそれを予防する措置が検討されている。この種の攻撃は、被害者がわずかでも抵抗を示すと、肉体的な暴力にまで発展することがあるからだ。

夫婦の片方がモラル・ハラスメントの加害者であった場合、離婚はどちらの側から言いだしたものにしろ、すっきりとは決着がつかないことが多い。場合によっては訴訟になり、その間も加害者は被害者と関係を保つことになる。もうすでに存在しなくなった夫婦の関係が法廷の場にだけは残ることになるのだ。そうなったら、書留の手紙や弁護士たちのやりとりを通じて、あいかわらず暴力がふるわれつづける。加害者は決して相手を許そうとはしない。相手に対する支配欲が強ければ強いほど、別れることになった怒りや恨みは（たとえ、自分のほうから離婚を言いだしたものであっても）強くなるのだ。これに対して、被害者のほうはうまく身を守ることができない。特に自分のほうから離婚を言いだした場合は（こちらのほうが多いのだが）、罪悪感によってできるだけ相手に寛大になろうとする。また、そうすることによって、相手の攻撃から逃れようとする。だが、それはもちろん、逆効果だ。被害者が寛大になればなるほど、加害者は暴力的になってくるからである。

また、被害者は法律をうまく利用するやり方を知らない。いっぽう加害者のほうは、あとで述べるように妄想症（パラノイア）と非常に近い性格を示すこともあって、裁判に負けないよう、いろいろと必要な準備をしてくる。また、フランスでは確かに、配偶者に対する悪口や中傷、冷淡な態度など、モラル・ハラスメント的な行為は離婚の原因として認められている。だが、そういった行為をした人間が巧みに相手の心を操って、罪悪感を持たせることがあるとは想像もされていない。それに、離婚を請求するほうはどのような行為があったのか、証拠をそろえて証明しなればならない。被害者のほうがよほど周到に準備をしていないかぎり、モラル・ハラスメントの行為をいったいどうやったら証明することができるだろう？

加害者のほうが相手に肉体的な暴力をふるわせるなど、わざと過失を犯させて、それを理由に自分にとって有利な離婚をすることも珍しくはない。もちろん、原則的には片方に全面的な責任があるという形で離婚が認められることはない。そういった過失を犯したのにはもう片方の行動が関係している可能性もあるからだ。しかし、現実には被害者のほうが過失を犯している以上、相手側にモラル・ハラスメントの行為があったという事実が証明されなければ、加害者に有利な判決が下されることになる。モラル・ハラスメントの裁判はなかなか難しいのだ。そういったこともあって、裁判所の判事たちも裁判よりは和解調停を勧める傾向にある。加害者と被害者のどちらがどちらを操っているのかよくわからなかったり――つまり、どちらが本当の加害者でどちらが本当の被害者かわからなかったり、判事自身がそのどちらかわからない加害者に操られるのを恐れるからだ。その結果、時間をかけて和解調停が行なわれる間、モラル・ハラスメントの状況は続くことになる。

モラル・ハラスメントの加害者は相手を精神的に不安にさせ、自信を失わせようとする。そのためには、平気で嘘をつくなど、あらゆる手段が使われる。そういった人間に翻弄されないようにするためには、被害者のほうは自分の決断に自信を持ち、加害者の攻撃はあまり気にかけないことが大切である。元配偶者とコンタクトする時には、絶えず警戒して、相手の術中にはまらないよう注意していなければならない。これによって、被害者にはまた精神的な負担がかかることになる。

次はこの離婚に際してふるわれたモラル・ハラスメントの暴力の実例である。

〈実例　エリアーヌとピエールの場合〉

エリアーヌとピエールは結婚して十年後に離婚をした。二人の間には子供が三人いた。離婚を言いだしたのはエリアーヌのほうだった——ピエールの精神的な暴力に耐えられなくなったのだ。だが、離婚の裁判の時、判事の前でピエールは言った。「ぼくはこれから一生、エリアーヌの邪魔をすることに身を捧げます。それがぼくのたったひとつの目的となるでしょう」

その日から、ピエールはエリアーヌと言葉を交わすのを拒否するようになった。連絡は書留郵便か弁護士を通じて行なわれ、ピエールから子供たちにかかってきた電話にたまたまエリアーヌが出ると、ピエールはただ「子供たちを出してくれ」とそれだけ言った。偶然、街で会うようなことがあっても、ピエールはエリアーヌの挨拶に答えないばかりか、まるでエリアーヌが見えなかったかのようにそっぽを向いた。これによって、ピエールは言葉で言うよりも雄弁にエリアーヌの存在を無視したのだ。

子供たちに関することで嫌がらせをする

こういった離婚した夫婦の間では、モラル・ハラスメントは子供たちに関することで行なわれることが多い。子供の健康や学校のこと、ヴァカンスの過ごし方のことなどで相談をしても、それがスムーズに行なわれないのだ。ピエールの手紙には毎回、必ずエリアーヌを攻撃するようなことが書かれていた。その内容は一見したところでは取るに足らないものだったが、エリアーヌを動揺させ、不安に陥れるには十分なものだった。

たとえば、エリアーヌが子供たちの養育費を見なおしてくれと手紙を書くと、ピエールはこう返事をしてきた。《きみの言うことはいつものように信用できない。この問題については弁護士に相談してみるから、そのつもりでいてほしい》。また、手紙を書いても返事をよこさないので、書留の郵便を送ると、《毎週のように書留の手紙を送ってくるなんて、きみは頭がおかしいにちがいない》と書いてくる。

子供たちの週末をどちらで過ごさせるかについても、なかなか返事をしてくれない。たとえば、五月は最初の週末をピエールが子供たちと過ごすことになっていたのだが、ピエールが迎えに来るのか、それとも自分が送っていかなければならないのかと手紙で尋ねても、返事をくれない。その週末は結局、ピエールは子供たちと過ごさなかった。業を煮やしたエリアーヌが《いったい五月はいつ子供たちに会ってくれるのでしょう？ あなたは最初の週末を子供たちと過ごすことになっていたじゃありませんか？》と手紙を書くと、自分が返事をしなかったことは棚にあげて、《五月の最初の週末と言えば七日と八日だ。だが、その日はもう過ぎてしまった。きみはぼくが子供たちに会う権利を奪ったのだ。もしこれからもこんなことが続くようなら、裁判所に訴えたほうがいいとぼくの弁護士は言っている》といった返事が戻ってくるのだ。

そういった手紙を受け取ると、エリアーヌは自問した。〈私はいったい、どんな悪いことをしたのだろう？〉と……。だが、いくら考えても自分が悪いとは思えないので、自分のほうは気がつかなかったが、何かピエールが誤解するようなことがあったのかもしれないと思った。そのうちに、自分を正当化しようとすればするほど、自分のほうが悪いことをしたような気がしてきた。

たび重なるピエールの攻撃に、エリアーヌは次第にとげとげしくなってきた。だが、ピエールはその場にいないので、その苛立ちは子供たちに向かった。その結果、子供たちはよくエリアーヌが狂ったように泣きわめいている場面を見ることになった。

エリアーヌは自分が誰からも非難されない人間でいたかった。だが、ピエールに対してはあらゆることに罪悪感を覚える……。ピエールとのやりとりのなかでは、離婚も、またそれから生じた結果も、すべて彼女の責任になってしまうのだ。いくら自分を正当化しようとしても、それは無駄な抵抗にすぎなかった。

ピエールは何かにつけてエリアーヌが悪いとほのめかしたが、それに対してエリアーヌは何も答えることができなかった。ピエールが何について自分を非難しているのかよくわからないことが多かったからだ。そうなったら、自分を弁護することもできない。ピエールは〈この状態であれば悪いのはきみのほうだ〉といった調子で彼女を非難してくる。だが、エリアーヌのほうはそれが〈どんな状態〉のことを言っているのかわからない。その結果、結局はエリアーヌのほうが悪いことになってしまうのだ。エリアーヌはこのピエールとのやりとりを友人や家族に話して相談した。だが、友人や家族は「ピエールもそのうち冷静になるだろう。あまりたいしたことではない」と言うだけだった。

また、ピエールは以前にもまして直接的なコミュニケーションを拒否した。子供の将来に関する重要な事柄で手紙を書いても返事が来ない。やむを得ず電話をかけると、「きみとは話したくない」と言ってすぐに受話器を置いたり、そうでなければ、冷たい口調でエリアーヌを侮辱する言葉を延々と続けた。だが、肝心の用事については何も答えてくれない。しかたなく、エリアーヌがピエールに相談しないで物事を決めると、弁護士を通じて書留の手紙が送られてきて、その決定には反対だと伝えてくる。そうして、子供たちに圧力をかける形で、エリアーヌが決めたことを妨害するのだ。エリアーヌは子供たちのことについて、もう何も決定を下すことができなくなった。それを見ると、今度は《ひどい母親だ。きみはひどい妻だったばかりではなく、ひどい母親でもあったのだ》と手紙を書いてくる。そういったやり方をすることによって子供たちの心が傷ついても、それを気にする様子はまったくなかった。

子供たちのことで重要な決定を下さなければならなくなると、エリアーヌはどうやってピエールに知らせようかと悩み、できるだけ相手を刺激しないような言葉を選んで手紙を書く。だが、返事は来ない。そこで、自分ひとりで決定を下す。すると、書留の郵便で、《この問題について、きみはぼくに相談もしないで、勝手にひとりで決めてしまった。ぼくはきみと同様に三人の子供たちに対する親権を持っている。これはぼくの権利に対する侵害だ》という手紙が届く。子供たちが自分たちのしたいことを父親に知らせる時でも、同様のことが行なわれた。その結果、たいていの計画は実行できないまま終わることになった。こういったことが何度も繰り返された。

自分の考えは言わない

また、離婚してから五年後にはこんなこともあった。例によって、エリアーヌが子供のことで重要な決定を下さなければならなくなった時のことだ。エリアーヌはまず手紙を書いた。だが、いつものように返事は来ない。そこで、彼女は電話をすることにした。しかし、その電話で交わされたやりとりはあいかわらずのものだった。

「手紙は読んでくれた？ 手紙のとおりにしてもかまわない？」

「まったく、きみみたいな母親が相手だったらどうすることもできないな。きみは何でも自分の思いどおりにしたがるんだから……。子供だってきみの思いどおりだ。きみがそうして欲しいと言えば、何でもそのとおりにするんだろう？　でも、きみは完全じゃない。きみは嘘つきで泥棒で、人を侮辱することしか考えていないんだ」

「いつ私があなたを侮辱したの？　私は子供たちのことについてどうすればいいか、冷静に尋ねただけよ」

「きみがぼくを侮辱しなかったのは、まだその機会がなかったからさ。でも、そのうちにきっとそうするに決まっている。きみは変わっていない。これからも変わらないだろう。きみは狂っている。それ以外に言葉が見つからないよ」

「人を侮辱しているのはあなたのほうじゃないの」

「いや、ぼくはただ事実を言っているだけだ。きみは自分を変えようとしない。自分が悪かったかもしれないなんて考えたこともないんだ。駄目だね、きみの決定は認められない。その決定には絶対反対だ。だいたい、ぼくはきみの子供の育て方にだって反対しているんだ。まわりにいる人間も悪ければ、服の着せ方だってなっちゃいない」

「私のことはどう思ってくれてもいいけど、これは私たちの子供の問題なのよ。私の決めたことに反対だと言うのなら、ほかにどんな方法をとればいいって言うの？　あなたの考えを言ってよ」

「言うだけ無駄だね。きみが変わらない以上、何かが変わるわけはないからね。ぼくは話しあいで物事を決めるのを大切にしている。でも、きみとは無理だ。きみは完全じゃないからね。きみは自分で何を言っているのかもわからない。思いついたことは何でも口にするんだ。そんな人間と話しあいができると思うか?」

「でも、子供のことでは決定を下さなければならないわ」

「じゃあ、神さまにでも相談してみるといい。あいにく、どこに連絡すればいいかは、ぼくも知らないけどね……。なにしろ、神さまと電話をする習慣はないもんだから……。もうこれ以上、きみと話すことはない。子供のことについては考えてみるよ。もしかしたら、返事をするかもしれない。でも、どっちみち、そんなことをしたってなんの役にも立たないんだ。ぼくの返事はきみの気に入らないだろうし、きみは自分のしたいことしかしないからね。いずれにしろ、うまくいかないんだ」

「だって、あなたはどうすればいいのか考えてもみないうちから、私の言うことに反対するじゃないの」

「そうだよ。きみの考えたことがうまくいくはずはないからだ。それに、きみとはもう話したくない。きみにはもう興味がないんだ。きみが何を言おうと、ぼくには関心がない。じゃあね」

こうなることを予想して、エリアーヌはこの電話の会話を録音していた。そして、再生して聞いてみたところ、自分の耳が信じられず、録音したテープを持って心理療法家(セラピスト)のもとを訪れた。自分の頭がおかしいせいでピエールの言葉が攻撃的に聞こえるのか、それとも、離婚して五年もたつのにまだピエールが自分に恨みを持って、嫌がらせをしようとしているのか、それが知りたかったのだ。

エリアーヌがこの電話を録音したのは正しかった。それによって、彼女は起こった出来事に対して距離を置くことができたからだ。ほかのモラル・ハラスメントの被害者と同様、エリアーヌは人間がこれほど根拠のない憎しみを抱けるとは想像もできなかったのだ。この例にある二人のやりとりを見れば、エリアーヌが何もできなくなるように、皮肉や罵倒などあらゆる手段が使われていることがわかる。その目的を達するためなら、ピエールは手段を選ばないのだ。そうやって、エリアーヌがしようと思っていることをあらかじめ妨害することによって、ピエールはエリアーヌが無能な人間だと証明しようとしたのである。また、それと同時に、子供たちのことも含めて、状況が変化していくのも阻止しようとした。モラル・ハラスメントの加害者にとっては、何かが変化していくのは耐えられないことだからである――変化を前にすると、不安な気持ちになるのだ。また、この例ではピエールの羨望の気持ちもはっきりと表われている。ピエールはエリアーヌを羨望していた。というのも、エリアーヌに対して母親の姿を見ていたのだ――それも、小さな子供が母親のことを全能だと思うような見方で……。「子供だってきみの思いどおりだ。きみがそうして欲しいと言えば、何でもそのとおりにするんだろう?」というピエールの言葉はそのことを如実に表わしている。この母親はまるで神さまのような力を持っているのだ。したがって、「神さま」という言葉が出てきたのも、ただのレトリックではない。むしろ、ピエールの妄想的な思いこみから来た言葉である。

エリアーヌから話を聞くと、セラピストとして、私はともかく慎重になることを助言した。逆に言えば、そう助言することしかできなかった。新しいパートナーを理想化するための憎しみとはちがって、このタイプの憎しみは容易に消えることがないからだ。ピエールはエリアーヌに対して被害妄想的な深い恨みを抱いている。そういった状態で攻撃が始まったら、それはもう誰にも止められない。いくら理屈で説明しても無駄なのだ。ただ、法律だけが被害者をこの暴力の圏外に置くことができる。モラル・

ハラスメントの加害者――すなわち、自己愛的な性格の人間は外見を気にするため、法律には従うからだ。といっても、残念なことに電話の録音は証拠として認められていない。相手の承諾なしに会話を録音することは法律で禁じられているからだ。いや、これは本当に残念だ。こういった場合、モラル・ハラスメントの暴力は電話を通じてふるわれることが多いからだ。電話なら相手の姿も見えないし、相手から見つめられることもない。その状態で加害者は自分のお気に入りの武器を使うことができる。つまり、言葉という武器を……。言葉を使えば思う存分、相手を傷つけることができ、しかも証拠は残らないのだ。

これはまた第4章で詳しく述べるが、相手との直接的なコミュニケーションを避けるというのも加害者の得意とするところである。これをされると、被害者のほうは相手の真意を確かめるために何度も尋ねなければならなくなり、それでも返事がないと、エリアーヌのように自分ひとりで決断してしまうという誤りを犯す。もちろん、エリアーヌのほうはそうせざるを得なかったのだが、ピエールのほうはそれを攻撃の材料にしたり、あるいはエリアーヌが何もしないでいると能力がないと言って非難したのである。

また、証拠を残さずに相手の精神を動揺させるには、手紙を使って二人の間だけでわかっていることをほのめかすという方法もある。というのも、セラピストであれ、判事であれ、この手紙を読んだ第三者には、離婚した夫婦がよく交わす少しとげのあるやりとりにしか思えないからだ。だが、これは〈やりとり〉などと言うものではない。加害者による一方的な攻撃である。そういった攻撃を受けると、被害者のほうは行動を起こすことも、身を守ることもできなくなってしまうのだ。

こういった攻撃は被害者だけではなく、まわりにいる家族にも影響を与える。子供にしろ、そのほかの人間にしろ、加害者の悪意には根拠がないとは想像もできないからだ。被害者のほうもきっと相手を怒らせるようなことをしているのにちがいない——そう思ってしまうのである。また、被害者が動揺すると、その動揺はまわりにも波及する。この例の場合、エリアーヌは子供たちとは素晴しい関係を保っていた。だが、ピエールから書留の手紙を受け取るたびに緊張が高まり、態度がとげとげしくなった結果、ついには子供たちにこう言われた。「もううんざりだよ。パパから手紙が来るたびに、ママは機嫌が悪くなるんだから……」。そのうちに、書留の手紙が来るたびに、子供たちのほうも緊張するようになった。これは爆弾入りの小包みのようなものだ。加害者は離れたところから爆弾を破裂させて、攻撃を仕掛けることができる。不幸の種を播くのに自分の手を汚す必要もない。加害者の論理で言えば、〈自分は何もしていない。あの女が勝手に不機嫌になっただけだ。子供の前で感情も抑制できないようでは母親失格だ〉というわけだ。

エリアーヌとピエールの関係はここまで来てしまった。だが、これから先もよほどのことがないかぎり、この関係は続くだろう。ピエールのような恨みに凝りかたまった加害者は決して獲物を放そうとしないからだ。自分が相手を憎むのは当然だと思っているので、ためらうこともなければ後悔することもない。いっぽう被害者のほうは絶えず言動に気をつけて、相手に隙を見せてはならない。そうでなければ、たちまち攻撃が襲ってくるだろう。

エリアーヌとピエールがこういった状況に陥ったのは、離婚の際にお互いに感情が高ぶったために生じた誤解のせいではない……。その誤解が別れたあとも尾を引いているわけではないのだ。それよりもまず、ピエールの病的な性格のせいである。そして、その性格から来る病的な行動が同じくエリアーヌの病的な行動を引き起こしてしまったのだ。エリアーヌは長い時間かかって、ようやくそのことに気づきはじめてきた。二人の間には会話が成立しないので、同じところをぐるぐるまわりながら恐ろしい関係にはまっていったのだと……。それは二人にとっても、また子供たちにとっても破壊的な関係である。モラル・ハラスメントの段階がここまで来たら、これはもう法律など、外部からの強制的な圧力によって、その進行を食いとめるしかない。

エリアーヌはずっと以前から自問してきた。〈ピエールにあんなにされるなんて、私の何がいけなかったんだろう？　私の行動がいけなかったのか、それとも私が私であることがいけなかったんだろうか？〉しかし、いまはピエールが子供の頃に精神的な攻撃を受けたことがあって、その攻撃を今度は自分が加害者になる形でほかの人間に対して再現しているのだと理解している。そして、彼女自身も子供の時に家族の〈慰め役〉だったことをひきずって、その役割から抜けだせなかったのだとわかっている。もともと彼女がピエールに惹かれたのは、ピエールのなかに不幸な少年のような側面を見たからだった。その不幸な少年を慰めてあげなければと思って、彼女は結婚生活に入った。そして、ピエールに惹かれたまさにその同じ理由によって、モラル・ハラスメントの罠にはまってしまったのである。

❖——子供に対するモラル・ハラスメント

これから扱うのは、特に子供に対するモラル・ハラスメントである。これははっきり言って子供に対する精神の虐待であるが、地獄のような悪循環によって世代から世代へと伝えられていくので、食いとめるのが難しい。虐待を受けた子供が大人になって、今度は自分の子供に対して同じような虐待を繰り返すのである。しかも、虐待が激しくなっていっても、まわりの人間はそれに気がつかないという盲点がある。

その理由は、この虐待が教育の名のもとに行なわれることが多いからだ。アリス・ミラーは、《これは邪悪な教育だ》と言って、親の言うことをきかせるために子供の意志を破壊してしまう伝統的な教育法を告発している[5]。こういった教育では、子供はまったく親に反抗できない。《大人の力と権威は圧倒的なので、子供は黙りがちになり、自分が自分であるという意識さえ持てなくなるのだ》（S・フェレンツィ[6]）。

〈子供の権利条約〉によると、子供に対する精神的虐待とは次のように規定されている。

――言葉による暴力（大声で怒鳴りつけたり、心を傷つけるようなことを言う）。

――加虐的（サディスティック）な態度と、子供を過小評価する態度（乱暴な態度をとったり、自分は駄目な人間だと子供に思わせる）。

――愛情の拒否（子供を愛さない）。

――子供の年齢から考えて不釣りあいな要求、あるいは過大な要求（まだ小さいのに無理なことをさせようとする）。

――教育における矛盾した、あるいは不可能な指示や命令（矛盾したことを教えたり、できないことを命令したりする）。

こういった暴力を、子供は家族関係のとばっちりを受けてふるわれる場合もあれば、最初から標的にされてふるわれる場合もある。だが、いずれにしろ、その暴力はかなり激しいものになる。

家族関係のとばっちりを受ける場合

両親の片方が子供に暴力をふるう場合、その暴力はもう片方の親を標的にしていることが多い。だが、その場に狙った相手がいなかったりすると、その暴力が子供に向かうのである。家族関係のとばっちりを受けるとはそういうことだ。この場合、子供はたまたまその場にいて、もう片方の親の子供であるという理由で攻撃を受ける。すなわち、暴力をふるう親にとって、子供は憎んでいる相手の子供にしか見えないのだ。こうして、もともと自分には責任のない夫婦の対立のとばっちりを受けて、子供は片方の親の悪意をそっくり引き受けることになってしまう。その反対にふだんから配偶者に暴力をふるわれているほうの親も、子供に対して暴力をふるうことがある。こちらの親は配偶者から攻撃を受けても、反撃をすることができない。そこで、配偶者に対しては抑えていた怒りが暴力となって子供に向かうのだ。いっぽう子供のほうは両親の対立を絶えず目にし、またそのとばっちりを受けることによって、孤立するしかなくなる。こうした子供は自分の考えを持てず、個人としての人格を形成することができにくくなる。

こうした経験は心的外傷(トラウマ)になって、もし子供が自分の力でそれを乗り越えることができなければ、今度は自分が大人になった時に、どこかで再現することになる。こうやって、憎しみと暴力は伝えられていくのだ。

いずれにしろ、加害者は病的な行動を抑制することができない。たとえ、憎んでいた配偶者と離婚しても、その憎しみは別れたあとにも続き、対象を子供に移して暴力がふるわれることもある。次にあげるのはその例である。

〈実例　ナディアの家の場合〉

両親が離婚するまで、ナディアの家では親たちがひそかに精神的な暴力をふるって、子供たちを対立させるような習慣があった。また、この家では子供たちが下着を汚すと、ほかの家族の目の前でその下着を洗わされた。両親は平気で子供たちの悪口を言い、なかでも母親は悪意に満ちたほのめかしをするのが得意だった。その当時の母親のことを思い出すと、ナディアをはじめとする子供たちは母親が意地悪だったことしか覚えていない。

さて、離婚をして夫が家を出ていってからは、ナディアの母親は末娘のレアと二人だけで暮らすと宣言した。ほかの子供たちは夫の味方だと考えていたからだ。自分とレアのまわりには巨大な陰謀がめぐらされている、母親はそう本気で信じていた。そして、末娘のレアを自分の一部のように考えていた。たとえば、ナディアがレアに誕生日のプレゼントを贈ると、母親はこう答えた。「私たちのためにありがとう……」。末娘とのこういった関係から、母親は家族に対する恨みをすべてレアに伝えていた。その結果、レアはほかの家族から孤立し、すでにひとり暮らしをしている兄や姉たちがまだ父親に会いつづけていると非難するようにまでなっていた。

子供に罪悪感を持たせる

母親はいつも子供たちのことで不平を洩らしていた。たまに子供たちを褒めることがあっても、すぐにその言葉を取り消した。また、巧みに言葉を操って、いつでも自分の言っていることのほうが正しく見えるように話を持っていった。そうして、相手が罪悪感を持たずにはいられないようになにげない言葉で子供たちを責めた。子供によっては、この方法はかなり効果を発揮した。

たとえば、ナディアがクリスマス・プレゼントとしてマフラーを贈った時、母親はこう答えた。「ありがとう。マフラーはたくさん持ってるけど、この長さのものはなかったのよ。ちょうどよかったわ」。だが、そのあとに「これが今年に入って、子供たちからもらった最初のプレゼントだわ」とつけ加えた。また、甥が自殺した時にはこう言った。「結局、あの子は弱い人間だったのよ。死んでしまったほうがよかったんだわ」

母親の顔を見たり、言葉を聞いていたりすると、ナディアは夢のなかにいるような気がした。そして、自分を攻撃する母親の態度や言葉に触れると、自分のなかに侵入されたような気持ちになった。ナディアは自分を守るために立ちあがる必要を感じた。母親から攻撃されるたびに、ナディアの心のなかには暴力的な衝動が高まっていった。もうこれ以上、母親が絶対的な権力をふるったり、誰かに罪悪感を持たせたりすることができないように、母親を殺してやりたくなるのだ。だが、それを思うと、胃が痛くなったり、腸がひきつったりした。ナディアはいまでも母親から手紙が来たり、電話がかかってきたりすると、たとえどんなに離れたところにいても、まるでリモコンのように母親から見えない手が伸びてきて、自分が今いる場所から連れだし、ひどい目にあわされるような気がしている……。

たとえどんな理由があろうと、子供を精神的に虐待することは許しがたいことである。モラル・ハラスメントの行為は、大人にとってと同様、子供にとっても重大な障害をもたらすことがあるからだ。たとえば、両親の対立の結果、片方の親がこれが正しいと言って、もう片方の親がそれと正反対のことを言ったりしたら、それはとうてい健全なことであるとは言えない。子供はただ混乱するばかりで、もしほかの良識のある大人によってその混乱から救いだされなければ、自己破壊的な行動に突きすすむことになるだろう。その証拠に大人になってから過食症や拒食症などの摂食障害、薬物依存症などの嗜癖

〈有害な習慣〉に走るのは、子供の頃に親から性的虐待を受けた人間と同様に、モラル・ハラスメントの被害を受けた人間であることが多い。

さて、子供に対するモラル・ハラスメントの場合、親は子供の価値を否定する指摘やほのめかしをすることが多い。これは一種の洗脳である。子供たちは親にいくら手ひどく扱われても文句を言ったりはしない。その反対に、自分に愛情を注いでくれない親に対して感謝すらしている。したがって、たとえば親に「あんたは駄目な子だ」と言われると、その言葉をもとに「ぼくは（わたしは）駄目な子だ」と自分に対する否定的なイメージをつくり、自分はそれだけの価値しかないのだと思うようになる。

〈実例　ステファンの家の場合〉

抑うつ状態に陥る前から、ステファンは自分が空っぽだと感じていた。外部から強い刺激がないかぎり、何もすることができないのだ。とりわけ職業に関しては、何をしてもうまくいかなかった。自分の心のなかにあるこの空白を隠すために、ステファンは麻薬を常用している（といっても、それが別に楽しいわけではないと、本人も認めている）。

小学生の頃まではステファンはおしゃべりで活動的な明るい子供だった。学校の成績もよかった。だが、十歳の時に両親が離婚してからは自発性を失った。というのも、どちらの親と暮らすかを決める段になって、〈両親の双方から受け入れられなかった〉と感じてしまったからだ。もともとステファンは父親とは暮らしたくなかった。だが、兄のほうが母親と暮らすと早々と決めてしまっていたので、自分は父親と暮らす義務があると感じた……。ステファンは両親の離婚の犠牲になったのだ。

父親は冷たく、いつも疲れていて、なんに対しても満足することのない人間だった。子供に対しても皮肉を言ってからかったり、平気で心を傷つける言葉を口にした。愛情などはかけらも示したことがない。自分が人生を楽しんでいないので、妻や子供が楽しもうとするとそれを妨害する、そんな人間だった。したがって、ステファンは何かやろうと計画すると、その計画を絶対に父親には話さなかった。父親のそばにいると、ステファンはまるで自分が父親の影になったように感じた。そうして、父親に怒られずにそばから離れることができると、〈ああ、よかった!〉と思った。

大人になってからも、ステファンはまだ父親の怒りが怖かった。そのことについて、ステファンはこう言っている。「ぼくは確かに父親との対立を避けようとしました。もし、ぼくだけがそういった行動をとっていたなら、それはたぶんぼくがおかしかったのでしょう。でも、父親の前では誰もが対立を避けるようにふるまっていたのです」。ステファンはいまでも同じような態度を続けている。というのも、父親と対立して何か我慢できないことが起こったら、今度は自分のほうがキレてしまうかもしれないと思うからだ。

ステファンは自分は権威に簡単に従うところがあると認めている。父親との関係の影響で〈対立する〉ことに耐えられないからだ。また、自分が父親に反抗したら、おそらく父親との関係は断絶することになり、その場面は修羅場になるだろうと思っている。だが、いまはまだ自分は父親に対抗するだけの力を持っていない。それで、いまのところは思いきった行動に出るのを避けているのだ。

親にとって子供というのは、そうしようと思ったら自由に扱うことのできる生きた〈物体〉である。

もちろん、普通の親はそうは考えない。だが、モラル・ハラスメントを行なう親は、以前、自分自身が受けた屈辱を——あるいはいまでも受けつづけている屈辱をはらすために、子供に屈辱を与えようとする。そういった親にとって、子供が楽しむのを見ているのは我慢できないことである。子供が何をしようと、何を言おうと、いじめてやらなければ気がすまないのだ。自分が受けた苦しみはほかの誰かにも味わってもらわなければならない……。ステファンの例もそうだったし、次のダニエルの例もそうである。

〈実例　ダニエルの家の場合〉

自分の結婚生活が不幸だったため、ダニエルの母親は子供たちが楽しそうにしているのに我慢できなかった。彼女は誰に対してでもこう言った。「人生なんてからしを塗ったパンのようなものですからね。辛くても毎日、少しずつ食べていかなければならないのよ」。また、子供は人生の邪魔だと誰にでも言い、子供なんて欲しくなかったのに、子供を持ったおかげで自分は犠牲になったと愚痴をこぼしていた。

そのせいかいつも不機嫌で、子供たちが傷つくような言葉を絶えず口にした。また、子供たちの精神を鍛えるという口実で、食事の間、誰かひとりを標的にしてみんなで批判するという家族の規則をこしらえた。標的になった子供は批判されている間、にこやかな顔をしていなければならなかった。それは辛い時間で、子供たちの心には小さな傷がたくさんできた。だが、それをやめさせようというほど大きな問題は起こらなかったし、子供たちのほうも母親が自分たちを傷つけるためにしているとは思っていなかった。自分たちの精神を鍛えようという気持ちは本当で、ただやり方があまりよくないだけだと思っていた。

母親は間接的なやり方で巧みにカモフラージュはしていたが、一日の大半を誰かの悪口を言うことに費やしていた。子供たちをつかまえては、ほかの子供たちを批判するようなことを言うのだ。そうして、子供たちを互いに敵対させていた。

ダニエルのことを言う時にはいつも失望したような顔で、「あの子は駄目よ。何をやってもきっとうまくいかないわ」と口にしていた。その言い方は冷たく、断定的で、ダニエルが自分の意見を言うと、頭ごなしに否定された。その結果、ダニエルは大人になってからも、いつも母親に何か言われるのではないかとびくびくしていた。母親の攻撃からどうやって身を守ればよいのかわからないのだ。「だって、自分の母親を攻撃するなんてできないでしょう」。ダニエルは言う。だが、そのいっぽうで、母親の肩をつかんで揺すりながら、「どうして、あなたはぼくに対してそんなに意地悪をするんだ」と言っている夢を繰り返し見るという。

この例でもわかるとおり、子供の心を操るのは簡単なことである。子供はいつも自分が愛する人々——とりわけ親を許そうとしている。その寛大さには限りというものがない。子供たちは親のすることはなんでも認めようとし、そのためには自分が悪いと思うことさえいとわない。そして、どうして親が満足していないのか、その理由を探って、理解しようとする。そんな子供に対してよく使われるモラル・ハラスメントの方法は、「あんたのおかげで私は辛い思いをしている」というものである。次の例は家族の全員に対してモラル・ハラスメントを行なっている母親の例。父親はその影響を受けて、娘の苦しみよりも母親の苦しみに気を配ってしまう……。

〈実例　セリーヌの家の場合〉

セリーヌはレイプされるという恐ろしい目にあったが、そのあとで冷静な判断を下し、警察に訴えた。それによって犯人は捕まり、やがて裁判が行なわれることになった。だが、そのことを父親に話すと、父親の最初の反応は次のようなものだった。

「お母さんには話さないほうがいい。かわいそうに、そんなことを知ったら、また心配の種を増やすだけだからね」

セリーヌの母親のヴィクトワールは、いつもおなかが痛いと言っては、一日の大半を寝て過ごしていた。それを理由に夫との性的関係も拒否している。だが、その夫――セリーヌの父親は母親の機嫌をそこねるのが怖くて、何も言えないでいた。いっぽう、家族のメンバーを平気で傷つけている当の母親は、一日じゅうベッドにいる理由をセリーヌの弟にはこう説明していた。「おまえは大きな赤ん坊だったからね。おなかのなかでママの身体を傷つけちゃったのよ」

モラル・ハラスメントの加害者の配偶者は、自分自身も支配下に置かれているので、子供の苦しみを聞いたり、あるいは弁護したりして、子供を守ってやることができない。子供は両親の片方から絶えず心を傷つけられているが、それをモラル・ハラスメントだと名づけることはできない。この状況は、やはり加害者から攻撃を受けているもうひとりの親が自分自身を守ろうとすると、もっとひどくなる。そちらの親は子供がモラル・ハラスメントを受けても見てみないふりをして、軽蔑や愛情の拒否など、加害者の攻撃に子供をひとりで立ち向かわせてしまうのである。次は自分を捨てた夫のことを嘆いて、子供たちをその気持ちの捌け口に使っていた例。

〈実例　アガトの家の場合〉

アガトの母親は自分が不幸になった責任をすべて子供たちに押しつけていた。その結果、子供たちにひどいことを言っても、罪悪感など感じたことがなく、自分が悪いことをしているとはまったく思っていなかった。また、話し方も冷静なので、一見したところでは子供たちを攻撃しているとはわからなかった。いっぽう子供たちのほうも、母親の言葉に悪意があると感じても、それを口にすることはできなかった。「ママは怒ってるの?」と尋ねても、すぐに否定されてしまうからだ。「そんなことはないわ。そう思うのはあんたたちの気のせいよ」。そう言われるのがおちだった。

そのせいか、昔のことを思い出しても、母親から言葉の暴力を受けたという記憶はほとんど残っていない。ただ、ぼんやりと「そんなことがあったかな」という気がするくらいだ。言葉の暴力はいつも間接的な形でふるわれた。また、この母親は子供たちと正面からぶつかって話すということをしなかった。そんな機会は巧みに避けた。そうして、自分を捨てた夫のことを嘆きながら、子供たちが自分と同じ意見を持つように仕向けた。その結果、アガトは精神的に不安定になり、自分の感じたことに自信が持てない状態になった。

ところで、母親は子供たちの小さい頃の写真を箱に入れてベッドの下にしまっていた。子供たちもそれは知っていた。だが、母親は子供たちには「そんなものはとっくの昔に捨ててしまった」と説明していた。ある日、アガトは写真を入れた箱はどうなったのかと思いきって尋ねてみた。母親から言われていたことに疑いを抱いたという点で、これはある意味で母親の支配から逃れるひとつの方策だった。母親は答えた。「さあ、どうだったかしら。ちょっと見てみるわ……。たぶん、あるんじゃない」

父親は不在で、母親もこんなふうなので、アガトは自分を孤児のように感じていた。確かに両親だという二人の人間はいる。だが、その二人と関わりが持てないのだ。アガトはそこに顔を埋めれば安心できる優しい胸や肩を知らなかった。その結果、いつも自分の身を守る必要を感じ、そのために、絶えず自分を正当化していなければならなくなった。

最初から標的にされる場合——教育の名のもとに

意識しているにせよ、していないにせよ、親が子供に対する愛情を拒否すると——すなわち子供を愛していないと、それは最初から子供を標的にした暴力となって表われる。このタイプの暴力は教育の名のもとにふるわれやすい。親は子供のためだと言って、自分のしていることを正当化する。だが、実際は子供が邪魔に思えてしかたがなく、自分自身を守るためにその子供を内側から破壊しようとしているのだ。

教育の名を借りているだけに、このタイプの暴力がふるわれていることはなかなか気づかれない。被害者である子供を除けば、誰もそんなことは思ってもみないのだ。だが、この暴力はまさしく破壊的である。子供は自分が不幸だと感じるが、なんに対して不満を表わしてよいのかわからない。仮に不満を表わすにしても、それは普段とあまり変わらない態度や言葉で表現されるので、外から見るとちょっと元気がないようにしか見えない。だが、その心は深く傷ついている。いっぽう、その暴力をふるう親のほうの心のなかには、その子供がいなくなって欲しいという気持ちが確実に存在する。だが、それをあからさまに表現することはできないので、躾（しつけ）という名目で子供を虐待するのだ。

こういったことから、虐待される子供は親から見て〈迫害者〉だと思われていることが多い。暴力をふるう親からすると、困ったことばかりして、自分の生活を脅かしているように感じられるのだ。その子供がいるせいで、家族に問題が起こっているように感じられることもある。そういった親はよくこう言う。「まったく、この子は難しい子だよ。いつも失敗ばかりして、なんでも壊してしまう。おまけに、私が見ていないと、すぐに悪さを始めるんだから……」。だが、実際にその子供が〈難しい子〉であることはない。ただ、親の想像のなかでそう見えるだけだ。

このように、子供にモラル・ハラスメントをするような親の場合、その子供が障害児だったり、知恵遅れだったりすると、子供に邪魔をされているという気持ちはいっそう強くなるだろう。また、たとえば夫婦のどちらかが子供をつくることを望んでいなかったなど、その子供が夫婦の対立の原因になっていたりしても、同じようなことが言える。〈この子がいなければ、こんなふうにはならなかったのに……〉。親は思う。その気持ちから、夫婦の対立はいっそう激しくなり、親はその憤懣を子供にぶつける……。子供はただそこにいるだけで、すべての責任を押しかぶされてしまうのだ。親はその子供のなかに〈困ったところ〉を見つけ、それを正すと言って暴力をふるうのである。

ベルナール・ランパールはその著書のなかで、親が子供に向けるこの〈冷たい愛情〉について述べている。《ある種の家族では、こういった〈冷たい愛情〉が子供を殺そうとするひとつの破壊システムとして子供たちに襲いかかる。それは〈愛情の欠如〉とはちがう。愛情のかわりに存在する〈恒常的な暴力機構〉なのだ。こういった暴力を受けつづけると、子供はその暴力を自分のなかに取りこむようにな

る。すなわち、その暴力が続くような行為をするという自己破壊的な行動をするようになるのだ》[7]

これはまさしく悪循環である。親は子供が失敗ばかりすると言って、激しく叱責する。そうすると、子供はますます失敗を重ねるようになり、親の期待からますます遠ざかってしまう……。その結果、親は子供を〈駄目な子供〉だと決めつける。だが、それはまちがっている。失敗ばかりしているから駄目な子供なのではない。親が駄目だと決めつけるから、失敗を重ねるようになるのだ。親は子供の失敗を捜し（おねしょとか試験の点数とか、それは簡単に見つかるだろう）、その失敗を理由に、子供に対して精神的な暴力をふるう。しかし、暴力をふるう本当の理由は子供の失敗にあるわけではない。子供の存在自体にあるのだ。

こういった暴力のどこにでもある例は、子供に奇妙なあだ名をつけることである。たとえば、サラという女性は十五年たったいまでも、子供の頃に親から〈ごみ箱〉と呼ばれていたことを忘れることができない。というのも、サラは食欲が旺盛で、テーブルに並べられた料理を全部食べてしまったからだ。いや、料理を全部食べるだけなら、両親もそんなあだ名はつけなかったろう。よく食べるせいで、サラは太っていた。それがほっそりした子供を望んでいた両親の気にいらなかったのだ。その結果、両親はサラが食欲を抑制する手助けをするかわりに、むしろサラを〈破壊〉しようとしたのである。

また、父親や母親に比べて、子供が特別の長所を持っていたりすると、それが暴力の理由になることもある。たとえば、子供が何かの才能に恵まれていたり、感受性が鋭かったり、好奇心にあふれていたりするのを気づくと、親は自分たちにそれが欠けているのを見ないようにするために、その長所を消してしまおうとすることがあるのだ。そうしておいて、「おまえは取柄のない子だ」と言う。いずれにしろ、モラル・ハラスメントをする親にとって、子供は愚かで、性格的に問題がある耐えがたい存在なのだ。それが子供を虐待する理由になる。そういった親たちは、ただ自分たちが人生を楽しんでいないという理由で、子供たちから人生の楽しみを奪ってしまう。その時に、教育という言葉が絶好の隠れみのになる。教育を口実に、親は子供の意志を破壊する。そしてまた、批判精神の芽を摘んで、親に対する判断力を失わせてしまうのである。

こういった精神の暴力を受けると、子供のほうは自分が親の期待にそっていないとか、もっと単純に、自分は親に望まれていない、とはっきりと感じる。その結果、親を失望させたり、親に恥をかかせたり、親にとって〈いい子〉ではないことに責任を感じて、申しわけないと思う。普段から親の自己愛(ナルシシズム)が傷ついているのであれば、その〈慰め役〉になりたいと思っているだけに、自分のせいでそうなったのなら、その気持ちはいっそう強くなる。そこで、親の機嫌をとって、許してもらおうとするのだが、次の例を見ればわかるように、それは無駄な努力というものである。

〈実例　アリエルの家の場合〉

アリエルは自分に対してまったく自信が持てなかった。職業についてはいまの仕事に向いていて、才能があるということもわかっている。だが、それでも、自分はこのままでいいという確信が持てないのだ。何かというとめまいがしたり、動悸が激しくなったり、いつも小さなことで不安になった。

小さい頃からアリエルは、両親、特に母親のエレーヌとうまくコミュニケーションがとれなかった。母親との関係をつくるのは難しく、アリエルは母親から愛されていないと感じていた。だが、アリエルはそんな母親を許し、自分は長女だから母親の嫌がらせの矢面に立たされるのだと思っていた。

「母親はいつも私には理解できないことを言って、私を責めていました」。アリエルは言う。「そのため、私はいつも不安定な状態に置かれていました……」。ある時、アリエルは両親の仲が悪いのは自分が生まれたせいだと誰かから聞かされたことがあった。アリエルがいるせいで、いつも喧嘩をしているのだと……。アリエルは罪の意識を感じ、〈生まれてきたのは自分が悪いわけではない〉と両親に対して自己弁護する手紙を書くことまでした。

アリエルが小さい頃から、母親はアリエルに対して「おまえは駄目な子だ」と絶えず言いつづけてきた。それはまるで洗脳のようだった。母親の言葉にはそのひとつひとつに言外の意味がこめられていて、それに気がつかないとひどい目にあった。また、母親はほかの人間を利用してうまく精神的な暴力をふるわせたり、皮肉を言って状況をひっくりかえしてしまうことにたけていた。何か言う時にも自信たっぷりに〈自分だけが正しい〉という口調で話すので、アリエルはいつでも〈悪いのは自分だ〉と思いこまされた。その結果、絶えずびくびくして、〈母親の機嫌を損ねないためには何をしたらいいのだろう?〉といつも考えていた。

こんなこともあった。大人になってからのある日、実家に戻ってトイレに入ると、母親の誕生日に贈ったバースデーカードがピンで留めてあった。だが、そのカードをよく見ると、日付のところに下線が引いてあって〈一日遅れで到着〉と書かれていた。それを見て、アリエルは思った。〈何をしようと、私はいけないことをしたことになってしまうのだ〉

モラル・ハラスメントは家族の関係にはかりしれない打撃を与える。メンバーの誰もが気がつかないうちに、家族の関係を壊し、ひとりひとりの個性を抹殺する。そういったなかで、加害者のほうはその暴力をうまく偽装し、家族のなかで自分だけはいい人間になりすますことさえある。すなわち、ほかの人間をうまく操り、その人間に精神的な暴力をふるわせるのだ。相手を自分のところまでひきずりおろすという点で、これはきわめてモラル・ハラスメント的なやり方である。たいていの場合、その役割を押しつけられるのは、もうひとりの親、つまり加害者の配偶者である。そちらの親はモラル・ハラスメントの支配下におかれているので、自分でも知らないうちに子供を傷つけたりするのだ。次はその例。

〈実例　アルチュールの家の場合〉

アルチュールが生まれた時、母親のシャンタルはとっても喜んだが、父親のヴァンサンはそれほど嬉しそうな顔をしなかった。ヴァンサンにとって、アルチュールは必ずしも望んでできた子供ではなかったのだ。そのためヴァンサンは赤ん坊の世話をシャンタルに任せ、「これは女の仕事だ」と言っていた。そのくせ、シャンタルが子供の面倒ばかり見ていると、「赤ん坊を甘やかして」と皮肉った。言葉自体は一見なんでもないようだが、それを言うヴァンサンの冷たい口調にシャンタルは戸惑った。そして、「赤ん坊なんだから世話をしてやるのはあたりまえじゃないの」と言い返しながらも、自分が何かいけないことをしているような気がした。

ある日、シャンタルはアルチュールのおむつを替えながら、性器にキスをしたことがあった。すると、それを戸口で見ていたヴァンサンが「母親というものは、そうやってまだ息子が幼いうちから近親相姦的な関係を持つようになるんだ」と言った。シャンタルは冗談に紛らわせながら、そんなことはないと否定した。だが、その日からヴァンサンが近くにいる時には息子に対する愛情表現を控えるようになった。

ヴァンサンの教育方針は非常に厳しかった。それによると、子供の気まぐれにはつきあうべきではなく、きちんと授乳をしたりおむつを替えてやっていれば、あとは泣かせておくべきだというのだ。子供を撫でてやる必要もない。子供に触れる時は、たまに手を軽く叩いてやれば十分で、子供は撫でてもらわないことに慣れる必要があるというのだ。また、子供のために環境を変えるべきではないとも言った。アルチュールはおとなしくて育てやすい子だったが、そういった教育方針のせいで時おり邪険に扱われることもあった。

しばらくすると、アルチュールは丸々と太ったかわいらしい赤ん坊になった。すると、ヴァンサンは息子のことを〈豚〉と呼びはじめた。シャンタルは怒って、そんなふうには呼ばないでほしいと頼んだ。だが、ヴァンサンはその呼び方をやめず、息子に対して優しい言葉をかける時にもそう呼びつづけた。そして、シャンタルには「嫌がっているのはきみだけだ。この子を見ろよ。ちっとも嫌がっちゃいない。笑っているじゃないか」と言った。家族や友人たちもこのあだ名に反対した。だが、ヴァンサンはこのあだ名を使いつづけた。

アルチュールはやがて排尿や排便のしつけで両親を困らせるようになった。小学校までおもらしがなおらず、おねしょはもっとあとまで続いた。ヴァンサンは苛立ち、アルチュールのお尻を叩いた。それと同時に、シャンタルに当たるようになった。シャンタルは夫の冷たい怒りを恐れ、アルチュールが失敗すると、今度は自分が苛立ち、その苛立ちを息子にぶつけた。そして、最後には自分がアルチュールのお尻をぶつようになった。だが、そんなことをしたあとはすぐに罪の意識にとらわれ、あなたは息子に厳しすぎると夫を非難した。すると、ヴァンサンは「でも、子供を叩いているのはきみじゃないか。暴力的なのはきみのほうだ」と冷たく答えた。シャンタルはアルチュールを抱きしめ、「ごめんね、ごめんね」と言いながら息子を慰め、それと同時に自分を慰めた。

子供を肉体的に殺すことはできないので、モラル・ハラスメントを行なうような親は、子供を精神的に殺そうとする。そのやり方は、これまでも述べてきたように、「おまえは駄目な子だ」と言うことである。その結果、親のほうは自分に対してよいイメージを持ちつづけることができるが、子供のほうは自分には価値がないと思うようになる。さきほどのランパールは別の著書でこう書いている。《家のなかに暴政がしかれて、その支配を受けているメンバーが絶望に襲われると、〈死〉がその目的を遂げる。すなわち、絶望に襲われた人間が自分は存在しないと感じるようになるのだ。これは精神的な殺人である。自分に対してよいイメージを持ちつづけるために（それはまったくの偽善にすぎないのだが）、親は社会的に言っても、法律的に言っても、子供の肉体を殺すことができない。そこで、子供の精神を殺すことにするのだ。この殺人はその子供に価値を認めないというやり方で行なわれる。このやり方の優れているところは、見た目には何も変わらないということだ。血も流れていなければ、暴力をふるった跡もない。死体も残らない。死者は生きていて、すべてが正常に見えるのだ[8]》

実際、子供に対してどれほど激しい精神的な暴力をふるっても、親は法的な責任を問われることはない。まわりの人間には暴力がふるわれていることがわからないからだ。それは次の例を見てもわかる。

〈実例　ジュリエットの家の場合〉

両親から望まれてできた子だと言われていながらも、ジュリエットは自分は両親にとって邪魔な存在なのではないかとよく感じることがあった。というのも、小さい頃から何かあるとすべて自分がいけないことにされてしまうからだ。いい子にしていなければ、それはジュリエットがいけない。家族のなかでもめごとがあれば、それはジュリエットのせい。ジュリエットのほうは何をしようと、両親から叱られるのだ。もし泣いたりすれば、泣くのはいけないと言われて平手打ちを食らう。そして、「ほら、これで泣く理由ができたろう」と言われる。また、ジュリエットが黙っていると、「おまえは親の言うことを聞いていないのか」と非難されるのだ。

父親はジュリエットがそばにいると不機嫌になった。九歳の頃、家族でピクニックに行った時には森のなかに置き去りにされたこともある。近くの農夫たちが見つけて警察に知らせてくれたので、無事、家に戻ることはできたが、警察の調べに父親はこう答えた。「どうすりゃいいというんです。この子は手がつけられないんだから……。機会さえあれば家出しようとするんです」

ジュリエットははっきりした虐待を受けたことはなかった。食事もきちんと与えられていたし、洋服もちゃんとしたものを着せられていた。そうでなければ、市役所の福祉課の職員がとんできただろう。だが、その裏でジュリエットはいつでも自分は生まれてこなかったほうがよかったと感じていた。家族のなかで自分はいてはいけない存在なのではないかと……。支配力の強い夫のもとで、母親はそれでも娘を守ろうとし、時には娘を連れて出ていくと夫を脅すこともあった。だが、財産もなく働いてもいなかったので、結局はこの難しい性格の夫のもとにとどまらざるを得なかった。

こうやって父親からモラル・ハラスメントを受けながらも、ジュリエットは父親を愛していた。そして、誰かに「あなたの家はどんな家？」と聞かれると、こう答えることもあった。「ママはいつでも問題を起こすの。そうして、家を出ていくって言うのよ」

モラル・ハラスメントの攻撃を受けた子供は、自分を守るために意識を〈分裂〉させるしか方法がなく、その結果、心のなかに〈死〉を抱えることになる。こうして、子供の頃にあった出来事が消化されないと、それは大人になってから、さまざまな形で再現されることになる。

モラル・ハラスメントを受けた子供が必ずしもモラル・ハラスメントを行なう大人になるわけではないが、そうなる可能性は高い。その結果、世代から世代へと暴力が伝わっていくという悪循環の構造ができあがる。私たちは誰もが自分の受けた暴力を他人に向けてふるう可能性があるのだ。アリス・ミラーはこんなことを言っている。〈子供の知る意欲を奪ってやれば、子供は暴力を受けたことを忘れる。だが、その暴力は自分自身や他人に向けて必ず繰り返される〉[9]

また、直接暴力をふるわなくても、加害者は自分が持っている歪んだ価値観を子供に押しつけることもある。親は子供に〈正直である〉とか、〈他人を尊重する〉とか肯定的な価値観を与えるだけではない。その親がモラル・ハラスメントの加害者であれば、〈他人を警戒する〉とか、〈社会的な規則を破ってでも、自分の得になることをする〉という価値観を押しつけることもあるのだ。それはつまり、抜け目のない者が勝つ世界の論理だ。そういった家族のなかには先祖に悪いことをした人間がいて、その悪賢さによって英雄と見なされていることも稀ではない。仮にその人物を恥だと思うことがあるとすれば、それはその人物が法律に違反するようなことをしたからではない。その人物が警察に捕まってしまったからだ。

見えない近親相姦

そのほかにも、たとえば家族のなかに、不必要な身体の接触や、目つきや言葉による性的なほのめかしなど、不健全な雰囲気があれば、やはり子供の心は破壊される。こういった家族では世代間の境界がはっきりしていない。また、普通の話題と性的な話題の間に区別がつけられていない。その結果、家族のなかに近親相姦的な雰囲気が漂うことになる。いや、もちろん、本来の意味での近親相姦ではない。P＝C・ラカミエの言う〈近親相姦性〉である。《近親相姦性とは雰囲気のことである。実際に近親相姦が行なわれているわけではないが、そこにはいつも近親相姦的な空気が流れているのだ[10]》。私はこれを〈見えない近親相姦〉と呼んでいる。これは法律的には禁じることはできない。だが、はっきりとは表にあらわれないとはいえ、子供にとってこれが暴力であることはまちがいない。その例をいくつかあげておこう。

――十二歳の娘に父親の性的能力の衰えを話す母親。この母親は夫と愛人の能力を比較して娘に話してきかせた。

――愛人と会うのにいつも娘を口実に使い、愛人と会っている間、車のなかで娘を待たせている父親。

――性体験をしていないかどうか、十四歳の娘の性器を調べ、「いいわよね、どうせ女同士なんだから」という母親。

――十八歳の娘のクラスメートと関係を持ち、娘の前でそのクラスメートを愛撫する父親。

こういった態度はすべて親と子供の間に近親相姦的な不健全な雰囲気をつくりだす。世代間の境界は無視され、子供は子供でいることができない。むしろ、証人として親の性生活に巻きこまれてしまうのだ。親のしていることは明らかに露出症だが、そういったやり方はそれほど非難されず、かえって現代的だと認められているふしもある。子供はこの雰囲気から身を守ることができない。もし嫌だと言ったりすると、「何を恥ずかしがっているんだ」と言われたりするからだ。その結果、恥ずかしがってはいないことを証明するために、それが不健全だと感じながらも、親の態度や行動を受け入れる。これは子供の精神を危うくする。そのいっぽうで、こういった家族では、この奔放な雰囲気と矛盾するように、たとえば結婚するまでは処女を守らなければいけないというような厳しい教育がなされる。だが、いずれにしろ、子供はモラル・ハラスメントの支配を受けているので、物事を正しく見ることができない。その結果、この状態に終止符を打つことができないまま、次第にその心を破壊されていくのである。

モラル・ハラスメント的な関係とは、基本的には夫婦において成り立つ関係である。というのも、夫婦はお互いに相手を選びあっているからだ。だが、職場における人間関係はそうとは言えない。上司にしろ、同僚にしろ、部下にしろ、相手を選ぶことはできないからである。しかし、その点を考慮に入れても、夫婦の場合と似たようなモラル・ハラスメントが職場で行なわれることがある。したがって、夫婦について考察したことをモデルにすれば、最近明らかになりつつある企業におけるモラル・ハラスメントのいくつかについても、理解することが容易になるだろう。

企業においては、権力に対する欲望と他人の精神を破壊したいというモラル・ハラスメント的な欲望が結びついて、暴力が生まれる。その暴力は夫婦の場合に比べると、それほど激しくはない。だが、小さなモラル・ハラスメントがいたるところで行なわれている。

職場でも学校でも、あるいはそれ以外の集団でも、そこで行なわれるモラル・ハラスメントの方法は、家族など私的な空間の場合に比べて、驚くほど型にはまっている。また、夫婦の場合ほど激しくないとはいえ、その破壊性は決して侮れるものではない。たとえ、暴力をふるわれる期間が夫婦の場合より短く、また身を守るために辞職や病気休職によって職場を離れることができるとしても、被害者のほうはストレスがたまって、自殺を考えることすらあるのだ。だが、そのいっぽうで公的な空間で行なわれるだけに、たとえば、このあとで述べるマリフロの女子工員たちのように、モラル・ハラスメントに耐えかねた被害者たちが団結すると、その実態が報道される場合もある。

第2章 職場におけるモラル・ハラスメント

❖——何がモラル・ハラスメントなのか

ここで言う職場におけるモラル・ハラスメントとは、言葉や態度、身ぶりや文書などによって、働く人間の人格や尊厳を傷つけたり、肉体的、精神的に傷を負わせて、その人間が職場を辞めざるを得ない状況に追いこんだり、職場の雰囲気を悪くさせることである。

職場におけるモラル・ハラスメントの歴史は、職業の歴史と同じくらい古い。だが、それがひとつの現象として注目されるようになったのはここ十年くらいのことである。というのも、そういった現象が起こると、それによって心を傷つけられた従業員がたびたび会社を休んだり、職場の雰囲気が悪くなって生産性も低下するということがちょうど十年くらい前からわかってきたからだ。この現象はおもにイギリスやドイツ、スウェーデンなどで研究されはじめたものだが、そこでは〈職場におけるモラル・ハラスメント〉ではなく、〈モッビング〉と呼ばれている。〈モッブ〉とは暴徒や烏合の衆——専門的に言えば〈暴衆〉のことで、集団心理によって攻撃的になった人々が他人に迷惑をかける行ないをするということからこう呼ばれることになった。そういった研究者のひとりでスウェーデンで産業医を務めているハインツ・レイマンは、いくつかのちがった職業集団を調査し、自身が〈心理的圧政〉と名づけたこの現象について研究している[11]。現在ではそういった国々にとどまらず、ほかの多くの国々でも、労働組合や産業医、国民健康保険公庫などがこの現象に関心を示しはじめている。

そういった現象——すなわち、職場におけるモラル・ハラスメントのうち、フランスではとりわけセクシュアル・ハラスメントが問題になり、メディアはもちろん、当の企業のなかでもこの問題が考えられるようになった。その結果、セクシュアル・ハラスメントについてはそれを防止する法律も制定された（だが、その法律でもセクシュアル・ハラスメントのほんの一部を規制しているにすぎない）。

さて、職場におけるモラル・ハラスメントは大きく言って、二つのグループに分けられる（もちろん、この二つが組み合わさっている場合もある）。

——権力の濫用。だが、それは目に見える形で行なわれていて、権力をふるわれる社員のほうはそれを受け入れていない場合がある。

——陰湿なやり方で、相手の心を傷つける攻撃。これはとりわけ被害者に重大な打撃を与える。

こういったモラル・ハラスメント、特に二つめのほうは、取るに足らないことから始まり、誰もが気がつかないうちに広がっていく。この攻撃を受けた人間は、最初のうちはそれほどたいしたことだと思わず（あるいは、思おうとせず）、ちょっとした皮肉や嫌がらせくらいにしか考えない。だが、そのうちに攻撃は激しくなり、被害者はだんだん追いつめられていく。そうなったら、あとは弱い立場にたたされ、今度はあからさまな敵意を受けて、それから長い間、さまざまな暴力に苦しむことになる。

もちろん、モラル・ハラスメントの攻撃を受けたことによって、被害者は直接、死ぬわけではない。だが、自分自身の一部を失うのだ。仕事が終わると、被害者は毎晩、傷つき、辱められ、疲れきった状態で家に戻ってくる。そうして、その心や身体の疲れが回復しないまま、また会社に出かけていくことになるのだ。

確かに集団があれば、そこには必ず対立が存在する。怒りにとらわれた時や機嫌の悪い時には、相手を傷つけるようなことも言うだろう。だが、それはあとで「さっきはすまなかった」という言葉が続くなら、あまりたいした問題だとはいえない。問題なのは、そういった形で謝罪もせず、相手の誇りを傷つけたり、相手に屈辱を与える行為が何度も繰り返されることだ。これこそがまさにモラル・ハラスメントであり、相手の精神を破壊する行為なのである。

このモラル・ハラスメントはいったん姿を現わすと、まるで機械のように動きはじめ、あらゆるものを打ち砕いていく。情けもなければ容赦もない。きわめて非人間的な現象である。まわりの人間は、保身から、あるいは恐怖から、この現象から遠ざかろうとする。誰かがモラル・ハラスメントの被害を受けていても、見てみぬふりをするのだ。だが、一度、モラル・ハラスメントの攻撃が始まってしまったら、当事者以外の人間がよほど積極的に介入しないかぎり、その動きは決して止まらない。

それが何であれ、危機的状況を迎えると、人や企業はもともと持っている性格を強める傾向にある。硬直した企業はますます硬直し、気分が落ちこみやすい社員はいっそう落ちこむようになる。また、攻撃的な社員はより以上に攻撃的になる……。もちろん、その危機が個人に刺激を与え、その人間が持っているいちばんいい部分を引きだして、解決法が見つかるという場合もある。だが、職場におけるモラル・ハラスメントはその場合にあてはまらない。被害者を弱らせ、そのいちばん悪い部分を引きだしてしまうのだ。

この職場におけるモラル・ハラスメントは、加害者と被害者がお互いの行動に影響されあっているという点できわめて循環的である。対立の原因がどこにあったか捜しても、それはなんの役にも立たない。そもそも、その原因さえ忘れられていることがあるのだ。それはまず加害者の強い態度が被害者に不安を与えることによって始まる。被害者は身を守ろうとして自分のほうも強い態度を示し、それが加害者の攻撃を引き起こす。こうして対立がはっきりしてくると、加害者と被害者はお互いに相手を避けたいと思うようになる。憎んでいる相手を見ると、加害者の心には冷たい怒りがわきあがる。いっぽう被害者のほうは恐怖を感じる。だが、いずれにしろ、加害者と被害者が相手を嫌悪していることには変わりない。さて、恐怖を感じると、被害者はいくつかの病的な行動を示しはじめる。すると、加害者のほうは「向こうがあんなことをするから、こっちもそれに対抗したまでだ」と、自分の攻撃を正当化する。その正当化は、過去にさかのぼって、被害者がそういった行動を示す以前に加えられた攻撃にまで及ぶ。その結果、被害者は頭が混乱して、いっそう激しい反応を示すようになる……。こうなったら、被害者のほうはどうすることもできない。何をしようと、何を言おうと、自分が悪いことになってしまうのだ。この時、加害者のほうはもはや相手を追いつめ、混乱に陥れて、仕事上の失敗をさせることしか考えていない。

いっぽう、モラル・ハラスメントの場になった企業のほうは、たとえそれが水平的なものであっても――すなわち同僚が同僚を攻撃するようなものであっても、その状態に介入しようとはしない。そういった問題には目をつぶるか、あるいは見てみないふりをするのだ。しかたなく腰をあげるのは、被害者が泣きわめくなど、その反応が激しすぎたり、あるいは、被害者の欠勤が多くなりすぎた時だけである。それ以外の場合は、企業は「もう大人なんだから、自分たちの問題は自分たちで解決しなさい」という態度をとる。だが、こうやって企業がモラル・ハラスメントに介入するのを避けると、事態はますます悪化していく。被害者は自分が守られていないと感じ、また、組織全体から裏切られたようにも感じる。まわりの人々はただ攻撃が行なわれているのを見ているだけだし、会社の上層部に訴えても問題をあとまわしにされるだけで、直接的な解決法は示してくれないからだ。仮に解決法が示されたとしても、それはよくてほかの部署への異動であり、本人の承諾もなしに決められてしまうことも多い。だが、モラル・ハラスメントを防ぐには、それが進行している過程で、誰かがまっとうなやり方で介入してくれればよかったのだ！　そうすれば、モラル・ハラスメントはそこで終わっていたはずなのである。

❖——誰が標的にされるのか

加害者がそう思わせたがっているのとは反対に、被害者は初めから精神に障害があったわけでも、特に弱い人間だったというわけでもない。そうではなく、モラル・ハラスメントはむしろ、被害者がたとえば権威主義的な上司に反抗したり、その権威に服従するのを拒否した時に行なわれることが多い。さまざまな圧力にも屈せず、権威に反抗するというこの能力によって、被害者はモラル・ハラスメントの標的にされるのである。

では、そういった人間に対して、どうして暴力をふるうことができるのか？　それはまず暴力に先立ち、その人間の価値が貶められるからだ。加害者はその人物を標的に定めると、たとえば、〈あいつは仕事ができない〉、〈性格がおかしい〉など、相手を非難する。それは次第にまわりの人間によって受け入れられ、支持されていく。相手に対するこの非難はいよいよ暴力が激しくなった時にも、正当化の理由として使われることもある。その頃には被害者は本当に仕事ができなくなったり、性格がおかしくなっていることがあるからだ。また、相手の支配下におかれていることによって、自分自身もそう思うようになっていることもある。

そうは言っても、被害者はもともと能力に欠ける人間だったわけではない。怠け者でもない。その反対にまじめで、会社を休まないことを誇りにするような人間だ。仕事のためには労を惜しまず、その結果が完璧であることを望む。遅くまで会社に残って、週末に働くのもためらわない。たとえ病気の時にも仕事をしようとする。アメリカ人がよく言う〈ワーカホリック〉、すなわち〈仕事中毒〉の人間である。これが一種の依存症であることはまちがいない。だが、それは被害者の性格だけに結びついているわけではない。むしろ、企業が社員に及ぼしている支配の結果として考えられるべきものだろう。

話は少しそれるが、このことに関連して言うと、それまで一生懸命仕事をしていた女性社員が妊娠したことを告げると、そこでモラル・ハラスメントが始まることもある。企業にとっては、それは出産休暇や子供を託児所に送り迎えするための遅刻や早退、子供の病気を理由にした欠勤を意味する。それを不満に思った上司なり同僚の誰か、あるいは職場の雰囲気によって、モラル・ハラスメントが始まるのである。企業というのはそういった体質を持っている。これはまた〈妊娠した女性を解雇することはできない〉という法律とも関係している。働く人間を保護する法律が一歩まちがうと、モラル・ハラスメントの原因にもなるのだ。

それはともかく、さきほども述べたように、モラル・ハラスメントの過程は相手を非難することから始まる。〈性格が悪い〉、〈頭がおかしい〉と言って非難し、対立の責任をすべて相手に押しつける。相手が本当にそうかどうかはおかまいなしだ。被害者のほうはちょっと強く言い返しただけで、そういった言葉を浴びせられるのだ。そのうちに攻撃が激しくなると、本当に言われたとおりになってしまうことも稀ではない。被害者も人間である。攻撃に耐えるのには限度があるのだ。また、その影響は仕事にも表われる。被害者は不注意になり、能率も悪くなり、今度はまた〈仕事ができない〉という非難に身をさらすことになる。そうなったら、たとえばモラル・ハラスメントを行なっているのが雇用者の場合、能力の欠如や仕事上の失敗を理由にして、被害者を解雇するのは簡単である。

ただ、ここで気をつけなければならないのは、どちらかと言うと妄想症的（パラノイア）な傾向を持つ人々も被害者のように見えることがあるので、本物のモラル・ハラスメントの実態が覆い隠されてしまう恐れがあるということだ。妄想症の人間は横暴で柔軟性に欠けるため、まわりの人々ともめごとを起こしやすい。また他人から批判を受け入れず、すぐに相手から拒否されたと感じる。したがって、いくらまわりから排斥されていたとしても、決して被害者であるわけではない。むしろ、その硬直した性格や罪悪感のなさから加害者になってもおかしくない人間なのである。

✣——誰が誰を攻撃するのか

集団の行動は、その集団に属する個人の行動を全部合わせたものではない。集団はひとつのまとまりであり、それ自体が独自の行動を持つのだ。フロイトによれば、この時、ひとりひとりの人間の個性は、集団に対する〈水平的な一体化〉と指導者に対する〈垂直的な一体化〉の二つの方向で解消されるという。

同僚が同僚を攻撃する

集団はそれに属する個人を同一化し、ちがいが存在するのを好まない傾向にある〈男性のグループのなかの女性、女性のグループのなかの男性、同性愛、人種や宗教、社会階層のちがいなど、その例は枚挙にいとまがない）。その結果、たとえば、伝統的に男性のものだとされている社会に女性が入っていくと、メンバーであると認められるのが難しい。卑猥な冗談や下品な身ぶりでからかわれたり、何を言っても軽蔑され、仕事もきちんと評価してもらえない。これは〈新入生いびり〉のようなものだ。その場にいるほかの女性たちも含めて、誰もが笑う。その女性たちにしても、選択の余地がないのだ。

〈実例　カティーの場合〉

カティーは外部からの試験を受けて刑事になった。女性刑事の割合は全体の七分の一にすぎないが、カティーは努力して〈少年犯罪取り締まり班〉に配属された。だが、着任早々、同僚のひとりと意見が対立した。その同僚は「立ち小便もできないのに生意気言うな」と言って、議論を終わらせた。ほかの同僚たちは大笑いをして、もっと露骨なことを言って囃したてた。カティーは怒って抗議した。すると、同僚たちはカティーを仲間はずれにし、ほかの女性刑事たちと比較して、カティーは能力が劣っていると言いはじめた。「気取ったりしないで立派に働いている女刑事もいるっていうのにな」。そう嫌味を言うのだ。また、出動命令が下った場合も、カティーにだけは詳しい情報を教えてくれなかった。カティーは同僚たちに訊いてまわった。「いったい、どこで何が起こったというの?」だが、同僚たちはその質問には答えず、「そんなことは知らなくてもいい。おまえはここに残ってコーヒーの支度でもしていればいいんだ」と言った。

この状態を改善するために、カティーは上層部の人間に面会を求めた。だが、上層部の人間はカティーに会ってはくれなかった。誰も話を聞いてくれないのに、どうやったらこの問題を解決できるというのだろう?　同僚たちに屈従するか、それが嫌なら孤立するしかない。カティーは苛立ち、普段の態度もとげとげしくなった。すると、今度は〈性格的に問題がある〉と言われるようになった。そして、このレッテルはその後、カティーがどの部署に異動してもついてまわった。

引きだしを勝手にあける

ある日のこと、カティーは拳銃を引きだしにしまうと、いつものように鍵をかけて警察署をあとにした。ところが、翌日、署に行ってみると、引きだしがあいていた。同僚たちは不注意だと言って、カティーを責めた。だが、カティーはほかの人間が鍵をあけたのだと思った。そんなことができるのはひとりしかいない。カティーは事実をはっきりさせるために署長に訴えた。署長はカティーが疑っている人物と三人で話すことを約束し、もしその人物が勝手に引きだしをあけたのなら厳しく処分すると言った。ところが、いざ三人で集まってみると、署長は引きだしをあけた件にはまったく触れず、それどころか、カティーの仕事ぶりを非難するようなことさえ口にした。カティーが提出した報告書もどこかに消えてしまった。

数ヶ月後、カティーと仲のよかった同僚が銃弾を頭に打ちこんで自殺した。悲しみのあまり、カティーはそれからしばらく、病気を理由に欠勤した。だが、ほかの同僚たちは彼女を慰めるどころか、気持ちの弱さを批判してこう言った。「警察はやっぱり男の世界だ。女には無理なんだ」と……。

この例のように、多くの企業では個人の最低限の権利を守ることさえできない。その結果、組織のなかに人種差別や性差別がはびこるのをそのままにしている。

職場におけるモラル・ハラスメントはまた、誰かがほかの人間にはないものを持っている時にも起こる（若さや美しさ、財産、豊かな人間関係……）。被害を受ける人間はほかの人々の羨望を買ったのだ。博士課程まで修了した若い新入社員がそれほどの学歴を持たない上司から嫌がらせを受けるのはその例である。次の例もそうだ。

〈実例　セシルの場合〉

セシルは四十五歳。背が高く、美しい女性だ。夫は建築家で、二人の間には三人の子供がいる……。だが、夫の仕事がうまくいかなくなったので、アパルトマンのローンを払うために仕事を見つけなければならなくなった。ブルジョワの家庭で育ったため、セシルは服装の趣味もよく、言葉づかいも美しかった。だが、特別な資格は持っていなかったので、書類を整理するといった簡単な仕事しか見つからなかった。しかし、それでも、セシルは一生懸命働くつもりでいた。ところが……。

職場に出た最初の日からセシルは同僚たちから除け者にされた。同僚たちはほんの小さなことを取りあげて、セシルに嫌がらせを言うのだ。たとえば、セシルが少しきれいな服を着ていくと、「あなたのお給料じゃ、そんな素敵な服は買えないでしょうに」と嫌味を言う。その傾向は、職場に新しい女性上司が配属されると、ますますひどくなった。その上司は他人を羨む気持ちが強く、性格的にも冷たいところがあった。セシルはその上司に嫌われ、比較的興味を持ってしていた仕事を取りあげられて、もっとつまらない仕事にまわされた。それに対して抗議をすると、こう言い返された。「マダムはこんな下々のする仕事はしたくないとおっしゃる……。まったく、わがままだこと……」。自分に自信がないこともあって、セシルはこの仕事を受け入れた。それどころか、働く意欲を見せようと、誰もが嫌がる仕事までやった。そうして、誰かに怒りをぶつけるかわりに、〈きっと私がいけなかったのにちがいない。私は不器用だったんだ〉と自分を責めた。だが、あまりにひどい仕打ちを受けると、時には嫌な顔をすることもあった。すると、女性上司は「あなたは性格的に問題がある」と冷たく言い放った。

そういったことが続くと、セシルは次第に落ちこみ、黙りがちになった。働いているといっても、収入はわずかなので、夫も愚痴を聞いてくれない。セシルは「気力が衰え、何に対しても興味が持てない」と、かかりつけの医師に相談した。だが、医師は精神安定剤を処方しただけで、彼女を家に帰した。そして、薬に効果がなかったと知ると、そこで初めて精神科医に診てもらうことを勧めた。

同僚の間でモラル・ハラスメントが行なわれる場合、二人の過去に個人的ないきさつがある場合もある。また、片方が出世のためにもう片方を蹴落とそうとして、相手の価値を貶めようとすることもある。次はそういった例。

〈実例　ドゥニーズの場合〉

ドゥニーズは数年前からある同僚と気まずい関係にあった。というのも、その同僚は別れた夫の愛人だったのだ。このあまり居心地のよくない状況のせいで、ドゥニーズは抑うつ状態になった。そこで配置を変えてくれるよう上司に要請したが、この要請は却下された。

三年後、職場で人事異動が行なわれた。その結果、こともあろうに、ドゥニーズはその女性の直属の部下になってしまった。その女性は毎日、ドゥニーズの誤りを指摘し、能力がないと言って辱めた。ろくに文章も書けなければ、計算をすることもできない、コンピュータを扱うこともできない、と言うのだ。ドゥニーズは身を守ることもできず、その女性の前に出ると、ただおろおろしてミスを重ねた。そのせいで職を失いそうにまでなった。たまりかねて、ドゥニーズはもう一度、上のほうの人間に異動を願いでた。その人間は必要なことはすると約束してくれたが、結局は変わらなかった。

ドゥニーズは激しく落ちこみ、病気を理由に休職した。仕事から離れると、精神状態はよくなった。だが、職場に復帰すると、再び落ちこんだ。こうして二年の間、ドゥニーズは出勤と病気休職を繰り返した。ドゥニーズから話を聞くと、産業医（企業から依頼を受けて、社員の健康管理をする医師）はこの事態を改善するために会社の上層部に働きかけてくれた。だが、上層部の人間は産業医の意見に耳を傾けようとはしなかった。そして、病気休職が多く、職場に不満を持っているという理由で、ドゥニーズが〈精神的に問題がある〉と考えるようになった。こうなったら、もうドゥニーズにはどうすることもできない。このまま休職が続けば、廃疾者（老齢・傷病などで働けない人間）と見なされ、保険の適用を受ける事態にもなりかねなかった。だが、国民健康保険公庫の顧問医の鑑定の結果、ドゥニーズは職場に復帰できると判断された。

あの嫌な職場に戻らなくてもすむようにと、ドゥニーズは会社を辞めることも考えた。だが、四十五歳という年齢で特別な資格もないとあっては、次の仕事は簡単に見つかりそうもない。ドゥニーズはいま自殺について話すことが多くなった。

同僚同士の間でモラル・ハラスメントが起こっても、企業はどうしていいかわからず、放っておくことが多い。また、被害者から相談を受けた上司も簡単には行動できないことがある。あの上司は誰それをひいきしているとか、女性の社員には優しいとか、噂が流されることもあるからだ。

そうではなくても、同僚同士の間のモラル・ハラスメントは、直接の上司に管理能力がないために激しくなることが多い。もともと下級管理職の多くは、人をまとめる力を買われて、その地位についたのではない。仕事の能力が優れていたためにその地位を与えられたのだ。しかし、ほかのところでどれほど優れた能力を発揮しようと、それと部下たちの人間関係を調節するのはまた別のことだ。下級管理職の多くはその方法を知らない。いや、だいたい人間関係の問題を解決するのが自分の職務に含まれているという自覚すら持っていないのだ。仮にその自覚があったとしても、どうやって介入していいのかわからないので、ためらいがちになる。その結果、結局はモラル・ハラスメントを放っておいて、事態を悪化させてしまうのだ。これは被害者にとってみれば困ったことである。同僚からモラル・ハラスメントを受けた場合、まず助けになってもらえるのは一緒に働いている直接の上司のはずだからだ。そこで安心して相談できるような雰囲気がつくられていなければ、もうどうすることもできない。これは管理能力がないと考えられるべきものである。もしそうではなく、管理能力があるのにモラル・ハラスメントに介入しなかったり、被害者の相談に乗ってやらなかったとしたら、これはもう卑怯な態度としか言いようがない。

部下が上司を攻撃する

これはかなり稀なケースである。たとえば、外部から突然、管理職としてある部署に呼ばれてきて、その仕事のスタイルや方法が部下たちから拒否されているのに、部下たちに合わせる努力も、自分のやり方を認めさせる努力もしない場合……。この場合は、部下たちのほうからモラル・ハラスメントが行なわれるかもしれない。また、その部署の人々に相談することなく、かつての同僚が上司に任命された場合……。この場合も同じことが起こる可能性がある。いずれにせよ、こういったことになるのは、人事の担当者が部下になる人々の意見を十分汲みとっていない場合が多い。

あらかじめその部署の目標がはっきりと定められていなかったり、上司としてやってきた人間の仕事が部下たちの仕事の一部と重なっていたりすると、状況はさらに複雑になる。

〈実例　ミュリエルの場合〉

ミュリエルは最初、大企業の部長の秘書として働いていた。だが、熱心に仕事をし、夜の間は国立工芸院（高等職業教育機関、上級の資格を求める労働者のための夜学がある）に通ったおかげで、数年後にはその企業で管理職のポストにつくことができた。

ところが、その職場で仕事を始めたとたん、部下である秘書たちから敵意を受けることになった。その秘書たちは、数年前にミュリエルが一緒に働いていた、かつての同僚たちだった。部下の秘書たちはミュリエルに対してさまざまな嫌がらせをした。手紙を届けない、書類をどこかに隠してしまう、私的な会話を盗聴する、伝言を伝えない……。ミュリエルは上司に相談した。だが、上司は部下たちから尊敬を受けないのは、管理職としての能力に欠けるからだと言って、ミュリエルを非難した。そうして、もっと責任の軽い職場に移ってはどうかとほのめかした。

上司が部下を攻撃する

現在のように失業率が高いと、企業で働く人間は職を失わないようにするためにはなんでも受け入れなければならないと思いこまされている。それだけに、この上司が部下を攻撃するというモラル・ハラスメントはいたるところで見られる。企業のほうも上司が部下たちに対して暴君のようにふるまったり、陰湿な暴力をふるうのを野放しにしているところがある。そのほうが企業にとっては都合がよかったり、そこまでいかなくても、それがあまりたいした問題であるとは思っていないからだ。そうなると、モラル・ハラスメントを行なう上司の下で働く人々には重大な結果がもたらされることになる。

――モラル・ハラスメントが単純に権力の濫用である場合。上司はその地位を利用して過大な要求を行ない、また部下たちがそれに従わなければ、権力を守るために嫌がらせをする。このタイプのモラル・ハラスメントを行なうのは下級管理職が多い。

――モラル・ハラスメントが陰湿なやり方で行なわれる場合。上司が強度に自己愛的な性格の人間であったりすると、部下は恐ろしい被害にあう可能性がある。このタイプの人間は、ただ自分が優れていることを証明するために他人を貶めたり、自分が生きていくために他人の精神を破壊する必要がある人間だからだ。被害者は身代わりの犠牲者(スケープゴート)として選ばれる。

それでは、特にこの二つめのモラル・ハラスメントを中心に、そのやり方を見ていこう。

❖――どうやって被害者が反抗できないようにするか

被害者がモラル・ハラスメントの支配に屈するのは、失業が恐ろしいからだけではない。加害者である経営者や上司が自分は絶対的な力を持っていると思いたいために、意識しているにせよ、していないにせよ、さまざまな方法を用いて、相手を心理的に縛りつけ、反抗できないようにしてしまうからだ。相手を罠にかけるとしか思えないようなこの方法は、かつては強制収容所で使われていたもので、いまでも全体主義国家や宗教的なカルト集団などで人々の精神を支配するのに利用されている。

さて、加害者は自分の権力を守り、相手を支配するためにこの方法を使っていくのだが、それは最初は取るに足らないことから始まり、相手が抵抗を示せば、次第に激しいものに変わっていく。そこでまず加害者がすることは、相手の批判能力を奪い、何が正しくて、何がまちがっているのかわからなくすることだ。それから、相手にストレスを与える。たとえば、相手を怒鳴りつけたり、監視したり、いつでも緊張させておくように仕事の期限を設定して、それを正確に守らせる。また、社内で何が起こっているかわからないように、必要な情報を与えないこともある。こういったことをされると、被害者は次第に追いつめられていく。その結果、加害者の言うことはなんでも受け入れ、それは無理だとは言わなくなる。始まりがなんであろうと、加害者が誰であろうと、することはいつも変わらない。相手との対立をはっきりさせず、その対立を解消する方法を見つけるかわりに、相手を排除しようとするのだ。このモラル・ハラスメントはグループのなかで増幅される。まわりにいる人々は加害者の側の証人になったり、あるいは積極的にモラル・ハラスメントに加わることもあるのだ。

こうして加害者は被害者にさまざまな攻撃を加えていくのだが、その攻撃にはひとつ共通した特徴がある。その特徴とは、コミュニケーションの拒否である。

直接的なコミュニケーションを拒否する

相手が物を考えられないようにすること、状況を理解できないようにすること、そうして行動できないようにすること、モラル・ハラスメントのコミュニケーションではまず何よりもそれが目的とされる。そのためには相手との直接的なコミュニケーションを拒否するのがいちばんである。

たとえば、相手に攻撃を加えていくためには、加害者は相手との対立をはっきりさせてはならない。対立がはっきりすれば被害者は状況を理解して、話しあいを求めてきたり、行動に出たりするからだ。そうなったら、相手を不安な状態にすることができず、相手に身を守る余裕を与えてしまう。その反対に、対立がはっきりしなければ、相手は話しあいで問題を解決することができず、ただひたすら不安な状態に置かれることになる。というのも、加害者のほうは対立をはっきりさせないようにしながらも、〈相手を認めない態度〉によって、日常的に攻撃を加えているからだ。しかも、どうしてそんな態度をとるのか聞かれても、説明をしない。直接的なコミュニケーションを拒否するとはそういったことだ。〈相手を認めない態度〉をとることによって、加害者は言葉以外のコミュニケーションで「きみには興味がない」、あるいはもっと言えば「きみは存在しない」というメッセージを伝える。対立が目に見えないだけに、被害者はどうしてそんな態度をとられるかわからず、相手に説明を求める。だが、加害者はそれを拒否する。そこで被害者は不安になり、どうしていいかわからなくなる。この状態を話しあいで解決することもできない。こうして、加害者は二重、三重に直接的なコミュニケーションを拒否することによって、相手から自信を失わせ、あらたな攻撃の準備をすることができるのである。

この状態は被害者が罪悪感を持ちやすい傾向にあると、さらに悪化する。被害者はこう考える。〈私が何かいけないことをしたのだろうか？　そのせいで非難されるのだろうか？〉

ここでさらに問題になるのは、その非難が曖昧ではっきりしない形のものだということだ。加害者が直接言葉で伝えない以上、その態度はどうにでも解釈できる。だが、逆に言えば、すべてが非難のようにも受け取れるのだ。また、加害者は相手が反論しにくいよう矛盾した言葉づかいをすることもある。

「いやあ、私はきみを高く評価しているよ。仕事はまったくできないがね」

こうなったら、被害者にはもうどうしようもない。相手に説明を求めようと、また自分のしたことを釈明しようと、結局は曖昧な非難が返ってくるだけなのである。

相手を認めない態度をとる

さきほども述べたように、加害者は言葉以外のコミュニケーションによって〈相手を認めていない〉というメッセージを伝える。たとえば、何度もため息をついてみせたり、肩をすくめてみせたり、軽蔑するような目で見たり、あるいは言葉を使ったにしても、相手を不安にさせるようなニュアンスをしのばせたり、悪意のあるほのめかしをしたりする。また、それとなく不愉快な指摘をすることもある。こうして、加害者は被害者がしたことや言ったことを否定して、〈きみには仕事の能力が欠けている〉というメッセージを伝えていく。

この攻撃は間接的であるだけに、被害者は身を守ることができない。悪意のこもった視線やほのめかし、それとない態度をどうやって問題にしていけばいいというのだろう？　自分がそう感じたとしても、はっきりさせることができない以上、黙っているしかないではないか！　いや、被害者は時には自分の感覚さえ疑ってしまうこともある。自分はただ大袈裟に感じているだけではないのか、そう思ってしまうのだ。被害者が少しでも自分の仕事の能力に不安を持っていれば、被害者は完全に自信を失い、身を守ることをあきらめてしまうことさえあるだろう。

この〈相手を認めない態度〉には、相手の顔を見ないとか、挨拶をしないとか、人間ではなく〈モノ〉のように扱うとか（モノには話しかけないものだ！）、あるいは、その相手がいる前でほかの誰かに相手のことを言う、といったことも含まれる。「ほらね、こんな洋服を着てくるなんて、やっぱり流行に遅れているわよね」というふうに……。要するに、それは相手が存在することを認めない態度だ。それがひどくなってくると、相手には絶対に話しかけないといったことも起こってくる。たとえば、やってほしい仕事があっても直接頼むようなことはせず、相手がちょっと席をはずしている間に、指示を書いた付箋紙をつけて書類を机の上に置く——そういったことが行なわれるのだ。

また、言葉を使って攻撃していく場合は、冗談に紛らわせて批判をしたり、嫌味や皮肉を言ったりすることもある。そうして、「ちょっとした冗談だよ。冗談で死んだ人間は誰もない」と言ったりするのだ。言葉は歪んだ形で使われる。ひとつひとつの言葉には、相手がその言葉を非難だと感じて傷つく、そういった毒が仕込まれているのだ。

相手の評判を落とす

これをするにはまわりの人々にそれとなく悪口を言ってやれば十分である。「おい、信じられるか？あいつは……」といった具合だ。それから、小さな嘘やほのめかし、言葉以外の態度などによって、まわりの人間が相手を誤解するように仕向け、その状況を自分の都合のいいように利用していく。

被害者を馬鹿にしたり、辱めたり、嘲弄したりするのもひとつの方法である。それによって被害者は自信を失う。と同時に、まわりの人間も被害者を軽く見るようになる。こうしたことから、加害者は被害者にひどいあだ名をつけたり、障害や、性格的、肉体的な欠点をからかったりする。また、ひそかに相手を中傷する噂を流し、その噂が被害者の耳に入るよううまく状況を整えることもある。被害者のほうは噂の出どころがわからないので、身を守ることができなくなるのだ。

こういった方法は上司が部下を攻撃する場合だけではなく、同僚が同僚を攻撃する場合にも使われる（たとえば、困った立場にたたされた人間がその状況を切り抜けるために、羨望を感じている同僚の悪口を流し、その同僚のせいでこんなことになったのだと責任を転嫁する……）。また、会社の経営者が従業員を発奮させるという口実のもとに、絶えず叱りとばして屈辱を与えることもある。

いずれにせよ、こういった攻撃に押しつぶされて、被害者がとげとげしくなったり、仕事もできないほど落ちこんだりすれば、モラル・ハラスメントは正当化されることになる。「ほら、やっぱり、あいつはどこかおかしかったんだ！」というわけだ。

相手を孤立させる

相手を心理的に追いつめ、身を守ることができないようにしようと思ったら、その人間を孤立させるというやり方もある。企業ではよくこのモラル・ハラスメントの方法が使われる。仲間はずれにされて、まわりが敵ばかりだと思うようになれば、反抗することが難しくなるからだ。

そのためには、たとえば、これ見よがしに相手をひいきして、ほかの人々に嫉妬の感情を起こさせ、被害者と対立させるというのも効果的である。つまり、不和の種を播くのだ。そうすれば、モラル・ハラスメントはまわりの人々がやってくれ、本当の加害者は自分の手を汚さずにすむ。被害者に対しても、自分は何もしていないと言うことができる。

被害者のほうは同僚から仲間はずれにされ、食堂でひとりで昼食をとったり、飲み会があっても誘われないことになる。

また、直接自分が手を下して孤立させる方法としては、相手に情報を与えないというやり方もある。たとえば、会議があっても、その人間の仕事には直接関係ないからと言って、ひとりだけ参加させない。また、本人の異動に関する情報も直接伝えず、業務通達を見てはじめてわかるようにする。そうでなければ、仲間はずれにして仕事を与えないという方法もある。同僚たちが忙しく働いているのに、被害者は何もすることがない。といって、新聞を読むことも、早退することも許されないのだ。

これはある国営企業の話だが、こんな実例がある。その企業では孤立させたいと思ったある管理職を、本人に予告することなく、突然、辞令を下して、離れ小島のような事務室に配置転換したのだ。新しい事務室はきれいなところだったが、そこにいても仕事はない。電話もあるにはあったが接続を切られていた。その職場でしばらく耐えたあと、この管理職は自殺の道を選んだ。

社内で仲間はずれにされることは過労よりも大きなストレスを引き起こし、かなり短い間に被害者の心をぼろぼろにする。それをよく知っているので、企業はよくこの方法を解雇したい人間に使うのである。

嫌がらせをする

これはたとえば、相手の能力にふさわしくないつまらない仕事をさせる、といったことである。私の知っている例で言えば、ソニアという女性は修士号まで持っているのに、換気の悪い狭い部屋で封筒貼りをさせられた。ソニアにとって、それがどれほどの屈辱だったかは言うまでもない。

また、遅くまで会社に残れとか、休日にも出勤しろとか、過大な要求をして仕事を急がせ、そのあげくのはてに、できあがってきた報告書をごみ箱に捨ててしまうという方法もある。これはみごとなモラル・ハラスメントである。

そのほかにも、被害者に対して肉体的な攻撃が加えられることもある。といっても、あからさまな攻撃ではなく、事故の体裁が装われる。加害者がそういった形の攻撃を行なうと、偶然、被害者の足に重い物が落ちてきたりするのだ。

相手を挑発して非難する口実をつくる

相手をあからさまに非難したり、その評判を落とそう思ったら、相手に失敗を犯させるという方法もある。これは巧妙なやり方だ。この方法が成功すれば、相手の評判を落とせるばかりではなく、本人に対しても悪い自己イメージを与えることができるからだ。相手が衝動的な性格なら、ちょっと軽蔑した態度を示すだけで、被害者を怒らせたり、攻撃的な行動をとらせることは難しくない。加害者のほうはほかの人間が見ている前で、わざとそういった行動をとらせ、こう言えばいい。「まったく、こいつは頭がおかしい。こうやっていつも職場の雰囲気を乱すんだ」

セクシュアル・ハラスメント

セクシュアル・ハラスメントはモラル・ハラスメントが一歩進んだものである。これは男女どちらの側からも行なわれるが、女性が男性から、しかも上司から攻撃を受けることが圧倒的に多い。

これは単に女性から性的な利益を引きだそうとするというだけの問題ではない。セクシュアル・ハラスメントを行なう人間は、それ以上に、権力を見せつけることや、女性を性的な〈モノ〉として見なすことを目的にしているのだ。加害者はセクシュアル・ハラスメントをすることによって、被害者の女性を〈所有〉しようとする。被害者の女性はそれを受け入れ——それどころか、加害者によって選ばれたことを喜び、誇りに思わなければならない。加害者はその女性が〈ノー〉と言うとは考えてもいないのだ。もし、そこで〈ノー〉と言ったら、辱めや攻撃を受ける。また、加害者は女性のほうから誘惑してきたのだとか、女性も同意していた、あるいは望んでいたのだと言うことも珍しくない。

セクシュアル・ハラスメントにはさまざま種類がある。だが、いずれの場合も社会のなかで男性が支配的な役割を持つということを理想とし、女性やフェミニズムに対して否定的な態度をとるということでは共通している。そのいくつかの種類のセクシュアル・ハラスメントをあげると、次のようになる[12]。

——女性だという理由でちがった扱いをし、性差別的な態度をとったり、発言する（実例の〈カティーの場合〉はこれにあたる）。

——相手を誘惑しようとする。

——相手を脅して性的な利益を得ようとする（いわゆる対価型ハラスメント。フランスではこの形のセクシュアル・ハラスメントだけが法律で禁止されている）。

——相手が望まないのに性的な関心を注ぐ。

——性的なことを強要する。

——性的な攻撃（相手の身体に触ったり、性的な言葉を口にする）。

アメリカの法律では一九七六年からセクシュアル・ハラスメントが性差別であると考えられ、さまざまなタイプのハラスメントがセクシュアル・ハラスメントとして認められている。だが、フランスでは解雇すると脅迫して行なわれたものだけが処罰の対象となっているにすぎない。
また、アメリカで行なわれた調査[13]では、女子学生の二十五パーセントから三十パーセントが大学の教授から、性差別的な発言や、意味ありげな視線、身体的な接触や、その場にふさわしくない性的な指摘など、セクシュアル・ハラスメントを受けたことがあるという。

❖――モラル・ハラスメントのはじまり

企業におけるモラル・ハラスメントはそれほど激しいものであるとは言えない。というのも、強度に自己愛的な人間が行なうモラル・ハラスメントでも、夫婦の場合ほど極端な形では出てこないからだ。といっても、相手を惹きつけるその力や相手の限度を越えて苦しみを与えることができるその能力から、それが恐ろしいものであることには変わりない。

さて、権力を求める戦いは、公正な競争が行なわれて、それぞれの人間に平等なチャンスが与えられていれば正当なものである。だが、その戦いのなかでモラル・ハラスメントが行なわれれば、それはたちまち不当なものになる。上司が権力を濫用して部下に圧力を加える場合、あるいは自己愛的な性格の人間が誰かを精神的な支配下におき、一方的に攻撃を加えてその人間が働くことができない状態に追いこんでしまう場合などがそれにあたる。

権力の濫用の場合

この場合、攻撃ははっきりとしている。上司が不当に権力を行使して、部下たちを服従させていくのだ。このタイプのモラル・ハラスメントは下級管理職が自分に力があると思いたいために行なわれることが多い。つまり、自分の弱さを埋めあわせるために、誰かを支配する必要を感じるのだ。いっぽう部下たちのほうは解雇を恐れる気持ちからこの上司に従うしかない。それだけにモラル・ハラスメントは容易に行なわれる。こうした上司は会社の業績をあげるためだと言って、すべてを正当化する。フレックスタイムはたとえ制度としてあっても、交渉することさえ不可能だし、緊急だと言われて遅くまで残業させられたり、首尾一貫しない指示を与えられたりする。

だが、このように徹底的に部下たちに圧力を加えていく管理方式は、会社の業績をあげるためにはあまり効果がない。ストレスの過剰によってミスが多くなったり、病気休職をする人間も出てくるからだ。社員は安定した状態で働いた時にいちばん業績をあげるのだ。それなのに、こういった管理職は——いや企業の幹部でさえも——社員をがむしゃらに働かせれば生産性が最大になるという幻想を信じているのである。

一般的に言って、権力を濫用するタイプのモラル・ハラスメントは誰か特定の個人を標的にするわけではない。加害者から見て、自分より弱い立場の人間に向かうのだ。企業においては、上から下に段々に降りてきて、最後に下級管理職が部下の平社員に攻撃を加えるのである。

権力の濫用によるモラル・ハラスメントは昔から存在し、現在でもいたるところで行なわれている。だが、最近では偽装されることも多くなった。たとえば、企業の幹部が口では社員の自発性を重んじ、その自主性に任せると言いながら、実際には服従を要求するといった場合がそうである。社員たちはこれに従う。企業のなかで生き残れるかどうかを心配し、解雇の不安に怯え、また、企業によって責任感を植えつけられているからだ。企業は命令に従わなかった場合、社員たちが持つことになる自責の感情を巧みに刺激するのだ。

〈実例　エヴの場合〉

エヴはある中小企業の販売員として働いていた。仕事は忙しく、残業手当は支払われない。週末に展示会があっても、月曜日は休みにならず、社員たちは朝の八時に出勤することを要求された。

社長は暴君で、社員たちのすることに決して満足することはなかった。また、その命令は絶対で、社員たちはなんでも言われたとおりにしなければならなかった。成績が悪ければ怒鳴られ、言いわけは許されない。「私のやり方が気に入らなければ、会社を辞めてくれ」。そう言われるのがおちだった。こうした言葉の暴力に、エヴは心の安定を失った。社長に何か言われるたびに体調がおかしくなり、胃の薬や精神安定剤が必要になった。せめて週末はゆっくりと休もうと思うが、興奮してなかなか眠りにつけない。目が覚めたあとも疲れは残っていた。

ストレスの工場

こうして仕事の負担が重くなってくると、エヴは不安の発作に襲われ、なんでもないことでも涙が出るようになった。食欲もなければ、眠りにつくこともできない。かかりつけの医者は抑うつ症を理由に、病気休職することを勧めた。エヴはその勧めに従い、会社を休んだ。だが、二ヶ月後、エヴが職場に復帰すると、それを迎える同僚たちの態度は冷たかった。なかにはエヴが病気だったことを疑う者さえいた。また、職場にはエヴの机もコンピュータもなくなっていた。社長の態度もあいかわらずだった。エヴは社長に怒鳴られたり、してもいないことで不当な非難を受けた。また、エヴの能力からすれば屈辱的な仕事を押しつけられ、その仕事の成果についても細かく文句を言われた。

社長の攻撃にエヴは言い返すこともできず、トイレにこもって泣いた。一日働いて、夕方になるとすっかり憔悴し、毎朝、職場に着くと、何も失敗はしていなくても不安にとらわれた。この職場では誰もが自分の身に災いがふりかかるのを恐れて、ほかの同僚たちの行動を監視しているのだ。

この会社のことを話す時、エヴは〈ストレスの工場〉だと言う。同僚たちはひとり残らず、頭痛や背中の痛み、大腸炎、湿疹など、心身症の症状に悩まされていた。だが、先生の叱責を恐れる小学生のように、社長に直接不満を訴える者はいなかった。仮にそんなことをしても、結局、社長に怒鳴られるのが関の山だからだ。

社長との戦い

やがて、病気休職をしてから半年ほどたったある日、エヴは解雇を前提とした話しあいの呼びだしを受けた。それはちょうど展示会のあった翌日のことで、エヴは病気を理由にその展示会を欠勤したのだ。その呼びだし状を受けとった時、エヴの心のなかで何かがはじけた。エヴはこの時初めて怒りを感じた。社長のやり方は不当だ。もうこんなことは許せない！ まだ自分を責める気持ちもどこかにあったものの、エヴは〈ほかに方法はない〉と考え、戦う決心をした。

社長と戦うためエヴが最初にしたことは、〈雇用問題相談員〉（社外の労働組合の組合員で中小企業の従業員の雇用問題の相談に乗ってくれる人間）に話をして、その相談員とともに社長が設定した話しあいに臨むことだった。解雇の理由は〈普段から病欠が多く、先の展示会でも欠勤を事前に社長に通知しなかった。そのため、社員としての信頼に欠ける〉というものだった。相談員はエヴが週末の展示会を欠勤した時、社長は事前に連絡の取れない場所にいたという点をついた。もしそうなら、〈事前に社長に通知しなかった〉というのは事実に反する。したがって、解雇の正当な理由とはならない。相談員はそう主張した。社長は「別にあわてて解雇通知を送る必要もないので、少し考えてみよう」と答えた。

このようにきちんと身を守るためには、自分の権利を知って、それに確信を持つ必要がある。エヴは相談員に話をすることによって、まず自分の権利を確かめたのだ。また、社長との話しあいに相談員と一緒に行ったのもよかった。もし、そうでなければ、社長はいつものようにエヴを恐怖に陥れ、相談員の前で温情がましく口にしたように「もう一度チャンスを与えよう」などとは言わなかったろう。この場合、エヴが絶対に避けなければならなかった誤りは、ひとりで会見に臨むことだった——エヴにはそのことがわかっていたのだ。

同僚たちからの非難

その後しばらく、エヴは解雇通知が自宅に郵便で送られてくるのを待った。だが、それは来なかった。エヴは同じ職場で働きつづけ、ある種の勝利感さえ味わった。といっても、社長との関係はあいかわらずで、エヴはストレスからまた眠れなくなり、憔悴しきった状態で会社から帰宅するようになった。また、社長と話しあいをしてからというもの、職場の雰囲気は前よりもいっそう悪くなっていた。エヴは毎朝のように非難をこめた短いファックスを受け取り、また、同僚たちにもこう言われた。「あんなことはしなければよかったのに！　社長の機嫌が悪くなってしまったじゃないか！」それに対して、エヴはきちんと釈明し、また仕事のうえではひとつもミスを犯さないように気をつけた。取り引き先と交わした重要な手紙は必ずコピーをとり、昼食で外出する時には自分が使っているメモ用紙まで持ってでた。そんなエヴを見て、同僚たちは被害妄想だと言ってエヴを嘲弄した。「小学生じゃあるまいし、何も書類かばんを持って昼食に出かけることはないじゃないか」。そう言うのだ。同僚たちのうち何人かは、エヴに頼みたい仕事があると、「お願い」とも言わずにただ乱暴に書類をエヴの机の上に置いた。そして、エヴが抗議すると、「機嫌でも悪いの？ ちょっとおかしいんじゃない？」と答えた。同僚から攻撃を受けないように、エヴは職場で小さくなって働いた。いっぽう社長のほうは、エヴに用事がある時にはメモをまわしてきた。

それから一ヶ月後、社長はまた解雇を前提として話しあいを求めてきた。この前の話しあいの時からエヴの態度が変わっていないというのだ。だが、今回は具体的な理由をあげていないので、エヴがいることに耐えられなくなったとしか考えられなかった。〈雇用問題相談員〉はエヴのために交渉し、解雇を受け入れるかわりに補償金を出してもらうという条件をつけた。エヴがこの問題を労働裁判所に持ちこむのを恐れて、社長は協定書にサインした。

この会社を辞めたあと、エヴは管理職を含む五人の同僚が会社を去ったことを知った。そのうちのひとりはもっと条件のいい仕事を見つけたためだが、あとの四人は補償金ももらえず、普通に退職しただけだったという。

自己愛的な人間がモラル・ハラスメントを行なう場合

自己愛的な人間——すなわち、第1章で述べたモラル・ハラスメントの加害者になるような人間がある集団に入ってくると、その人間は集団のメンバーを惹きつけ、従順な人々から順番に自分のまわりに集めていく。そこでもし誰かがそれを拒否すると、拒否した人間は身代わり（スケープゴート）の犠牲者にされて、集団から排除される。こうして、そのスケープゴートになった人間を攻撃したり、その悪口を言ったりする形で、その集団のなかにはひとつの社会関係ができあがる。この時、集団は、他人を尊重することを知らず、平気で人を傷つけることができるモラル・ハラスメントの加害者に影響されて、そのやり方に従うことになる。といっても、メンバーのひとりひとりはそれほど道徳的な感覚を失ったわけではない。だが、ためらうことを知らない人間のもとで、批判の能力を失ってしまうのだ。

こういった〈権威への服従〉について研究したアメリカの心理学者、スタンレー・ミルグラムは次のような方法である実験を行なった。《実験室に被験者を呼び、実験者の指示によって良心の痛みを感じるような行為をしてもらう。それはごく軽度のものから始まって、だんだん重度のものに変わっていく。実験の目的は、実験者の指示に対して、被験者がそんなことをするのは嫌だと言わずにどの行為までをおこなうか、それを知ることである》。この実験の結果、ミルグラムは次のような結論を出した。《このことからすれば、ごく普通の人々でも、行為を重ねていくうちに次第に良心の呵責がなくなり、最後には恐ろしい破壊行為をするまでになるだろう》[14]。このことはクリストフ・ドゥジュールによっても確認された。ドゥジュールは〈社会のなかで悪は一般化される〉と指摘している[15]。実際、世のなかには自分の心の平衡を保つために、上からの権威を必要とする人々がいて、そういった人々は上からの指示があれば悪いことでも平気で行なうようになる。モラル・ハラスメントの加害者はそういった人々の従順さを利用して、被害者に苦しみを与えていくのである。

企業におけるモラル・ハラスメントの加害者——すなわち強度に自己愛的な人間の目的は、権力を手に入れて、どんな方法を使ってもそれを維持することであり、また、それによって自分の能力の欠如を覆い隠すことである。そのためには出世の妨げになる人間や才能にあふれている人間を取り除く必要がある。自分よりも弱い者を攻撃して満足するのではない。相手が身を守ることができなくなるように、邪魔になる人間の力を弱めていくのだ。そこが権力の濫用の場合とはちがうところである。

標的にされた人間は恐怖から加害者に従うようになる。いや、服従するようになることさえある。また、同僚たちもやはり恐怖から見てみないふりをして、加害者の攻撃に口を差しはさもうとしない。これは〈各人が己のために、神は万人のために〉(それぞれが自分のことだけ考えて、他人のことは神さまに任せておけ)という個人主義が支配する世界だ。加害者が上司であった場合、まわりの人々も被害者に同情を示したら、今度は自分が非難されて解雇の対象になるのではないかと恐れて、行動を起こそうとはしなくなるのだ。会社では波風を立ててはいけない。ただ会社のことを考え、ほかの人とはあまりちがったところを見せてはいけないのである。

こういったモラル・ハラスメントの例は、ジョージ・ホワン監督のアメリカ映画、『スイミング・ウイズ・シャークス』(一九九五年)[16]に見ることができる。この映画のなかでは、自己中心的でサディスティックな経営者が、野心的で出世のためには何でも受け入れる社員に対してあらゆる種類の屈辱と精神的な苦痛を与えていく。経営者は絶えずその社員を罵倒し、夜遅くまで働かせたり、その社員がいつもびくびくしていなければならないように、突然、会社の規則を変えたりする。また、平気で嘘をついたり、矛盾する指示を下したりする。社員は経営者に言われる。「どんな手を使ってもいい。とにかく業績をあげろ」。また、この経営者は昇進をちらつかせながら、新しく採用した女性社員を誘惑する。「おれを喜ばせろ。黙っておれの言うことをきき、そのとおりにしろ。何も考えるな。おまえには頭がない。おまえの個人的な意見などはどうでもいい。おまえが何を思っていようと、何を感じていようと、おれには関係のないことだ。おまえはおれに仕えていればいい。おれのために働き、おれのしてほしいことをしてくれればそれでいいんだ。おれはおまえを虐待するつもりはない。むしろおまえを手伝ってやりたいのだ。おまえがよく働いて、おれの言うことをきき、そのとおりにしてくれたら、なんでも好きなものを手に入れさせてやる。おれにはそれができるんだからな」

一般に、組織がしっかりしていなくて、社内の秩序が乱れている企業では、モラル・ハラスメントの加害者はいっそう自由に行動できる。内部にある裂け目を利用して、権力を手にしていくことができるからだ。

やり方はいつも同じである。他人の弱点を利用し、本人に自分自身の能力を疑わせ、身を守る力を奪っていく。こういった陰険なやり方によって、被害者のほうは自信を失い、混乱して、時には加害者の言っているとおりだと思ってしまうこともある。「私は駄目な人間だ。どうしたってうまくできない。私には才能がないんだ……」。こうして、加害者は巧妙なやり方を通じて、被害者の精神を破壊し、本当に駄目な人間にしてしまうのである。

〈実例　ミリアムの場合〉

ミリアムは発展を続ける広告代理店のデザイナーだった。仕事に関しては、原則的にすべてを任されている。だが、最終的な決定は社長の直属の部下である部長と調整して決めることになっていた。自分の責任のもとに仕事ができるということで、ミリアムは労を惜しまず、残業代も支払われないのに朝方まで仕事をしたり、時には週末にも仕事をすることがあった。だが、仕事を成功させようと思って自分の考えたとおりに計画を進めようとすると、部長から邪魔が入るようになった。

たとえばミリアムが作品を提出すると、部長はデザイナーでもないのに勝手に手を入れ、自分の気に入った形に直してしまうのだ。そうして、ミリアムが説明を求めると、にっこり笑いながらこう言う。「いいじゃないか、ミリアム、あまりたいした問題じゃない」。ミリアムは怒りを感じながらも、その怒りを表にあらわすことはしなかった。だが、よくこう思った。〈この仕事をするのに私は三日かかったのよ。それをわずか数秒見ただけで、私に相談もなく変えてしまうだなんて……。これじゃまるで、私の仕事を否定する人のために働いているみたいじゃない〉

不機嫌によって部下を支配する

だが、いくら不満が高まっても、この部長とは話しあいをすることができなかった。部長は自分の意向を言葉以外の手段で伝えるのだ。つまり、不機嫌になったり、怒鳴ったりという手段で……。それを恐れて、自分の考えを部長に述べる社員はひとりもいなかった。社員たちはいつも部長を怒らせないよう気をつけていた。そのためにはいつも神経をつかって、部長が何をしたいのか、その意向を探る必要があった。いっぽう部長のほうは冗談に紛らわせて部下をからかったりしながら、自分が何をしてもらいたいかを伝えた。職場には緊張がみなぎっていた。部長が入ってくると、社員たちは悪いことをしているのを見つかった子供のように身を硬くした。また、部長と対立するのが嫌で、ほとんどの人々は自分の考えを出さず、部長の意向に沿うと思われる方向で仕事をした。

そのうちに仕事が忙しくなってきたので、ミリアムはデザイナーをひとり雇ってアシスタントにつけてくれるよう部長に要請した。この要請は受け入れられた。だが、新しいデザイナーが来た瞬間から、部長はミリアムとそのデザイナーを争わせるように仕向けた。たとえば、ミリアムが仕事の計画を話すと、部長はろくに話も聞かず、肩をすくめてアシスタントにこう尋ねるのだ。「きみはどうだ？　きみにはもっといい考えがあるんじゃないか？」

また、ミリアムに対してはもっと早く、もっとたくさん仕事をすることを要求した。そのなかには無理な要求もあった。作品をよりよいものにしたいという気持ちからミリアムがその無理な要求を拒否すると、「きみは難しい人間だ」と言って、ミリアムに罪の意識を覚えさせた。

ミリアムは抵抗した。すると、ストレスのせいで、朝起きるとおなかが痛くなるようになった。職場では窒息感を覚え、毎日がサバイバル生活をしているように思えた。

家父長的な上司

部長は権力を共有することを嫌い、あらゆることを支配したがった。また、嫉妬ぶかく、ミリアムの功績はすべて自分のものにした。こういった支配の仕方が徹底すると、管理職は家長のような絶対的な権力を持つようになる。その結果、部下たちのなかには自分を子供のように位置づける者も出てくる。そうなると、社員たちの意見の対立はつまらない兄弟喧嘩になってしまう。家長が出てくれば喧嘩は終わり、家長の決めたとおりになってしまうのだ。この状態にミリアムは抵抗した。だが、職を失いたくはなかったので、徹底的に戦うことはできなかった。ミリアムは深く傷つき、働く意欲を失っていった。彼女はこう言う。「どうして人が殺人を犯すようになるのかよくわかったわ。あの男を相手にまともなやり方では戦えないとわかった時、私は自分のなかに凶暴な気持ちが芽生えるのを感じたの」

この例のように、経営者のなかには従業員を子供のように扱う人たちがいる。また、もっとひどい場合には、人間ではなく〈モノ〉のように思っている人たちもいる。いずれにしろ、従業員は自分の好きなように使えると考えているのだ。また、この例のように仕事が創造的なものに関わる場合は、被害者の人格はよりいっそう直接的に傷つけられることになる。こうして、被害者は創造性や自主性を奪われてしまうのだ。といっても、その社員が有能で、どうしても会社に必要な場合は、会社を辞めさせないようにする必要がある。そこで、相手が物を考えられないようにして、ほかのところでは働けないと思いこませる。すなわち、自分には力がないと思わせて、この会社以外では通用しないと信じこませるのだ。それでも相手が抵抗したら、まわりから孤立させる。まわりの人間は加害者を恐れているので、被害者に対して挨拶もせず、視線も交わさない。仕事のことで被害者が何か提案しても、その提案は無視するようになる。そうやって、あらゆる接触が絶たれるのだ。そこでもなお被害者が抵抗するようだったら、いよいよモラル・ハラスメントが始まる。それはちょっとした嫌味や皮肉から始まり、最後には精神的な暴力がふるわれるようになる。

この最後の段階になると、それまで隠れていた敵意がはっきりと表にあらわれる。加害者は被害者の精神を破壊しようとし、まさに〈心理的圧政〉としか言いようがない攻撃を加える。そうなったら、目的は手段を選ばない。被害者を痛めつけるために、肉体的な危害が加えられることもある。被害者は心理的に衰弱していき、精神的におかしくなるか、自殺をすることさえある。ここで恐ろしいのは、この段階になると、加害者はもはや会社の利益さえ考えていないということだ。加害者はただ、被害者を破滅に追いこむことしか願っていないのである。

こういったモラル・ハラスメントを行なうのは、強度に自己愛的な性格の人間である。このタイプの人間は企業のなかでただ権力を得ようとするだけではない。他人を〈モノ〉のように利用して、操り人形のように動かすことに大きな喜びを感じるのだ。加害者はまず相手を無力の状態にし、それから反撃を恐れることなく暴力をふるいはじめる。目的を達するためなら、どんな手段を用いることもためらわない。ほかの人々を巻きぞえにすることさえいとわない。いや、それどころか、積極的に巻きぞえにしようとする。そうやって他人の価値を引きさげれば、それだけ自分が優れた人間になったような気がするからだ。そのためには、何をしたってかまわない。他人を尊重するなどという気持ちはまったくないのだ。こういった人間はほんの些細なことがきっかけで激しい憎しみを抱き、また、相手がどれほど苦しんでいようとまったく哀れみの気持ちを持たない――それがいちばん恐ろしいところだ。被害者はそうされるのにふさわしい人間であり、それを不満に思う権利はない、そう考えているのだ。いや、加害者にとって、被害者は人間でさえない。自分の邪魔になるただの障害物なのだ。そこに感情があるなどとは決して認めていないのである。

この暴力を前にして、被害者はひとりで戦わなければならないことになる。自分が標的にされるのを恐れて、まわりの人間は見てみないふりをするからだ。それどころか、残虐にも、攻撃が加えられるのを見て喜ぶ者さえいる。

ごく普通の関係では、場合によっては対立が引き起こされても、権力が絶対的なものにならないように、それに制限を加えることが可能である。だが、加害者である自己愛的な人間は、ほんの少しでも自分の権力に反対することを許さず、対立の関係を憎しみの関係に変えてしまう。そうして、権力に反抗した人間に対して恐ろしい暴力をふるっていくのである。

〈実例　リュシーの場合〉

リュシーはある小さな企業で十年前から営業員として働いている。創業の時からの社員なので、この会社には愛着を持っていた。実際、創立当時は何もかもが挑戦で、顧客を開拓していくのも大変だった。それだけに、自分がつくりあげた会社のような気がするのだ。

社長は口が巧みで、いわゆる〈おれについてこい〉という感じの人物だった。だが、会社が発展してくると家父長的で支配的な性格が強まり、専制君主のようにふるまうようになった。会社に来ても「おはよう」とも言わず、社員に命令を下す時にも相手の顔を見ようともしなかった。また、事務室の扉はいつもあけておくように要求し、「五分後に会議を開く」と言っては急いで資料をそろえさせたりした。社員たちは社長が何を要求してくるのかわからないので、いつもびくびくしていた。社長のほうは支配力を強化するために社員たちの間の対立を利用し、誰かを中傷する噂が流れると、わざとそのままにしておいた。また、自分の言うことをきく人間を優遇し、反抗する者には冷たい態度をとった。この社長の支配力から逃れるために、リュシーは社長に対してはなるべく距離をとるようにした。すると、社長はそれを反抗と見なした。

部下に対して不公平な扱いをする

やがて、社長が別の女性営業員を雇ったことによって、状況は一気に悪化した。社長がこの新しい営業員をかわいがって、誰の目にもわかるようにひいきしはじめたのだ。社員たちは社長がこの営業員を誘惑しようとしているのではないかと噂した。しかし、それがあまりに露骨になってくると、営業員のほうも会社にいづらくなって辞職しようとした。すると、社長はそんな噂が流れるのはリュシーが嫉妬しているせいだと説明して、その営業員が会社にとどまるよう説得した。新しい営業員をひいきしたのは社長の計略だった。二人の女性が反目しあえば支配が容易になる。社長はそう考えたのだ。

それからというもの、リュシーは社内で孤立するようになった。仕事に必要な情報も入ってこない。一生懸命働いても評価されず、何もかもがうまくいかなくなった。そのうちに、「リュシーには能力がない」という噂が流れはじめた。リュシーは自分が優秀な営業員であるとよく知っていた。だが、それでもそんな噂が流れると、自分の能力に疑いを持つようになった。リュシーは頭が混乱し、強いストレスを感じるようになった。しかし、そんなことが知れたら自分に不利になると思い、表には出さないようにした。ほかの社員たちは巻きぞえになるのを恐れて、リュシーから離れるようになった。

モラル・ハラスメントを受ける多くの被害者たちのように、リュシーもまた行動に出るのは遅かった。リュシーは自分でもはっきり意識しないままに社長を父親のように感じていたところがあったのだ。

だが、ある日、同僚のひとりの前で社長が自分の悪口を言っているのを聞いて、ついに感情が爆発した。リュシーは社長に話しあいを求めた。

「どうして私の悪口を言うんです。私が何か非難されるようなことをしましたか?」

「そんなことを言われて、私が怖がると思ったら大まちがいだ。出ていけ!」社長は答えた。

「どうして私が非難されなければならないのか、その理由を聞くまで出ていきません」

すると、社長は冷静さを失い、怒りくるって机をひっくりかえした。そうして、手あたり次第、目につくものを壊しながら怒鳴った。

「おまえは役立たずだ。それなのに……。そんな悪意のある態度にはもう我慢できない！」

だが、それでもリュシーがひきさがらないと知ると、社長は肉体的な暴力をふるってリュシーを黙らせようとした。そして、自分が暴力をふるったのは攻撃的な社員に挑発されたからだと言って、むしろ被害者の立場にたとうとした。

これまで長い間、リュシーは社長に守られていると感じていた。それだけに、突然、社長の眼に軽蔑と憎しみの色が浮かんだのを見た時にはびっくりして、それを信じることができなかった。しかし、直接、暴力をふるわれたことによって、リュシーのなかで変化が起こった。リュシーは社長と戦うことにした——思いきって警察に訴えることにしたのだ。同僚たちは「そんなことはしないほうがいい。面倒なことになって、きみが嫌な思いをするだけだ。社長だってもうしばらくすれば落ち着くだろう」と言って、リュシーを思いとどまらせようとした。だが、リュシーは決心を変えず、弁護士に電話すると、どのような措置を取るべきか尋ねた。そして、目に涙を浮かべ、身体の震えを抑えながら、警察に訴えでた。また、その帰りに医者に寄って「一週間は自宅療養の必要あり」という診断書を手に入れると、夕方には再び会社に戻り、警察に行く時に忘れていった鞄を持って家に帰った。

このようにこのタイプのモラル・ハラスメントを終わらせるには、警察に訴えるくらいしか方法がない。だが、それには勇気がいるし、またそうとうな覚悟もいる。そんなことをしたら、会社とは決定的に対立することになってしまうからだ。また、訴えが受理されるかどうかもわからない。仮に受理されて裁判が始まったとしても、必ずしも被害者に有利な判決が下るとはかぎらない。裁判には証拠が必要だが、モラル・ハラスメントの暴力には証拠が残らないからである。

❖――見てみぬふりをする企業

職場におけるモラル・ハラスメントは、企業がしっかりした態度で臨めば決して起こらないものである。だが、現実には企業はそれに目をつぶり、場合によってはモラル・ハラスメントを助長している。企業の幹部たちは業績のあがらない社員に対しては権威をもって臨む方法を心得ている。だが、他人に対する尊敬を欠き、ほかの人間に精神的な暴力をふるう社員については、叱責する方法を知らないのだ。企業は社員たちの私的な領域を尊重すると言う。社員たちはもう大人なのだから、そういった問題は自分たちで解決してくれというわけだ。だが、そうすることによって、その企業で働くひとりひとりの個人は尊重していないのだ。

企業がモラル・ハラスメントに対して寛大な態度を示していると、もともと加害者になるような性格を持っていなかった人々までが加害者と同じような考え方や行動をするようになる。加害者によって判断力を奪われ、会社というのはそういうものだと思ってしまうのだ。誰かを見下した態度で侮辱的に扱うことは、それほどいけないことだとは思わなくなってしまうのである。そうなると、たとえば上司が部下を発奮させるために叱っているのか、モラル・ハラスメントを行なっているのかも境界がはっきりしなくなってくる。だが、その境界線は他人を尊重するかどうかである。これは人権宣言にもはっきり謳われているのに、企業という競争社会ではしばしば忘れられてしまうのだ。

失業が増加しているせいで、最近では従業員に対して尊大で情け容赦のない経営が幅をきかせている。

競争に勝ち抜くためだと言って、冷たく厳格な態度で臨むのがあたりまえの状態になっているのだ。どんな方法を使っても競争に勝つことが優先されて、敗者は放りだされる。

そういった状況のなかで、モラル・ハラスメントの加害者は権力を得るのに直接的な方法を用いない。企業自体が倫理基準を失っているというこの混乱を利用して、陰険な方法で他人を操り、ライバルたちを蹴落してしまうのだ。それは加害者の自己愛を満足させることにもつながる。モラル・ハラスメントの加害者はもともと権力欲が強いうえに、他人を貶めれば自分が偉くなったように感じる人間だからだ。こうして、企業のなかでそのコントロールを受けなかった、たったひとつのタイプの人間——自己愛的な性格の人間が権力の座につくことが多くなる。そうなると、このタイプの人間は今度は権力を維持するために、また他人を操り、標的にした人間の精神を破壊していくのである。

まず、企業が見てみぬふりをすること、それから、激しい競争のなかで企業自体が混乱していること……。こういった企業の性格がモラル・ハラスメントを容易にしているのである。

ストレスを生みだす状況

いっぽう従業員のほうから考えると、強い圧力の下で働けば心理的な葛藤が起こる。これに異論を唱える専門家はひとりもいないはずだ。その結果、人間性を置き去りにして業績をあげることばかり考える新しい仕事の形態は、ストレスを引き起こし、それがまた加害者にとっては都合のよい状況をつくりだす。

さて、ストレスが生みだされる状況になると、身体は警戒態勢に入り、神経内分泌システムを通じて、ホルモンが分泌される。これはまず、攻撃に対する適応反応として表われる。動物にとって、これは生きのびるための反応である。攻撃を前にすると、動物は逃げるにしろ戦うにしろ、このホルモンの分泌によって身体の組織にその準備をさせるのだ。ストレスがなくなると、ホルモンの分泌は止まり、身体は元に戻る。それが続けば、ホルモンの分泌も続く。こういったストレス反応は警告期、抵抗期、疲労期の三つの段階で行なわれる。人間もまたそれは同じである。だが、動物は戦うか逃げるかの選択ができるが、会社員はその選択ができない。ということは、かなり長い間、ストレス反応が続き、心身に重大な影響が出てくるのである。実際、会社員はいつもストレスが生みだされる状況にいて、なかなかその状況から逃れることができない。いつでもたくさんの仕事を抱えていて、しかも急がされている。そんなことはできないと言って戦うことも、会社を辞めることもできないのだ。これに関して、アン県の県庁所在地ブール＝カン＝ブレスの産業医たちは、食肉処理業界で働く人々がどんなことにストレスを感じているかを調査し、その結果を一九九六年の年次報告書で発表している。《この業界でも〈経済的な拘束〉が大きなストレスになっているのはまちがいない。だが、もっと詳しく見てみると、いくつかの会社では、仕事を急がされたり、残業や休日出勤を行なったりという〈習慣的な拘束〉に社員たちが大きなストレスを感じていることがわかった。そういった会社では、この〈習慣〉を平気で社員たちに押しつけていたのである》

　フランスでは職場におけるストレスについても、またそのストレスによって健康に影響が表われた場合の経済的費用についても、数字で説明された資料はほとんどない。ストレスは職業病としては考えられていないのだ。だが、産業医や精神科医は、職場のストレスによって心や身体に障害が表われたり、アルコールや精神薬に依存したりする例が増えてきていると実感している。

　企業の組織がしっかりしていないと、ストレスの原因はさらに増えることになる。たとえば、役割分担がはっきりしていない（誰が何をしているかわからない。誰が責任者なのかわからない）。社員の異動が激しい（ある部署に配属された人間がすぐに別の部署に移る）。あるいは意志の疎通に欠ける（当事者に相談なく、物事が決定される）。また、内部の序列が厳しすぎる企業でも、権力欲の強い人間が必要以上に部下を支配したり、ほかの人間を陰険なやり方で蹴落として出世しようとするため、ストレスを生む状況がつくりだされやすい。すなわち、職場におけるモラル・ハラスメントがストレスの原因になるのである。

その意味からすれば、企業そのものがモラル・ハラスメント的な存在だとも言える。いくつかの企業はまさに〈レモン搾り器〉だ。昇進をちらつかせて社員を目一杯働かせ、その社員が使いものにならなくなったら容赦なく切り捨てる。そこまでいかなくても、通常の雇用契約をはるかに逸脱した形で社員を働かせることもある。これは決して珍しいことではない。企業は社員に身も心も捧げるように要求するのだ。ニコル・オベールとヴァンサン・ゴルジャックはこれを〈管理主義〉と名づけ、それによって働く人間は〈金をもらう奴隷〉にされると考える。[17] 社員たちはストレスによって心や身体がおかしくなるほど働かされるのに、その努力は正当に認められない。企業にとって、従業員は取り替えのきく駒のようなものなのだ。その証拠にいくつかの企業では、社員たちはあちらこちらの部署に異動させられ、同じ部署で能力を深めることを許されない。社員に能力がつきすぎたら扱いにくくなるからだ。従業員は仕事に関する知識を持ちすぎず、いつも劣った立場でいてくれたほうが都合がいいのだ。そういった企業の目には、社員の自発性や独創性は危険なものと映る。そこで、社員が新しいことをしようとすると、責任は持てないと言って、その芽をつぶそうとする。もちろん、自発性や独創性のある社員を育てようともしない。また、そういった企業では、社員たちは規律を守らない中学生のように扱われる。仕事中は笑ったり、くつろいだりすることは許されず、そんなことをしたらたちまち注意されるのだ。毎週開かれる反省会で自己批判をさせられることもある。こうして、仕事の場は人前で辱めを受ける場に変わってしまうのである。

社員たちの多くが高い教育レベルを持っているのに、その能力が十分活用されていないという現在の状況もこの傾向に拍車をかけている。部下が上司と同程度の学歴を持っていたり、それ以上の教育を受けていることも珍しくはない。すると、上司はその部下にプレッシャーをかけて、部下をつぶしてしまうか、自分から失敗するように仕向けるのだ。

このように、いっぽうでは経済的拘束（働かなければ生きていけない）によって、社員はいつも過大な要求を突きつけられる。また、もういっぽうでは人間的な価値や仕事の能力を低く評価される。社員はひとりの人間だとは考えられていない。人間としての尊厳も、苦しみなどの感情も、またそれまで生きてきた歴史もほとんど問題にならないのだ。

こうした人間の〈物体化〉や〈ロボット化〉を前に、私企業に勤めるほとんどの会社員は自分の立場が弱いものだと感じて、心のなかでしか抗議の声をあげない。表面的には頭をさげて、いつか幸運がめぐってくるのを待つ……。それしか方法がないのである。また、社員たちは不眠や疲労、苛々などストレスの症状が表われて、医師に病気休職を勧められても、それに従うのを拒否する。会社に復帰した時に仕返しをされるのが怖いからだ。

社員を辞めさせる方法

ここで、たとえ本人には落ち度がなくても、企業が邪魔になった社員を辞めさせる方法をいくつかあげておこう。

——組織の再編(リストラクチュア)によって、その社員のポストを廃止してしまうこと。こうすれば、補償金を支払ったうえで解雇することができる。

——わざと難しい仕事を与えて、その仕事に失敗させ、それを理由にして解雇する。

——心理的な嫌がらせを続けて、精神的に衰弱させ、辞表を提出させる。

最後の場合は明らかに企業によるモラル・ハラスメントだ。

たとえ、はっきりとは意識していないにせよ、社員が個人的な事情（たとえば離婚）で精神的に落ちこみ、企業の思いどおりに働けなくなると、そこでモラル・ハラスメントが始まる。それまではまったく問題にしなかったようなことを非難の対象にしはじめたりするのだ。いっぽうその社員のほうはいままで受け入れられていたことが急に駄目だと言われるので、身を守るのが難しくなる。その結果、仕事上のミスも目立つようになり、モラル・ハラスメントをしている人々にあらたな攻撃の口実を与える。そのうちに、本当に能力を失ってしまうのである。

相手の弱点をつくというのは、政治や実業の世界ではよく使われる方法で、決して悪いことだとは思われていない。それどころか、むしろ積極的に評価されている。政治家や実業家は生馬の目を抜く社会を勝ち抜いてきたことを自慢に思っているのだ。

〈実例　オリヴィエの場合〉

オリヴィエはあるビジネス・コンサルタント会社の共同経営者だった。設立以来、会社は発展を続け、最近では大卒の新入社員を採用できるまでになった。もうひとりの共同経営者はフランソワという男で、オリヴィエとは大学時代からの友人だった。フランソワの仕事のやり方は強引で、一歩まちがえば犯罪になるようなことまで平気でやった。オリヴィエはそういったやり方に反対で、自分のほうはそれに関わらないようにしていた。だが、会社の発展のためにはフランソワが必要だったので、それを問題にすることまではしなかった。

そんなある日、オリヴィエは社員のひとりからおかしな噂が流れていることを聞いた。その噂によると、社員たちの何人かが会社に不満を持ち、オリヴィエのことを殺してやると言っている者までいるというのだ。そのもともとの原因はフランソワにあるらしい。オリヴィエはフランソワを問いつめた。すると、フランソワは「おれは何も知らない。おれと一緒に働くのが嫌なら、会社を出ていってくれたってかまわないんだぜ」と攻撃的な口調で答えた。

フランソワには昔から他人を尊重しないところがあった。いつでも権力をちらつかせて他人を利用し、会社ではわざと社員たちの間に対立を引き起こした。そうやって、自分の立場を安定させようとするのだ。その結果、職場には目には見えない敵意が満ちていた。若い社員のなかには、このままでは厄介な問題が起きる、と転職を考えている者もいた。

そのうちにフランソワは大切な書類をオリヴィエの目から隠し、自分の息のかかった部下に預けるようになった。オリヴィエはびっくりした。確かに仕事に関してはフランソワは強引なところがある。だが、大学時代からの友人である自分にそんなふうな仕打ちをするとは考えたこともなかったのだ。しかし、フランソワが二人の共通の預金から勝手に金を引きだしていることを知ると、オリヴィエは自分の身を守る方策を考えることにした。

❖——モラル・ハラスメントを助長する企業

さきほども述べたように、企業というのはそれ自体がモラル・ハラスメント的な行為をする可能性を持っている。目的のためには手段を選ばないということがその企業の原則になれば、業績をあげるためなら個人の精神を破壊してもしかたがないという考え方が生まれてくるのである。そうなったら、モラル・ハラメントは企業レベルで行なわれるようになり、従業員を支配するために嘘と恐怖が用いられるようになる。

競争的な経済システムのなかでは、多くの経営者は事態に真正面からぶつかろうとせず、他人を犠牲にして生きのびていくという方式に頼るしかなくなっている。その結果、たとえば従業員に対しては、その人間性を考慮に入れるのは拒否し、自分に責任がふりかからないようにしながら、嘘と恐怖によって社員たちを管理していこうとする。生産性をあげるという口実のもとに、それまで個人によって使われていたモラル・ハラスメントの方法が企業によって、それも意図的に用いられるのである。モルビアン県で既製服をつくっている小さな会社、マリフロの工場で起こったこともこの場合にあてはまる。

この会社では社長も含めて、従業員はほとんど女性だった。たったひとりの男性はその工場の工場長だった。この男は生産性をあげるためだと言って、工員たちを罵り、傷つけ、辱めた——仕事のペースを早めさせ、休憩時間を正確に守らせ、言うことをきかない工員は汚い言葉で怒鳴りつけた。工場長がそういったやり方をしていることは女性社長もよく知っていた。だが、それに対して異は唱えなかった。

工場長の横暴に、工員たちはついにたまりかねてストライキを起こした。このストライキは六ヶ月続くことになるのだが、それが始まる前にたまたま『ストリップ・ティーズ』というドキュメンタリー番組を制作するために、〈フランス3〉のテレビ・カメラが工場に入って、工場長の取材をしていた。だが、カメラがまわっていると知りながら、この工場長は工員たちを辱めるいつものやり方を変えなかった。それがあたりまえのやり方だと思っていたのだ。さて、ストライキは一九九七年の一月九日に始まり、百八人の従業員のうち八十五人が工場の外に出て、工場長の辞任を要求した。その要求は最後には受け入れられた。だが、それと同時に六十四人の工員が解雇された。工場長はそのやり方をメディアによって大々的に報道されたにもかかわらず、しばらくするとその工場より二倍も大きい工場の工場長に任命された。

モラル・ハラスメントの加害者になるような人間（あるいはシステム）が権力を握ると、それは恐ろしい武器になるのである。

〈実例　クレマンスの場合〉

クレマンスは高等商業学校（エリートの養成機関であるグランド・ゼコールのひとつ）を首席で卒業した若くて美しい女性だった。学校ではマーケティングの勉強をし、第三段階修了の資格を持っている。だが、卒業しても短期契約の仕事しか見つからず、その期間が終わると失業した。したがって、ある躍進中の会社にマーケティング部門の責任者として採用された時には、心の底から嬉しかった。社長の話では、これまでは自分自身がこの部門の責任者を兼ねていたのだが、会社の発展にともなって専従の社員を置くことにしたのだという。クレマンスはこの会社のただひとりの女性管理職として働くことになった。クレマンスの上にはひとり上司がいて、その上司が社長と連絡をとっていた。だが、しばらくするとその上司が辞めてしまったので、クレマンスは直接社長の指示を受けることになった。

その時から社長の態度が変わった。ほんのささいなことを取りあげ、クレマンスを叱りつけるようになったのだ。「きみのしていることには意味がない」、「きみはマーケティングを知らないようだ……」。これまでクレマンスはそんなひどいことを言われたことはなかった。だが、自分にとって興味のある仕事を失うのが嫌で、社長に言い返すことはできなかった。

直接的なコミュニケーションを拒否する

また、社長はクレマンスの功績を横取りした。クレマンスが何か提案すると、自分が思いついたことのようにして、クレマンスに対しては「きみはなんの役にも立っていない」と言うのだ。もしそこでクレマンスが抗議すると、苛立ちもあらわに「きみは黙って私の言ったことをやっていればいい」と怒鳴った。そういったことが何度かあると、社長は仕事の指示を下す時にもクレマンスと顔を合わせるのを避けるようになった。仕事の書類は、ただ短いメモとともにクレマンスの机の上に置かれるようになった。また、クレマンスが素晴しい仕事をしても決して褒めず、「頑張れ」と励ますようなこともなかった。

敵は社長だけではなかった。この会社の営業員は大半が男で、社長のすることにならう傾向があった。そのため、営業員たちはクレマンスを避け、できるだけ話しかけないようにした。また、職場には仕切りがなかったので、誰もが誰もを監視している雰囲気があった。こういった状態で身を守るのは難しかった。

ある日、クレマンスは社長をつかまえ、不満を訴えた。すると、社長は何も答えず、クレマンスのほうを見ようともしなかった。そして、クレマンスがさらに言葉を続けると、「何を言っているのかわからない」とそらっとぼけた。

そのことがあって以来、クレマンスはほかの社員の仕事を邪魔しないようにという口実で、直接同僚たちに話しかけることを禁じられた。その結果、誰かに連絡を取る時にはEメールを使わなければならなくなった。

だが、ことはそれだけではすまなかった。この会社では電話器やコンピュータは暗号によって鍵がかかるようになっていて、ほかの人間が使えないようになっていた。ところが、クレマンスが病気で数日会社を休んで再び出社すると、自分が使っていた電話とコンピュータの暗号が変えられていたのだ。クレマンスの電話とコンピュータは社長の秘書が使っていた。

「私の電話を使ったのなら、元の状態に戻しておいてよ」。クレマンスは秘書に言った。

「そんなにカリカリしないでよ。いったい何様だと思っているの。あんたが被害妄想だということはみんな知ってるわ」。秘書は答えた。

その後、クレマンスは仕事に関する重要な電話は自分のところにはまわされず、この秘書が受けているということを知った。社長の命令でそういうことになったらしい。その結果、クレマンスの判断が必要な場合は、秘書がEメールで連絡をとってきた。それが終わると、そのEメールをプリントアウトして、秘書が社長に届けるのだ。実際の業務のほうは社長が行なった。これでは社長に負担がかかりすぎるのではないか、秘書はそう心配した。だが、社長はクレマンスをないがしろにしたことに満足し、「このままでいい」と言って秘書の心配をしりぞけた。

クレマンスは次第に自信を失っていった。「こんなひどい扱いを受けるなんて、いったい私は何をしたのだろう?・」そう考えて、自分の行動をふりかえってみることもあった。それと同時に、自分の職業的な能力にも疑いを持つようになった。夜も眠れなくなり、〈また会社に行かなければならないのか〉と思うと、月曜の朝が怖くなった。いつも頭痛がして、会社であった出来事を夫に話す時には、突然、涙が出てきて止まらなくなることもあった。彼女はすっかり元気をなくし、いまでは外に出るのも友達に会うのも嫌だと言っている。

企業というものは、ある社員が大きな利益をもたらし、組織に逆らわないのであれば、その人間が勝手なことをしても許すところがある。そのいっぽうで、社員たちの才能を伸ばすことは十分にできるのに、つぶすことしかしないこともある。

バリー・レヴィンソン監督の映画『ディスクロージャー』(18)を見ると、ある人間が別の人間を精神的に破壊しようとするのを企業がどれほど可能にしているか、具体的によくわかる。物語はシアトルでコンピュータ・チップを専門につくっている会社を舞台にして始まる。この会社はプログラムをつくる別の会社と合併するのだが、ある部署で新しく責任者が任命されることになった。会社の人々はマイケル・ダグラスが演じるトムがこの役目に選ばれるだろうと思った。トムは経験もあり、仕事熱心で、才能もあったからだ。ところが、その予想に反して、選ばれたのはデミ・ムーアが演じるメレディスという女性だった。この状況であれば、メレディスはひそかに喜びを嚙みしめていると誰もがそう思うだろう。だが、とんでもない。メレディスは昇進しただけでは満足せず、トムの首を欲しがったのだ。トムは健康に恵まれ、家庭では優しい妻とかわいらしい二人の子供と一緒に幸福に暮らしていた。メレディスはこの幸福を羨んだのだ。メレディスにはもともと他人の幸福を羨むところがあった。また、かつてトムの愛人だった時にもこの幸福を奪うことができなかった。そういったこともあって、トムを破壊しようと決心したのである。そのために、メレディスはセックスを武器に使うことにして、トムに言い寄った。だが、トムは断わった。メレディスはその仕返しにトムからセクシュアル・ハラスメントを受けたと訴えた。セックスを持ちかけた時、メレディスはトムを〈モノ〉として扱うことで、トムに屈辱を与えようとした。つまり、セックスは相手を辱め、最後には精神的に破壊するための方法にすぎなかったのだ。セクシュアル・ハラスメントで訴えたのも、やはりトムの価値を貶めるためだ。だが、もしこういった性的な攻撃が十分でないと判断したら、今度はまた別の方法を使っただろう。

　メレディスのように自己愛的な性格の人間は、権力を得るにも、また行使するにもモラル・ハラスメントの攻撃を使っていく。また、そういった人間は他人の幸福を羨み、それを自分のものにする必要を感じ、もしそれができなければ相手を破壊しようとする。そのためには相手の弱点を攻撃し、もし弱点がなければあらたにつくりだしていく……。この映画を見ていると、そのことがよく理解できる。

　話を現実に戻すと、社員同士の対立が原因であれ、組織の制度から来たものであれ、もしモラル・ハラスメントが行なわれたら、それは企業が解決しなければならない問題である。いずれの場合にせよ、それはそうなるまで放っておいた企業の責任だからだ。モラル・ハラスメントが始まってから進行していく間に、外から介入してそれを解決できる機会は必ずあったはずなのだ。その意味からすると、最近、企業のなかに〈人的資源部長〉（人事部とは別に社員の人間的な問題を解決する役職）の肩書きを持つ人々が増えてきたのは喜ばしいことである。だが、そういったいくつかの例外を除いて、企業は社内の人間関係について関心を払うことはめったにない。

　そうはいっても、モラル・ハラスメントが行なわれれば、企業は経済的に無視できない損失をこうむることになる。職場の雰囲気が悪くなれば、当然のことながら社員の生産性が低くなり、その部署の業績はさがることになるからだ。加害者も被害者も相手のことばかりに気をとられて仕事がおろそかになる。まわりの人間も仕事に集中できなくなる。それに被害者の病気休職が加わってくるので、経済的な損失はかなりの額にのぼるのである。

ここにいたると、状況は逆転する。今度は企業がモラル・ハラスメントの被害者になるのだ。自己愛的な性格の人間の目的は自分が偉く思えるようなシステムをつくりあげることである。企業はその目的のために利用され、加害者から活力を吸いあげられてしまうのだ。

それが目に見えるものでも、また目には見えないものでも、モラル・ハラスメントは対立から生まれる。したがって、もしモラル・ハラスメントを解決しようと思ったら、その対立が社員同士の性格から来ているものなのか、それとも組織の制度に問題があるのか、つきとめる必要がある。といっても、すべての対立がモラル・ハラスメントに結びつくわけではない。そうなってしまうのは、〈職場の人間関係から温かみが失われている〉、〈企業が絶対的な力を持っている〉、〈企業が加害者を大目に見たり、積極的に共犯になる〉など、いくつかの要素が重なった時である。

また、仕事の現場では決定の責任者たち（経営者、管理職、職長など）が一緒になってモラル・ハラスメントと戦い、加害者の好きにさせておかない方策をとることが大切である。そのためには、どんな場合でも社員の人権が尊重されるよう、つねに目を光らせていなければならない。また、ひとりひとりの個人に敬意が払われるようにして、職場から人種差別や性差別を追放していく必要もある。いっぽう労働組合も、その役割は労働者を守ることにあるのだから、従来の職務に加えて、モラル・ハラスメントの危害から被害者を救うことも考えていかなければならない。

モラル・ハラスメントは必要悪だなどと言って、それがあたりまえだと思われるような社会にしてはならない。職場におけるモラル・ハラスメントは経済危機のせいで起こったのではない。他人を尊重しない行為を見てみぬふりをする企業の放任主義のせいで起こったのだ。

第2部
モラル・ハラスメントはどのように行なわれるか

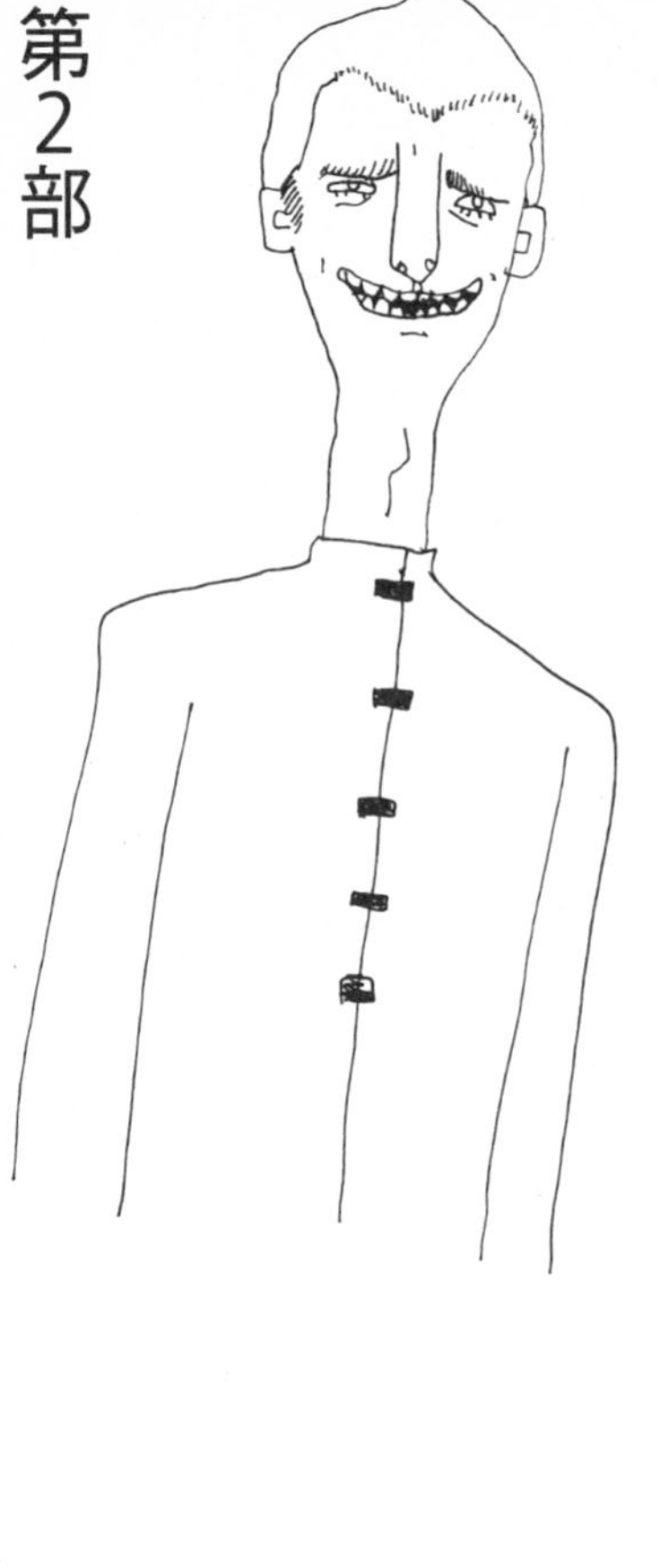

第3章　巧妙に支配下におく

モラル・ハラスメントが特に夫婦の間で行なわれる場合、第1章でも述べたように、それは相手を惹きつけて支配下におき、それから精神的な暴力をふるっていくという経過をたどる。

この最初の〈相手を惹きつけて支配下におくという段階〉は数年間続くこともある（精神分析医のP＝C・ラカミエは、〈相手から物を考える力を奪う〉という意味で、これを〈愚鈍化〉と呼んでいる）[19]。これはいわば精神的な暴力をふるうための準備段階で、この間に加害者は被害者を精神的に不安定にさせ、徐々に自信を失わせていく。

相手を惹きつけ、自由を奪いながら影響を与えていき、支配下におく。モラル・ハラスメントはこうして始まっていくのである。

相手を惹きつける

相手を惹きつけるというのは、相手が自分から離れられないようにするということだ。だが、それは決してまともなやり方で行なわれるわけではない。モラル・ハラスメントの加害者——すなわち強度に自己愛的（ナルシシック）な性格を持っている人間は、自分に好意を持って、いいイメージを抱いてくれている人間を見つけると、嘘をついたり、現実を歪めたりして、相手も気がつかないうちにその心をつかむのに成功する。それはたいてい、不幸な子供時代を過ごしたとか、才能を認められないとか、自分が不遇だということを匂わせて、相手に「守ってやりたい」という気持ちを起こさせるという形で行なわれる。また、この相手を惹きつけるという行為自体もきわめて自己愛的で、自分に魅力があると思いたいがために成されることが多い。そうしたことから、心のつながり方は一方的である。加害者は相手を惹きつけようとするが、自分のほうは決して惹きつけられることはないのだ[20]。こういった自己愛的な関係の作り方は、自分と相手の区別を曖昧にする。といっても、恋をして相手を理想化した時のように、相手の欠点を見るのを拒否するというのではない。相手を破壊する目的で相手と一体化するのだ。モラル・ハラスメントの加害者にとって、〈他人〉は自分の足りないところを補ってくれる存在ではない。むしろ、自分を脅かす存在なのだ。したがって、誰かと一緒にいるためには、相手のアイデンティティーを破壊し、自分と同一化させてしまわなければならないのである。

相手に影響を与える

モラル・ハラスメントの加害者が相手に影響を与える時、その影響の与え方は相手の理性に訴えて、論理的に説得するという形をとらない。そうではなく、相手の感情に訴えたり、弱いところをついたりして、本来の考えや行動とはちがうことをさせるのだ。その意味では被害者は自主性を奪われている。影響を与えられた被害者は最初から自由に行動することができないのだ。しかも、自分が自由を奪われているとは思わない。加害者に惹かれていたり、その巧妙な操作に騙されていることもあって、被害者はたとえ自分が望まないことをしていても、自発的にしていると思いこむ。また、そう思いこませることが加害者の狙いなのである。このような状態では、対等な議論など存在しない。被害者はいったい何があったのか、その過程を考えてみることができず、その結果、相手を批判することも、相手に抵抗することもできない。そうして、身を守る力を奪われていくのだ。このように相手が知らないうちに過剰な影響を与える人物はたくさんいて、私たちはさまざまな状況でその被害にあっている。毎日の生活のなかで、私たちは絶えずそういった人物から心理操作を受け、精神的に混乱したり、不安定な状態に陥れられている。私たちはそのたびに怒りを感じる。だが、それと同時に、その怒りよりもさらに強く自分を恥じる気持ちになる——相手にそういったことをさせた自分が恥ずかしくなるのだ。これは精神的な〈騙り〉だ。相手に影響を与えることによってモラル・ハラスメントの加害者が行なうのは、まさにこの精神的な騙りなのである。

相手を支配下におく

ここで言う〈相手を支配下におく〉というのは、相手の意見や意向を認めず、相手を知的、精神的に服従させることだ[21]。加害者はこの支配と服従の関係によって、相手から同意をひきだす。その裏には脅迫が隠されていることもある。被害者のほうは相手に服従しているため、自分の考えを伝えることもできなくなってしまう。このように無理やり何かを受け入れさせるというのは、相手を対等な人間と見なしていない証拠である。モラル・ハラスメントの加害者と被害者の間では、こういったことがあたりまえのように行なわれてしまうのだ。この支配関係は、時には洗脳のように相手の精神を奪うところまでいってしまうこともある。そうなったら、被害者のほうは精神障害に追いこまれることにもなりかねない（実際、精神病の国際分類では、〈人格の解離〉を引き起こす可能性がある出来事のひとつに、洗脳のような〈長期にわたる強制的な説得〉をあげている)。

この支配関係のなかで、被害者は心理的に束縛され、蜘蛛の巣に捕えられた獲物のように衰弱していく。だが、自分が心理的に侵入を受けているとは自覚していないことが多い。

この支配には三つの側面がある。

――相手のアイデンティティーを失わせることによって、相手を自分のものにする。

――相手を服従させ、依存させることによって、自分の言うことをきかせる。

――相手に自分の刻印を残す(たとえば、自分と同じ意見や好みを持たせる)。

こういった支配は被害者の意思を無視し、その個性を否定する。したがって、被害者の精神を破壊するには、この支配が不可欠の要素となる。被害者は少しずつ抵抗する力を失い、加害者のすることに批判を加えることすらできなくなる。もちろん、だからと言って、被害者が加害者のすることに心の底から同意しているわけではない。しかし、相手の支配を受けている以上、そうせざるを得なくなっているのだ。被害者は加害者から人間ではなく〈モノ〉と見なされ、自分の意見を言えない状態を押しつけられている。何かについて考える時には、加害者と同じ考えを持たなければならないのだ。加害者にとって、被害者は平等な権利を有する〈他人〉ではない。協力して支えてくれる〈腹心の友〉でもない。意見を言ったり、忠告を行なったりせずに、ただひたすら自分に屈従する、そういった存在なのである。

加害者の行動と心理

さて、この章の冒頭で述べたように、モラル・ハラスメントの段階はおおざっぱに言って、〈相手を支配下におく段階〉と〈精神的な暴力をふるう段階〉の二つに分けられる。加害者はこの最初の〈支配の段階〉から相手に暴力をふるっていくことはない。といっても、それは〈相手に攻撃を加えない〉ということではない。加害者はむしろ、次章で述べるモラル・ハラスメントに特有なコミュニケーションを用いて、被害者を積極的に攻撃していく。その攻撃には侮蔑や嘲弄、中傷や悪口、悪意のほのめかしなど、のちに〈暴力の段階〉になって攻撃の主流になる、言葉による攻撃も含まれている。ただ、そのちがいは〈暴力の段階〉の攻撃が相手の精神を破壊することを目的にしているのに対し、〈支配の段階〉の攻撃は、その言葉どおり、相手を支配することを目的にしているということである。すなわち、加害者は権力を保持して、相手をコントロールしつづけるために、精神的な攻撃を加えていくのだ。それは最初、なんでもないようなことから始まり、相手が抵抗すれば次第に激しさを増していく。この時、相手が従順すぎると、加害者は物足りなさを感じる。加害者が誰かと関係を続けていくためには、適当な抵抗が必要なのだ。だが、もちろん、その抵抗は自分が脅威を感じるほど強いものであってはならない。主導権を握るのは自分のほうでなければならないのだ。相手はあくまでも〈モノ〉でなくてはならない。自分が利用できる〈モノ〉であって、自分と対話を行なう〈人間〉ではないのだ。

被害者の行動と心理

「あの人（加害者）がそばにいると、目の前のことに集中できなくなる」。被害者はそう話すことが多い。いっぽう加害者のほうはなんでもないようなふりを装うので、加害者が被害者を圧迫しているとはまわりの人間にはわからない。加害者と被害者の心理状態には大きなずれがあり、相手の支配下におかれた段階では、被害者は窒息感に悩まされ、ひとりでは何もすることができないと訴える。また、頭のなかに物を考えるためのスペースがなくなった感覚がすると言うこともある。

では、被害者はどうして加害者に服従するのだろう？　それは相手を喜ばせるためだ。とりわけ、二人が出会ったばかりの頃は、その気持ちが強い。というのも、たいていの場合、加害者は不幸な人間として被害者の前に現われる。それを見ると、被害者のほうは、わがままを聞いて慰めてやりたくなるのだ。そのうちに相手の支配が強化されてくると、今度は恐怖から従うようになる。相手に認められたいという気持ちから服従することも多い。子供の場合が特にそうだが、大人でも最初のうちはこういったことがよく起こる。相手に見捨てられるくらいなら、言うことをきいたほうがいいと考えるのだ。この過程をもう少し詳しく説明すると、モラル・ハラスメントの加害者になるような人間は、他人に与えることは少ないが、要求することは多い。そこで、心理的に圧迫する形でそれとなく相手に要求を伝えていくのだが、被害者になるような人間はそれを敏感に感じとって、〈もしここで自分がおとなしく言うことをきいたら、相手は自分を認めてくれるにちがいない〉。そう考えるのである。だが、このやり方は失敗する。加害者になるような人間は決して満足するということを知らないからだ。その反対に、相手から認めてほしいとか愛してほしいとか要求されると、その相手を憎むようになる。もともと自己愛的だということもあって、〈どうして自分がそんなことをしなければならないのか〉と理不尽な要求をつきつけられたように思い、相手に対して加虐（サディスティック）的な気持ちになるのだ。

支配関係が成立した段階での加害者と被害者

この支配関係のなかで逆説的なのは、加害者が相手の力を恐れれば恐れるほど支配力を強めていくということである。つまり、相手が自分より優位だと思うと恐れる気持ちが強くなり、より強力に相手を支配下におこうとするのだ。第1章の実例〈アニーとバンジャマンの場合〉、〈アンナとポールの場合〉

はこれにあてはまるだろう。

さて、こういった支配関係が成立した段階では、被害者はもし相手の言うことをおとなしくきいていれば――つまり、蜘蛛の巣にからめとられた状態でいれば、比較的安定した気持ちで過ごすことができる。また、この段階では加害者と被害者の双方が居心地の悪い思いをしていても、状況を変えるのは不可能になる。状況はここでいったん閉塞してしまうのだ。それは次のような理由から来ている。

――加害者のほうは過去の出来事に忠実であろうとして（加害者は自分が子供の頃に受けたことを再現しているのだ）、この段階では直接的な行動をとらない。また、この段階ではまだ相手のほうが優位だと感じているせいで、相手を恐れている。

――被害者のほうは相手の支配下におかれているため、恐怖の気持ちから動くことができない。また、ぼんやりと感じている〈相手から拒否されているのではないか〉という心配を事実としてはっきりさせたくない気持ちもある。

いずれにしろ、この段階では加害者は被害者に目に見えない圧力を加え、被害者のほうは絶えずストレスにさらされる状態になる。

また、この支配関係は外からは見えないことが多い。仮にそれを指し示すような事実があったとしても、まわりの人間はそのことが持つ本当の意味に気がつかないのだ。たとえば、加害者の口から被害者の精神を動揺させるようなことがほのめかされても、それ自体は取るに足らないことで、また背景の事情を知らないため、まわりの人間にはそれがどれほど被害者を傷つけているかわからないのである。その結果、被害者のほうはまわりから孤立した状態におかれていく。というのも、被害者は自分の身を守るためにさまざまな反応を示すが、それは過剰な反応としてまわりの人間を苛立たせることになるからだ。まわりの人間は被害者のことを、怒りっぽく愚痴ばかりこぼしている、いわば強迫観念に取りつかれた人物と見なすようになる。そのいっぽうで被害者は文句を言うわりには自発的に行動することをしない。それを見ると、まわりの人間は被害者を理解できなくなり、被害者に対して否定的な評価を下すようになるのである。

それでは、加害者はどのような攻撃の方法を用いて、被害者を支配下においていくのだろうか？ それはたとえば、矛盾する態度をとったり、嘘をついたり、相手を嘲弄したり軽蔑したりと、モラル・ハラスメントに特有のコミュニケーションを通じて行なわれる。それについては次章で述べることにしよう。

第4章　不安に陥れる

モラル・ハラスメントの加害者が被害者を支配下においていく過程のなかで、加害者は被害者に対してモラル・ハラスメントに特有のコミュニケーションの仕方を用いる。だが、実を言うと、それは本来のコミュニケーションとは言えない。というのも、このコミュニケーションは相手と意思を通じあわせるためのものではなく、むしろ相手を遠ざけ、対話を拒否するためのものだからだ。この歪んだコミュニケーションの目的はひとつ――相手を利用することである。そのためには、まず嘘をついたり騙したりするという形で言葉が使われる。真実の情報を知らされないことによって、被害者は何が起こっているのか理解できずに混乱する。その結果、加害者と戦うことができなくなるのだ。

また、言いたいことをはっきり言わずに何かでほのめかしたり、急に黙りこんだり、相手の言葉に返事をしなかったりという方法も被害者を不安に陥れる。

❖――直接的なコミュニケーションを拒否する

モラル・ハラスメントの加害者と被害者の間では、直接的なコミュニケーションは成り立たない。というのも、二人は〈何かについて話しあう〉ということがないからだ。

たとえば、被害者が加害者に何かを質問しても、加害者は答えるのを避ける。話をしなければ、懐が深く、賢い人間のように思われるからだ（自己愛的な人間にとって、これは大切なことである）。その結果、被害者のほうは言葉によるコミュニケーションができない世界にひきずりこまれてしまう。といっても、もちろん、加害者が言葉を使わないわけではない。加害者はむしろ言葉を使うのを得意とする。だが、それはいつも歪んだ形で、相手を攻撃する武器として使われるのだ。ちょっとした嫌味や皮肉、ほのめかしや当てこすり……。そういった言葉で相手を攻撃すると、加害者は相手との話しあい――つまり、本当の意味での言葉によるコミュニケーションは拒否する。いっぽう被害者のほうは言葉によってきちんとしたメッセージが伝えられてこないので、ほんのわずかな仕草から相手の気持ちを読みとらなければならなくなる。そうなったら、加害者は肩をすくめるなり、ため息をつくだけでよい。被害者のほうは、〈自分は何をしたのだろう？　何かいけないことをしたのだろうか？〉と一生懸命考えて、悩むようになる。はっきりした言葉で表現されないだけに、ひとつひとつの動作がすべて非難のように思えてくるのだ。

このように加害者は言葉によって直接、相手を非難するわけでもなければ、はっきりと目に見える対立を引き起こすわけでもない。つまり、「私たちの間にはこういう問題があって、それはこういう点であなたがいけない」とは言わない。それによって、被害者のほうはどうすることもできず、身を守るすべを失ってしまう。すなわち、何が起こっているか言葉ではっきりさせ、話しあい、一緒に解決法を見つけるのを拒否されることで、被害者は袋小路に追いこまれてしまうのだ。もし対立が言葉によって開かれているのであれば、二人は自分たちの問題について話しあうことが可能になり、解決法も見つかるだろう。だが、モラル・ハラスメント的なコミュニケーションにおいては、加害者は言葉を奪うことによって、被害者が考え、理解し、行動することができないようにする。会話を拒否することによって、加害者は目に見えない対立を深刻化させ、それどころか、現実に起こったことの責任をすべて相手に押しつけることすらできるのである。被害者の〈話を聞いてもらう権利〉は拒否される。加害者は被害者の言葉などには関心を持たず、相手の言うことに耳を傾けようとさえしないのだ。

対話を拒否するというのは、言葉にはよらない形で、「あなたには興味がない」と伝えているということだ。あるいは、「あなたなどは存在しない」と……。もしこれが普通の人間関係であれば、相手の言うことがわからない時には相手に質問をすることができる。だが、モラル・ハラスメントの加害者になるような人間が相手だと、会話は曲がりくねって、きちんとした説明は得られず、意思の疎通は行なわれない。相手が何を言いたいのかは、結局、理解できないまま終わるのである。

手紙やメモを書いても返事を出さない

このように直接的なコミュニケーションを拒否されると、〈アンナとポールの場合〉の実例のように、被害者は手紙やメモによってコミュニケーションをはかろうとすることがある。どうして相手が自分を拒絶するのか手紙で尋ねて、説明を求めるのだ。だが、返事は来ない。そこで被害者はもう一度手紙やメモを書き、自分がどうしてそんな態度をとられなければならないのか、自分の行動に何か問題があったのか、相手に訊くことになる。この時、被害者は意識するにせよ、しないにせよ、相手の立場にたって、「自分のほうにもいけないことがあった」と、謝ることもある。

だが、被害者がこうやって重ねて手紙を書いても、たいていの場合は返事が来ない。それどころか、手紙のなかに謝罪の言葉があったりすれば、逆に加害者によって利用されることもある。たとえば、被害者が夫の不倫を責めた時に思わず手を出してしまったことがあった。被害者は夫を非難しながらも、それについては手紙で謝罪したのだが、その手紙はいつのまにか、妻が暴力をふるった証拠として警察に提出されていたのである。「この手紙を見てください。妻は暴力をふるったことを自分で認めています」。夫は警察官にそう言ったという。

また、企業においては、モラル・ハラスメントの被害者は自分の身を守るために手紙を書留にして送ることがある。すると、その人物は被害妄想の持ち主だと言われてしまう。

加害者から返事がある場合にも話はかみあわない。被害者の苦しみに対して、加害者は関心を示さないからだ。たとえば、モラル・ハラスメントの被害に苦しんだ女性が加害者である夫に対してこんな手紙を書いたことがある。《あなたは私を軽蔑し、何かと言うと私を攻撃します。これほどあなたに憎まれるなんて、私のどこがそんなに我慢できないのか教えてください。あなたはどうして私を非難するのですか? しかも、はっきりとは言わずにひとり言で不満を洩らすように……》。ところが、これに対する夫の返事は《そんな事実はない。きみの言っていることはでたらめだ》とにべもないものだった。

このように加害者は直接的コミュニケーションを拒否する。それは相手の呼びかけに応じないという形をとるだけではなく、最初からコミュニケーションを拒否していることが全身の態度で表わされることもある。たとえば、被害者が目の前に現われると、加害者は身体を硬くし、緊張した面持ちで被害者から視線をそらしたりする。被害者のひとりは言う。「私が職場に行くと、上司はいつも不安そうな顔で私を見るんです。まるで私の機嫌が悪くないかどうか確かめるように……。私は自分がどんな悪いことをしたのか、よく考えたものでした」

✣——会話を歪める

さきほども述べたように、加害者が言葉を使う時にはいつも歪んだ形で使われる。それには言葉だけではなく、口調や態度など、ほかのさまざまな要素が合わさっている。

たとえば、被害者に話しかける時、加害者は冷たく平板で、そっけない話し方をする。そこにはまったく愛情が感じられず、聞いている者を不安で凍りつかせる響きがある。また、そういった口調で話せば、どれほどありきたりの会話のなかにも軽蔑や嘲弄のニュアンスをしのびこませることができる。それは時にはまわりの人間をびっくりさせることもある——といっても、まわりの人間は夫婦喧嘩でもしたのだろうと思ってあまり気にとめない。だが、被害者のほうは、相手がそうするだけの理由がわからないだけに不安に陥る。こうして、加害者はただ口調だけで、相手を非難したり脅迫したりすることができるのである。

以前、モラル・ハラスメントの被害を受けたことのある人間は、相手の口調のなかにこういった冷たさを認めると、それだけで恐怖を感じる。この場合、言葉の意味が問題なのではない。その口調にこめられた脅迫が問題なのだ。両親からモラル・ハラスメントを受けた子供たちは、ひどいことを言われる前によく両親の口調が変わったと言う。「夕食の時、それまで妹たちに優しく話していた父親の口調が急に変わって、冷たくそっけなくなることがあります。そうすると、私はそれが自分に向けられたもので、これから何かひどいことを言われるのだとわかるのです」

また、モラル・ハラスメントの加害者は言葉のやりとりが激しくなっても声を荒げたりしない。興奮しているのは被害者のほうだけで、それがまた被害者を動揺させる。そうして、加害者のほうは勝ちほこったようにこう言うのだ。「まったく、きみはいつもわめいてばかりいるヒステリー女だ！」

これとは反対に、相手が別の部屋にいる時を見はからって、わざと怒ったように何かを言うこともある。その声ははっきりとは聞こえないので、被害者のほうは加害者のいるところまで行き、「何か言いました？」と尋ねることになる。だが、加害者は「何も言わなかった」と答える。これは相手を不安に陥れるためのひとつの方策だ。被害者のほうは自分のせいで怒っているのではないかと心配になってしまうのだ。

曖昧な言い方をする

また、モラル・ハラスメントの加害者はわざと曖昧な言い方をする。そうしておけば、「そんな意味ではなかった」と言って、巧みに言い逃れることができるからだ。〈ほのめかし〉という手法を使うことによって、加害者は自分の身は安全なところにおきながら、相手に非難のメッセージを伝えることができるのである。

一般にモラル・ハラスメントの加害者の言葉には論理というものがない。したがって、矛盾する言葉も平気で口にすることができる。いっぽう被害者のほうは相手の支配下におかれているので、その論理の矛盾に気がつかない。あるいは気がついたとしても、相手の怒りを恐れて反論できない。その結果、結局は自分が悪いことにされてしまうのだ。

また、モラル・ハラスメントの加害者は、何かを言いかけて、途中でやめてしまうこともある。そうすれば、いろいろな解釈が可能になって自分が物知りのように見えたり、文脈によっては相手が勝手に自責の念を感じてくれるからだ。あるいは、わざと曖昧な言い方をしたうえで、説明を拒否することもある。たとえば、義母が女婿にちょっとしたことを頼んだ時のこと……。

「駄目よ。これじゃ」

「どうしてです?」

「言わなくたってわかるでしょう?」

「わかりませんね」

「じゃあ、考えてごらんなさい」

この会話には悪意がひそんでいる。だが、その口調が落ち着いていて、〈普通〉のものだったりすると、相手は怒ったりするのは見当ちがいのような気がしてくる。実際、そうだろう。このような状況では、自分はどんな悪いことを言ったのだろう、どんな悪いことをしたのだろう、と罪の意識を感じるのが普通だからだ。このやり方が失敗することはめったにない。モラル・ハラスメントを行なうような人間——すなわち自己愛的な人間を除けば、人間とは罪の意識を感じやすい動物だからだ。人は誰も罪悪感から逃れることはできない。モラル・ハラスメントを行なう人間は、本能的にそのことを知っているのである。

こうしたなかで、相手を傷つける言葉はあまりはっきりしない形で出てくる。たとえば、子供ができなくて悩んでいる娘に、子供の話とは別のことで母親が言った言葉。「それはお互いに好きなようにやればいいんじゃない。私は私の子供の面倒を見るわ(自分のことは自分でするということ)。あんたはあんたの子供の面倒を見なさい」。このあとで母親がすぐに気がついて、気まずそうな顔をしたり謝ったりすれば、単なる失言と見なされるだろう。だが、モラル・ハラスメントの加害者は意識的にせよ、無意識的にせよ、こういった心ない言葉を平気で相手に投げつけることができるのである。

難しい言葉を使って自分を偉く見せようとする

モラル・ハラスメントの加害者の言葉のつかい方でもうひとつ特徴的なのは、難しい専門用語や抽象的な言葉を使って、独断的に結論を下すことである。相手はいくら考えても加害者の言っていることがわからない。かといって、嘲弄されるのを恐れて説明を求めることもできない。その結果、加害者の言うことに反論できなくなってしまうのである。

加害者の行なうこういった議論は冷たく観念的で、聞いているほうは考えることも反論することもできなくなってしまう。加害者は本来の意味などおかまいなしに会話のなかに専門用語をちりばめ、表面的な知識をふりかざしていかにも物知り顔に話す。そうやって、相手を圧倒するのだ。それを聞かされたほうは、あとからこう思うことになる。〈私は騙された。あの人の言っていることにはなんの意味もないではないか。ああ、どうしてあの時、そう言い返さなかったのだろう〉と……。

加害者にとって大切なのは、会話の内容ではなく形式である。相手に理解できないことを言って、相手が議論に疲れてしまえばそれで勝ちなのだ。たとえば、自分たち夫婦のことについて話しあおうという妻に夫が物知り顔で断定する。「きみはどうやら典型的な去勢コンプレックスの女性のようだ。つまり自分のなかにあるペニス羨望を男たちに投影しているのだ」

精神分析としてはいかにも乱暴な解釈だが、こういった言い方をすれば、相手を途方に暮れさせることができる。被害者は反論することができず、したがって自分に有利な状況をつくることができない。また、さきほども述べたように、加害者の言葉が論を成していない場合もある。被害者たちは時々、加害者が言っていることはあまりに支離滅裂なので、吹きだしたくなることがある、と言う。だが、そんなことをしたら、加害者はそれこそ烈火のごとく怒りだすのに決まっているのだ。

また、「おまえのことは私のほうがよく知っている」と言わんばかりに、相手の考えていることや、しようと思っていることを勝手に決めてしまうこともある。「きみがそれを嫌いなことはよく知っているよ。きみはそれから逃げようとしているだけなんだ」。こういった言葉の使い方も、モラル・ハラスメントの加害者に共通する特徴である。

❖――相手が誤解するように仕向ける

モラル・ハラスメントの加害者はあまり直接的な嘘をつくことはない。それよりも、まず当てこすりやほのめかし、あるいは言葉以外の身ぶりや態度で相手が誤解するように仕向けることのほうが多い。そうしておいて、その誤解をさらなる攻撃に利用するのだ。

中国の兵書『孫子』を解説した本[22]にはこう書かれている。《兵法とは相手を騙すことである。本来の姿とは常にちがった自分を見せていれば、勝利の可能性は高くなる》

モラル・ハラスメントの加害者が不完全で、時には矛盾したメッセージを伝えるのは相手の反応が怖いからだ。〈言葉ではっきりさせることなく、自分のメッセージを相手に伝えたい〉。そういった思いから、加害者は〈物事を言わずに言う〉方法を取る。この種のメッセージは漠然としていて、内容的にも取るに足りないものであることが多い。だが、間接的に相手を傷つける力を持っている。たとえば、「女とは恐ろしいものだ」とか「働いている女は家事をおろそかにする」と言って、暗に相手を非難する。それでいて、相手に抗議されるとこう言いなおす。「別にきみのことを言っているわけではない。きみは自分がそうだと思っているのか?」直接非難されたわけではないだけに、相手はそれ以上、言い返せなくなる。また、この種のメッセージは言われた時にはわからず、あとになって理解できることも多い。

加害者にとって大切なのは会話のなかで優位に立つことである。だが、そこであまりに直接的な方法をとると、自分が横暴なのが相手にわかってしまう。その反対に間接的な言い方をしていれば相手を不安に陥れ、相手が真実だと思っていることを疑わせることができるのだ。

話をそらす

また、モラル・ハラスメントの加害者は相手の言葉をはぐらかしたり、逆に攻撃的になって話をそらしたりすることがある。たとえば、夫が不倫をしているのではないか、とその心配を口にした妻に対して夫が答えた言葉。「そんなことを言うのは、きみのほうに何かうしろ暗いことがあるからだろう」

相手の言葉じりをとらえて話をそらしてしまうこともある。たとえば、「あんな小娘と一緒に一週間も旅行に行ったりして！」と責める妻にその夫がこう答える。「嘘つきはきみのほうだ。ぼくが旅行に出かけたのは一週間ではない。八日間だ。それに小娘とではない。一人前の女性とだ」

相手が何を言おうと、加害者は自分を正当化する理由を見つけてしまう。これに対して被害者のほうはすでに精神的に不安定な状態におかれ、また加害者とはちがって論争好きな性格ではないので（加害者は話しあいは拒否するが、論争は好きなのだ）、結局は相手に言いくるめられてしまう。そうして、相手の言っていることの何が本当で何が嘘かがわからなくなってしまうのだ。

直接的な嘘

モラル・ハラスメントの加害者が直接的な嘘をつくのは次章で述べる〈相手を精神的に破壊する段階〉に入ってからである。この嘘には相手に対する軽蔑があらわになっている。嘘をつく時、加害者は自信に満ち、それだけに相手に対する説得力を持つ。また、被害者のほうも相手の支配下におかれているので、相手の言うことを疑うことができない。その結果、それがどんなに途方もない嘘であっても、加害者は被害者を説得するのに成功してしまうのである。

モラル・ハラスメントの加害者にとって自分の言葉が嘘か本当かはどうでもいい。大切なのはその場でそれを言うことなのだ。ある意味では、嘘というよりは妄想に近い。メッセージははっきりした形では伝えられず、いや、はっきりしていたとしても聞いているほうはまともに受け取る必要はない。主観的に真実を曲げているので、事実としては存在しないのだ。モラル・ハラスメントの加害者は自己愛的な傾向を持つ。したがって、自分をよく見せようと思った時、あるいは相手の非難から自分のイメージを守ろうと思った時、ただそれだけのために嘘をつくのである。

同じような理由から、加害者は小さな嘘をちりばめながら、自分の過去を謎に包むこともある。すると、聞いているほうはそこから想像して、ひとつのイメージをつくりあげる。加害者の目的は、もちろん、自分の姿を魅力的に見せることだ。つまり、〈見せるために隠す〉のである。

❖――相手を軽蔑したり嘲弄したりする

軽蔑というのは弱者の武器だ。それによって、人は不愉快な感情から身を守ることができる。だが、もちろん、普通の人間はいつでも他人を軽蔑しているわけではない。ところが、モラル・ハラスメントの加害者は自己愛的であるだけに、絶えず誰かを軽蔑していなければならない。そうでなければ、自分が他人とはちがった特別な存在であるという思いが脅かされるからだ。その軽蔑はまず自分が憎んでいる相手に向かう。相手のすることや考えていることはもちろん、時には相手の家族や友人までが軽蔑の対象となる。そして、この場合、軽蔑は皮肉や冗談の裏に隠されるのが普通である。

また、この軽蔑はとりわけ女性に向けられることが多い。セクシュアル・ハラスメントにおいては女性の〈性〉が否定される。だが、モラル・ハラスメントにおいては女性は〈個人〉として全面的に否定されるのだ。その結果、モラル・ハラスメントの加害者は女性を嘲弄する冗談を言って喜ぶことが多くなる。それはまたその冗談を面白がるまわりの人間に支えられている部分もある。

たとえば、アメリカのNBCで放送されている『トーク・ショウ』という番組のなかでのこと、ある若い夫婦がスタジオに来ている視聴者の前で日頃の不満をぶつけあった。まず、妻のシェリーがこう言った。「この人は私がスーパー・モデルみたいじゃないから、我慢できないって言うんです」。すると、夫のボブはこう答えた。「だって、シェリーはぼくの望みどおりの女じゃない。ぼくはもっとすらっとしてセクシーな女が望みだったんだ。ぼくの理想はシンディー・クロフォードだ。それに比べたら、シェリーは歯並びも悪いし、胸も完璧じゃない。だから、我慢できないんだ」と……。また、それを聞いてシェリーが目に涙を浮かべても、ボブはまったく心を動かされた様子はなく、それどころか、軽蔑するような態度さえとった。

やがて、スタジオの視聴者たちが意見を述べはじめた。もちろん、女性たちはボブの態度に反発した（もっとも、なかにはシェリーに向かって、ダイエットをしてスタイルをよくしたらどうかと勧める者もいた）。だが、男性たちの多くはボブに同調し、なかにはこのかわいそうな女性のスタイルについてあらたにコメントを加える者までいた。

番組では最後にコメンテーターとして出演していた女性心理学者が「シェリーは確かにシンディー・クロフォードには似ていない。しかし、ボブはそんな彼女を愛し、子供までつくったのではないか」と言って、話をまとめた。だが、番組の間、ボブに同調する男性視聴者を責める声や、シェリーが受けた屈辱について問題にする声はついぞ聞かれなかった。

相手を嘲弄する

モラル・ハラスメントの加害者は絶えず誰かの悪口を言っている。聞いているほうはいつも聞かされているので、そのうちに気にしなくなる。だが、それでも不愉快な気持ちになるので、まともなコミュニケーションが成立しなくなる。

悪口を言ったり、人を中傷したりするのは、その人間を羨ましく思っている場合が多い。もしそうなら、モラル・ハラスメントの加害者になるような人間がそういったことをするのは当然である。モラル・ハラスメントの加害者は自己愛的な人間であり、自己愛的な人間は他人を羨むことが多いからだ。

その悪口や中傷の例をあげると、

――若い女性が年配の男性と外出すると、「あれは娼婦だ」と言う。

――テレビの有名な女性キャスターを見ると、「ここまでくるにはテレビ局のお偉方全員と寝たにちがいない」と言う。

――同僚の女性社員が出世すると、「ホテル辞令だ」と言う。

悪口や中傷は誰に対してでも向けられる。だが、この例のように、やはり性的な事柄に関して女性が対象になることが多い。

また、モラル・ハラスメントの加害者が身近にいる人間の悪口を言う場合、その裏にはその人間のことをよく知っているという気持ちがある。〈自分はその人間に対して特別な立場にいる。だから、悪口を言う権利がある〉。そう考えるのだ。この時、加害者はまわりにいる人間に同意を求めるような言い方をすることが多い。たとえば、「おい、信じられるか？　誰だれは……」とか、もっと間接的に「ほらね、誰だれは……」といった具合だ。

自分の家族や友人についてそういったことを言われつづけると、被害者はそれを言葉どおりに受け取り、加害者の言っていることは正しいと思ってしまうこともある。

一般に被害者は加害者から嘲弄されても、それは関係を続けるための代償だと考える傾向にある。〈この人は気難しいところはあるが、魅力がある。そんな人と一緒にいるためには、多少の悪口くらい我慢しなければならない〉。そう思ってしまうのだ。

だが、加害者のほうの事情はまったく別だ。モラル・ハラスメントの加害者——すなわち自己愛的な人間にとって、自分が水面に顔を出しているためには、ほかの人間の頭を水中に沈めなければならないのだ。そのために加害者は、特にほかの人間がいる前で、パートナーを馬鹿にするようなことを言う。それは取るに足らないことから始まり、次第にパートナーの心の領域にまで踏みこんでいく。パートナーのしたことや言ったことを大袈裟に暴きたてて、冗談の種にするのだ。その時に、まわりにいる人間の誰かを味方につけることもある。

その目的はもちろん相手を傷つけることだ。しかし、被害者のほうはそこに悪意を感じるものの、冗談の口調で言われるので、本当に悪意があるのかどうかは確信が持てない。いっぽう加害者のほうはからかっているように見せかけて、〈鼻が大きい〉とか〈胸が小さい〉とか普通だったら口にしにくい相手の欠陥を攻撃することもある。

そこまで直接的な表現ではなく、攻撃がほのめかしや当てこすりの形を取る場合も多い。その場合、被害者のほうはそれが攻撃であるかどうかもわからないまま――つまり、相手が悪意で言っているのかどうかわからないまま、気分がとげとげしてくる。いっぽう加害者のほうは、いつでも言いわけのきく安全な立場にいるので、時には状況をひっくり返して相手を責めることもある。たとえば、相手に「どうしてそんなことを言うの？　少し攻撃的なんじゃない？」と言われたりすると、「そう思うのは、きみ自身が攻撃的な性格だからだ」と言うのだ。

また、第1章の実例で見てきたように、モラル・ハラスメントの加害者は相手に〈デブ〉とか〈ホモ〉とか不愉快なあだ名をつけることがある。そういったあだ名は、それがどんなにひどいものであっても、時にはまわりの人間に受け入れられ、なかには面白がって同調する者も出てくる。

ここでもうひとつ指摘しておかなければならないのは、加害者は不愉快な言葉で相手を傷つけるだけで、優しい言葉でその埋めあわせをしたりはしないということだ。被害者が苦しみを訴えても、それははぐらかされ、かえって嘲弄の対象になってしまうのである。

モラル・ハラスメントの加害者は論争好き

相手を嘲弄したり、皮肉を言ったりと、加害者が言葉による攻撃を仕掛ける裏には論争を行なって相手に反発させたいという気持ちも含まれている。モラル・ハラスメントの加害者は論争が好きなのだ。加害者が直接的なコミュニケーションを避けたり、相手との対立を認めないということからすると、これは一見矛盾するように見える。だが、加害者の自己愛的な性格を考えると決して不思議なことではない。加害者は相手を支配下において、相手に反発されても自分が脅かされないという状態をつくったうえで論争を仕掛けるのである。また、その論争とは自分が勝つためのもので、決してまともな議論ではない。相手を貶め、自分が偉く感じられれば、その目的は達成されるのだ。そういったなかで、相手にわざとショックを与え、論争を引き起こすために、加害者は昨日言ったことと反対のことを言うことさえある。モラル・ハラスメントの加害者にとって、そのくらいのことは簡単なことなのだ。もし相手が十分な反応を示さなければ、加害者はさらに相手を嘲弄して挑発することもある。いっぽう被害者のほうは、この言葉の攻撃に対してそれほど反応を示さないことも多い。被害者はもともと他人を許す傾向にあるし、また、加害者の言葉にそれほどの悪意がこめられているとは、少なくとも最初のうちは気がつかないからだ。被害者にしても、もしある日、突然、こういった言葉の攻撃を受けたら、きっと怒りだすだろう。しかし、それは取るに足らないところから始まって徐々に定着していくので、多少の攻撃には鈍感になっているのだ。被害者が加害者の言葉の攻撃性に気づくのは、その攻撃がほとんど習慣化してからである(その頃には攻撃も激しくなってくるので、さすがの被害者も、加害者の言葉には悪意があるのではないかと疑うようになってくるのだ)。

また、加害者のまわりには、被害者の受けた辱めには無頓着にその議論を面白がる人間が集まってくる。そういった人間に対して、被害者を攻撃するのに手を貸すよう、加害者がリードすることも稀ではない。

ここでモラル・ハラスメントの加害者が相手を不安にさせるためによく使う方法をまとめておこう。

——政治的な意見や趣味など、相手の考えを嘲弄し、確信を揺るがせる。

——相手に言葉をかけない。

——人前で笑い者にする。
——他人の前で悪口を言う。
——釈明する機会を奪う。
——相手の欠陥をからかう。
——不愉快なほのめかしをしておいて、それがどういうことか説明しない。
——相手の判断力や決定に疑いをさしはさむ。

❖——言っていることと矛盾する態度をとる

さきほどの『孫子』を解説した本では、〈戦争に勝つためには、戦う前に敵を分断せよ〉とも説く。《戦わずして勝つことを考えよ。（中略）昔の人は戦う前に敵に屈辱を与え、また敵の軍勢を激しい試練にさらして、その自信を揺るがすことを考えた。（中略）贈り物をしたり、将来の地位を約束したりして、敵の中心になる勢力を腐敗させよ。また、敵将のうち名将とうたわれる者たちを恥ずべき卑劣な行為に導き、それを公表してそういった者たちに対する信頼を失わせよ……》

モラル・ハラスメントの加害者は相手を不安に陥れ、その考えや感情を疑わせるように仕向ける。その結果、被害者は自分が自分であるという感覚を失い、考えることも理解することもできなくなる。加害者の目的は被害者のアイデンティティーを否定して、被害者が身動きできないようにすることだ。こうしておけば、加害者は相手との対立を目に見えないものにし、相手を失わずに攻撃を仕掛けることができる。加害者は被害者をいつまでも自分のものにしておくことができるのだ。

そのためには、言っていることと矛盾する態度をとるという方法が使われることもある。たとえば、言葉で言ったことを身ぶりや態度で否定する。あるいは、発言に言外の意味を持たせ、相手を攻撃しておきながら、そんなことは言わなかったと言外の意味のほうは否定する……。こういったやり方は、相手を不安にさせるのに絶大な効果を発揮する。

日常生活の取るに足らないことに対して矛盾したメッセージを送って、相手を疑心暗鬼にさせるという方法もある。相手は最後には不安に陥り、何が正しくて何がまちがっているのかわからなくなる。それをするには、たとえば、相手が「こうしない?」と何かを提案した時、口では「いいよ」と答えながら、態度ではその言葉が表面的なものにすぎないことを示せばいい。

あるいは、何かを言っておきながら、すぐに取り消す。取り消してもその言葉が言われたという事実は残るから、聞いているほうの心には疑いが芽生える。〈これがこの人の本心なのではないだろうか? そう考えるのは私の思いすごしだろうか?〉被害者は考える。そうして、この疑いを明らかにしようと、被害者が問いただすと、加害者のほうは「そうやってなんでも悪く受け取るのは被害妄想だ」と答えるのだ。

発言の内容とそれを言う口調の間にずれを持たせる方法もある。こういったずれを前にすると、相手は発言内容をそのまま信じることができなくなる。

言葉ではなく、行動によって悪意を示すこともできる。モラル・ハラスメントの加害者はよくこういった行動をとる。大きな音をたててドアを閉めたり、物を投げつける。そうして、「何か怒っているの?」と訊くと、「怒ってなんかいない」と否定するのだ。

こういった攻撃を受けると、被害者は混乱状態に陥る。自分の感じていることに自信がなくなり、自分のとった態度を誇張して考え、そのせいだろうかと自分を責めたり、あるいは正当化しようとしたりする。だが、いずれにしろ、それは加害者の術中にはまったことになるのだ。

加害者の目的と被害者の反応

加害者のメッセージは言葉と態度、言葉と口調などが一致していないだけに真意がつかみにくい。その目的は相手を不安に陥れ、相反する感情のなかで身動きできない状態にさせて、支配を容易にすることだ。相手の感情や行動をコントロールし、場合によっては相手が自分を失ってその支配を認めるところまでもっていく。そうやって優位な立場を確保しようというのである。

いっぽう被害者のほうはその和解的な性格から、悪意の含まれている言外のメッセージのほうは否定し、言われた言葉をそのとおりに受け取ろうとすることもある。これは相手の言葉が被害者の希望にそっていて、しかも被害者が相手の悪意を認めたくない場合に起こる。加害者は相手が自分から離れていかないようにするために、時おりそういった言葉を口にすることがあるのだ。それを聞くと、たとえば被害者はこう考える。〈私が出ていくといって脅したら、夫は別れたくないと言った。あの人は平気で人を傷つけるようなことを言ったりするけど、別れたくないという言葉には真実の気持ちが含まれているにちがいない〉

だが、被害者のこういった和解的な性格はなんの役にも立たない。モラル・ハラスメントの加害者を相手にした場合、そもそも和解など成立しないのだ。これがごく普通の夫婦の対立だったら、言い争いの大喧嘩をしてお互いの気持ちをぶつけあったあと、仲なおりをしていっそうよく理解しあえるようになることもあるだろう。だが、モラル・ハラスメントの加害者は夫婦喧嘩などしない。したがって、仲なおりすることもない。対立はなかなかはっきりしたものにはならない。加害者は声を荒げることもなく、ただ一方的に冷たい敵意を示すだけだ。

もっとも、そんな加害者のやり方に苛立って、被害者が「あなたの態度は冷たい」と言ったりすることもある。だが、加害者は断じてそれを否定する。被害者のほうはますます苛立ち、大声を出す。すると、今度はそれを嘲弄されて、つまらないことで怒ったことにされてしまうのだ。

このように対立が比較的目に見えるような形で起こった場合も、関係がうまくいかない本当の原因がどこにあるのかは決してわからない。被害者は自分がどういった立場にたたされているのか理解できないからだ。被害者はいつもはぐらかされたような感じで、ただ恨みだけをためていく。ぼんやりした印象しか持てないのに、どうして問題をはっきりさせることができよう? 具体的なことは何もないのだ!

こういった方法は、もちろん状況によっては誰もが使うことがある。しかし、モラル・ハラスメントの加害者はこれを徹底的に利用する。しかも、そのあとで謝ることもなければ、相手に優しくして埋めあわせをすることもない。

矛盾するメッセージを使ってコミュニケーションを妨げることによって、モラル・ハラスメントの加害者は被害者を身動きできない状態に追いこんでいく。いっぽう被害者のほうは、自分の置かれた状況がわからないので、どうすればいいかわからなくなる。もちろん、それでも被害者は解決法を見つけようとする。だが、それは所詮見当はずれなもので、いかに抵抗しようと最後には不安に陥り、抑うつ状態になる。

夫婦の間のモラル・ハラスメントの場合、こういったタイプのコミュニケーションは一時的な安定をもたらすこともある。双方がはっきりした対立を避けようとする結果、夫婦の間の問題をはっきりさせず、それによって苦しい状態ながらも安定がもたらされるのだ。この関係は確かに苦しい。だが、それでも安定であることには変わりない。そうでない場合は、ただ被害者だけが耐えることになる。

言外のメッセージがあとになってわかる場合

さて、モラル・ハラスメント的なコミュニケーションでは真意が巧妙に隠されているので、その攻撃性や破壊性がすぐには見分けられないこともある。これは言葉にされたもうひとつのメッセージがその真意を覆い隠しているからだ。メッセージを受けた被害者が加害者の支配から逃れた時に初めてそれに気づくことも珍しくはない。

〈実例　義父から送られた絵葉書〉

思春期の頃、彼女はよく義父から絵葉書を受け取った。だが、その絵葉書の裏にこめられた意味に気づいたのは大人になってからだった。その絵葉書はいつも裸の女性が浜辺に寝そべっているもので、表には〈いつもおまえのことを考えているよ〉と書かれていた。絵葉書を受け取っていた当時、彼女は義父が自分を気にかけてくれていると感じていた。だが、それと同時にこんな絵葉書を送ってくることに怒りも覚えていた。また、その当時はまだ意味がよくわからなかったが、胸を見つめられたり、卑猥な冗談を言われて居心地の悪い思いをしたことがあった。大人になって、そういったことを絵葉書をもらった時に感じた怒りと合わせて考えてみると、そこでようやく義父の真意に気づいたのである。

これはまさしくラカミエの定義した〈近親相姦性〉である。これはまた、モラル・ハラスメントとセクシュアル・ハラスメントの境界がどれほど曖昧であるかということも示している。どちらの場合も、加害者は相手を〈モノ〉と見なすのだ。相手が精神的存在であることを認めないこの態度は、相手を貶め、また自信を失わせる。また、それは周囲にも影響を与え、まわりの人々は加害者が被害者に何を言おうと、何をしようとあまり問題にしなくなる。逆に言えば、誰かを標的にしようと思った時、加害者は家族にせよ、職場の人間にせよ、友人たちの集まりにせよ、まわりの人間を混乱に陥れて、自分が何をしようが問題にされないという状態をつくりだしていくのである。

もうひとつ、モラル・ハラスメントとセクシュアル・ハラスメントに共通することは、責任を相手に転嫁することである。状況を巧みにひっくり返すことによって、加害者は被害者が悪いということにする（たとえば、自分がそんなことをしたのは相手が挑発したせいだと言う）。また、被害者のほうも罪悪感を抱きやすい傾向を持つ。すなわち、何があっても、まず〈自分がいけない〉と考えてしまうのだ。いっぽう加害者のほうは相手に罪悪感を押しつけておいて、自分は平気な顔をしている。これはもちろん、加害者の自己愛的な性格から来たものだ。

❖——相手を認めない態度をとる

これは〈おまえは駄目だ〉と思わせるようなことを繰り返し言って、相手の長所を認めず、最後には自分でも駄目な人間だと相手に思わせてしまうことである。

この方法は最初、軽蔑した目で見たり、大袈裟なため息をついたり、と言葉によらない形で行なわれる。それから、言葉でもそれが行なわれるようになり、悪意のほのかめしや当てこすり、冗談の裏に隠した不愉快な指摘や批判という形をとる。

このように加害者の取る方法は例によって間接的なので、被害者のほうはそれが攻撃だとはっきり思うことができず、したがって身を守ることができない。そのうちに、言葉はもっと直接的な形をとってくるようになる。だが、被害者のほうに自信がなかったり、また被害者が子供だったりすると、その言葉が真実だと思ってしまうことになる。「おまえはどうしようもない」とか「おまえは駄目な（あるいは、ぶさいくな）人間だから、誰も一緒にいたいとは思わないだろう。そんな奇特な人間は私だけだ。私がいなければおまえはひとりで生きることになるのだ」とか、そんなことを言われているうちに、本当にそのとおりだと信じてしまうのだ。この時、〈どうして駄目なのか？〉と、被害者の心のなかで加害者の言葉が問いなおされることはない。

こうして、被害者は直接、間接に言われた〈おまえは駄目だ〉というメッセージを自分のなかに取りこみ、そして、本当に駄目になってしまう。だが、被害者がもとから駄目な人間であったわけではない。加害者が〈駄目だ〉と決めつけたから、駄目になってしまったのだ。

また、相手を認めないというこの攻撃の対象は、本人だけではなく、その家族や友人、知人など、まわりの人間にまで広がることもある。「あいつのまわりにはろくな人間がいない」というわけだ。

加害者がこういったことをする目的はただひとつ、相手を貶めることによって、自分が偉くなったと感じるためである。

❖——支配を容易にするために不和の種を播く

『孫子』を解説した本にはこうも書かれている。《敵の参謀本部を混乱させよ。お互いに嫉妬させたり、警戒させたりして武将たちの間に不和の種を播け。規律が乱れるように画策し、不満の口実を与えるようにせよ。（中略）意図的に噂を流すことによって敵の総大将が部下の武将を疑い、信頼できなくなるように仕向けよ。それこそが我々の望む決定的な不和だ》

嫉妬や不和の種を播き、人を争わせる……。これはモラル・ハラスメントの加害者が得意とすることだ。たとえば、「誰だれは何なにだと思わないか？」と言って、それとなく人の悪口を言う。あるいは、「きみの態度は不快だったとお兄さんが言っていたよ」と誰かが言っていたことを暴露する。時には嘘をついてまで人を争わせることもある。

モラル・ハラスメントの加害者にとって、自分の力によって誰かが破滅するのを見るのは至上の喜びである。戦いに疲れてぼろぼろになった二人を見ると、自分が絶対的な力を持ったような気がするのだ。

職場においては、そういった行為がある人間を別の人間より優遇したり、ひいきしたりするという方法で行なわれることもある。また、ひそかに噂を流して、その噂の出どころがわからないようにしながら被害者を傷つけ、孤立させていくという方法もある。

いっぽう夫婦の間では、相手が自分から離れていかないようにするために、さりげない言葉や、また言葉にはよらない態度で相手に疑念を抱かせ、嫉妬をかきたてるという方法も使われる。羨望とは反対に、嫉妬というものは疑念を抱けば抱くほどふくらんでいくものだ。そして、ひとたび相手が嫉妬のとりこになったら、自分が何をしようと、相手は容易に自分から離れられなくなるのだ。

嫉妬の対象が自分ではなく、ほかの人間だということもある（たとえば、あなたのご主人は浮気しているんじゃない？　と被害者に言う）。シェイクスピアの悲劇『オセロー』のなかでは、そうした形で相手を嫉妬に追いこんでいくみごとなまでの策謀が描かれている。この芝居のなかで、オセローは生まれつき嫉妬ぶかい性格であったわけではない。復讐心が強いわけでも、乱暴であったわけでもない。むしろ、高潔で心が広く、悪意の存在を信じない立派な人物という設定になっている。だが、そのオセローに対して部下である旗手のイアーゴーは嫉妬の心を植えつける。副官のキャシオーがオセローの妻デズデモーナと密通している、とありもしないことを密告するのだ。オセローは部下のイアーゴーを信頼していた。だが、それと同時に妻のデズデモーナのことも深く信頼していたので、最初はデズデモーナの不実を信じるのを拒否した。だが、最後にはイアーゴーの奸計にはまり、デズデモーナを殺してしまう……。このイアーゴーは典型的なモラル・ハラスメントの加害者だ。オセローに嫉妬を抱かせる計画をたてた時、イアーゴーは独白のなかで〈悪事〉に対する嗜好を語る。そうして、オセローの高潔さやデズデモーナの恵みぶかさ、キャシオーの正直さを憎み、この三人を破滅に追いこむことに喜びを覚える。イアーゴーのなかには卑劣なことをして喜ぶ気持ちや、悪事を企みたいという強烈な欲望が存在する。イアーゴーは持てる知力をそういった方向に傾け、ついにはその目的を遂げてしまうのである。

嫉妬を起こさせるというのは、自分の身を守る方法でもある。たとえば不倫をしてパートナーを裏切った時、うまく嫉妬の気持ちを起こさせることができれば、パートナーの怒りは不倫の相手に向かう。その結果、自分のほうは怒りや憎しみから逃れることができるのだ。モラル・ハラスメントの加害者はこの点を計算に入れている。何があろうと、それはパートナーと不倫相手の問題であり、自分のほうは手を汚すことがないのだ。第1章の実例〈ポールとアンナの場合〉で、ポールがしたことはまさにこのことである。また、相手を嫉妬に追いこむことによって、もともと他人に対する羨望の塊である加害者は、相手を自分と同じ次元にひきずりおろすことができる。「おれもおまえも結局、やっていることは同じなんだ」というわけだ。

いっぽう、実例でもあったように、被害者のほうはパートナーを直接攻撃することはない。パートナーを責めるより、不倫相手を非難するほうが心理的に容易だからだ。その結果、被害者は自分に危害を加えたパートナーを守りつづけることになってしまうのである。

✣――権力を濫用する

より強いほうが相手を支配する……。これが権力の論理だ。モラル・ハラスメントの加害者は言葉によってこの権力を手に入れようとする。つまり、自分は相手より物事を知っている、〈真実〉を知っていると思わせようとするのだ。そのため、モラル・ハラスメントの加害者は、いつも普遍的な真実を述べているような話し方をする。たとえば、「私は誰だれが嫌いだ」というかわりに「誰だれは頭が悪い。きみにはわからないかもしれないが、それは誰もが知っている」と言う。そうやって、相手を自分の論理にひきこみ、自分の意見を受け入れさせてしまうのだ。

そしてまた、自分の話により普遍性をもたせるために、話を一般化する。すると、聞いているほうはこう考える。「この人の言っていることは正しいにちがいない。自分が何を話しているか、よくわかっているように見えるもの……」。モラル・ハラスメントの被害者になるような人間は自分に自信がないだけに、相手が自分よりも物事をよく知っていると思いこむ。そうして、相手の意見をそのまま受け入れることに安心感を覚えるようになるのだ。

こうした自己完結的な会話は、妄想症（パラノイア）の人間の物の見方と非常に近いところがある。妄想症の人間は、理由はどうあれ、いつでも相手の否定的な側面を見つけようとする。要するに、会話を行なう前からすべてが決まっているのだ。

いずれにしろ、こういった方法によって、被害者は加害者の支配下におかれる。被害者は加害者の論理（あとで考えると首尾一貫していないことが多いのだが）に魅了され、コントロールされ、歪められるのだ。もし、被害者が抵抗したら、逆に加害者から「おまえは攻撃的だ」と指摘される。だが、この段階で被害者が抵抗することはめったにない。被害者は相手に対して恐怖を抱いているので、結局は服従せざるを得ないのだ。そうして、加害者の基準にしたがって物を考え、その望みどおりに行動することを受け入れる。二人のちがいは否定され、被害者は加害者と一体化させられるのだ。批判はいっさい許されない。こうなったら、被害者は加害者の一部のようなものである。

モラル・ハラスメントの加害者はこの支配と服従の関係をただ自分の利益のためだけにつくりあげる。この関係は二つの意味で依存的だ。加害者は相手が自分に依存していると考える。だが、相手に依存させることによって、実は加害者のほうも相手に依存しているのである。そのいっぽうで、加害者が意識して依存の気持ちを明らかにし、相手に何かを要求する時には、相手がその要求を決して満足させることができない状態がつくられる。つまり、相手の能力を越えることを要求して相手が無能だと言ってみたり、相手がそれをできない時を選んで相手に誠意がないと言ったりするのだ。

こうして要求が満たされないと、加害者は逆に安心する。それは自分が人生に対して抱いているイメージと合致するからだ。モラル・ハラスメントの加害者にとって、人生とは悪意に満ちたものでなければならないのである。

さて、モラル・ハラスメントの加害者になるような人間（自己愛的な性格の強い人間）ではなくても、権力を濫用することはある。だが、そういった人間はまるで暴君のようにもっと直接的に権力を行使するので、ここで言うモラル・ハラスメントの加害者とは見分けることができる（もっとも、第2章で述べたように、それが誰のものであれ、権力の濫用はモラル・ハラスメントのひとつの形態になる。特に企業ではそうである）。この二つのちがいは、権力を〈力〉で手に入れるか、〈言葉〉で手に入れるかにある。また、その支配の仕方も、はっきりと権力を押しつけてくるか、陰湿な形で相手をコントロールしようとするかのちがいがある。目的もちがう。権力を直接濫用する人間にとって、その目的はただひとつ、相手を支配することだけである。

夫婦生活におけるこういった直接的な権力の濫用の実例は、世界的な物理学者であったあのアインシュタインにも見ることができる。アインシュタインは二人の子供をもうけた最初の妻ミレーヴァ・マリッチの存在に我慢できず、かといって自分から関係を壊すことも望まなかったので、夫婦生活を続けるには次のことが必要だと言って、妻にとっては厳しく、屈辱的な条件を紙に書いて渡した（《ル・モンド》一九九六年十一月十八日）。その条件とは、

A　次のことをきちんとすること。
①私の下着やシーツはいつもきちんと整理しておく。
②食事は日に三回、書斎に運んでくる。
③私の寝室と書斎はきれいに掃除する。ただし、机の上にあるものには決して触ってはならない。

B　社会的な理由で必要とされる場合を除き、私との個人的な関係はすべてあきらめる。とりわけ、次のことは要求しない。
①家のなかで同じテーブルについて話をする。
②一緒に旅行に出かける。

C　次のことには従うとはっきり約束すること。

①私からの愛情を期待しない。また、それについて私を非難しない。

②私が言葉をかけたら、すぐに返事をする。

③私の寝室か書斎にいる時、私が命じたら、文句を言わずにすぐに出ていく。

④言葉でも態度でも、子供たちの前で私を中傷するようなことは言ったりしたりしない。

この例を見れば、直接的な権力の濫用は明らかである。なにしろ、紙にまで書かれているのだ。モラル・ハラスメントの加害者になるような人間――すなわち自己愛的な人間はこんなことはしない。権力はもっと目に見えない形で行使されるのだ。また、自己愛的な人間にとっては、相手を支配するだけでは十分ではない。相手を〈自分のものにする〉必要があるのだ。

自己愛的な人間の攻撃は、もっとひそやかな形で行なわれる――時には優しさの仮面をかぶることもある。被害者のほうはそこに攻撃があることも気がつかないことがある。それどころか、かえって自分のほうが攻撃的だと思うことさえあるくらいだ。そこには目に見える対立は存在しない。そうして、加害者が相手の気がつかないうちにこの攻撃を加えていくことに成功すると、その時から加害者と被害者の関係は本当にねじれたものになっていく……。

第5章　心を破壊する

モラル・ハラスメントの加害者は被害者を支配下におく。だが、ここで被害者がその支配に反抗すると、加害者の心には憎しみがわきおこる。これまでは利用価値のある〈モノ〉にすぎなかった相手が、突然、危険な存在になるのだ。この危険はどんなことがあっても遠ざけなければならない……。こうして、加害者は被害者にモラル・ハラスメント的な暴力をふるいはじめる。

❖——憎しみがわきおこる

加害者の心に憎しみが表われるのは、被害者がほんの少し自由を取り戻そうとして行動に出た時だ。状況がはっきりとはつかめないものの、被害者は目に見えない相手の攻撃に歯止めをかけようとする。「こんな状態はもうたくさんだ！」被害者はそう宣言するのだ。たとえば、夫からモラル・ハラスメントを受けていた妻がいるとしよう。この妻は夫の支配下におかれているので、自分の状態には気がつかない。だが、そこで夫に愛人がいることがわかったりすると、いわば外からの刺激で自分がどれほど隷属的な状態にいたのか気づくことになる。この場合、おそらく妻は夫の言うことに抵抗するようになるだろう。あるいは、愛人ができたことによって、夫のほうが妻を追い払おうとした時にも同じようなことが起こるかもしれない。いずれにせよ、加害者のひどい態度に被害者のほうは距離をおこうとしはじめるのだ。

だが、相手が自分に距離をおこうとしていると感じると、加害者はパニックに陥り、それまでよりも激しい攻撃を加えていく。

相手が自分の考えを表明したら、それは放っておいてはいけない。すぐに黙らせなければならないのだ!

この時に加害者の心にわきおこってくる憎しみは、ほとんど憎悪と言ってもいいくらいのものだ。そして、この憎しみは相手に対する侮辱や嘲弄の言葉によって表わされる。前章でも述べたように、モラル・ハラスメントの加害者は直接的なコミュニケーション——つまり、相手との話しあいを恐れる。そこで、侮辱や嘲弄の言葉で会話を阻むことによって、いっぽうでは話しあいを避け、もういっぽうで相手を傷つけようとするのだ。

これに対して被害者のほうはどんなことがあっても話をしてわかりあいたいという気持ちから自分の考えをぶつけていく。だが、そんなことをすればするほど加害者から攻撃され、苦しみのあまりついには感情を爆発させることになる。加害者にとってはこれがまた我慢ならない。そこで相手を黙らせようと、ますます攻撃の手を強める。また、相手が弱味を見せた場合には、ただちにそれを利用する行動に出る。

だが、被害者に対するこの憎しみは、被害者が反抗したことによって突然、わきおこったものではない。もともと被害者を支配している段階から加害者の心のなかにあったものなのだ。しかし、これまでは支配と服従の関係を固定する目的で、加害者の心のなかでも慎重にそらされ、覆い隠されてきた。それがこの段階になって、急に表面に浮かびあがってきたのである。そうなると、加害者は徹底的に相手を破壊しようとして、さまざまな暴力をふるうようになる。

ここで大切なのは、愛が憎しみに変わったのではないということだ。そうではない。羨望が憎しみに変わったのである。ラカンが〈エラモラシオン〉と呼ぶ〈愛と憎しみの交替〉でもない。というのも、モラル・ハラスメントの加害者は、本当の意味で誰かを愛することはないからだ。モラル・ハラスメントの加害者が抱くのは、モーリス・ユルニとジョバンナ・ストールの言う〈愛の憎しみ〉である。[23] それは相手に対する欲望の仮面はかぶっているものの、愛とはちがうものだ。というのも、その欲望は相手という人間そのものに向かうわけではない。相手が持っているもので、加害者が自分のものにしたいと思っているもの——才能であれ、幸福であれ、地位であれ、活力であれ——何かそういったものに向かうからだ。それはまた隠された憎しみでもある。望んでもそういったものが得られなければ、加害者は欲求不満に陥り、相手を憎むようになるからだ。単純に言えば、モラル・ハラスメントの加害者は相手のなかに自分が望んでいるものを見つけると、それを手に入れようとして相手に近づく。だが、望みどおりにそれが手に入らないと相手を憎むようになる……。憎しみはそういった過程でわきあがってくるのである。この憎しみが加害者の心の表面にあらわれると、それは相手を破壊し、消滅させたいという欲望を伴う。また、この憎しみは決して消えることがない。モラル・ハラスメントの加害者は憎しみを持ちつづけるのだ！　憎しみの理由が他人には筋の通らないものであってもかまわない。加害者にとって相手を憎むのは当然のことで、「だって、そうなのだから、そうするよりしかたのない」ことなのだ。

この自分の憎しみを正当化するのに、モラル・ハラスメントの加害者は〈相手から攻撃を受けたからだ〉という論法を使う。相手が攻撃をしてきた以上、自分が相手に行なうことは正当防衛なのだ。

妄想症(パラノイア)の人々と同じように、モラル・ハラスメントの加害者には被害妄想がある。その結果、相手から攻撃など受けていないのに、先まわりして防衛行動をとり、時には法律を犯すようなことをしたり、また自分にとってそれが有利だと判断すれば訴訟を起こしたりもする。モラル・ハラスメントの加害者にとって、うまくいかないことはすべて他人のせいだ。他人はいつも自分を傷つけようと結束して陰謀を企てているのである。

また、モラル・ハラスメントの加害者は〈感情の投影〉によって、自分のなかの憎しみを被害者のものとし、被害者が自分を憎んでいるのだと想像する——その結果、加害者の目には被害者が暴力的で破壊的な恐ろしい怪物のように映っている……。だが、実際にはこの段階で、被害者は加害者に対して怒りも憎しみも感じていない。実を言うと、怒りや憎しみを感じることさえできれば、自分の身を守ることができるのだが、そうはできないのだ。いっぽう加害者のほうは、自分の悪意を相手に押しつけ、向こうから攻撃される前にと被害者を攻撃する。加害者にとって、悪意を持っているのはいつも被害者のほうなのである。

このように、モラル・ハラスメントの加害者が相手に憎しみを投影するのは、精神医学的に見れば、より重大な精神病から身を守る方策だと言える。また、モラル・ハラスメントの加害者が新しいパートナーとの関係に入った時(たとえば愛人を持った時)、自分が持っている無意識の憎しみをその新しいパートナーに向けないための方策でもある。以前のパートナーに憎しみを集中させることによって、新しいパートナーを理想的な存在にまつりあげ、無意識の憎しみから保護するのだ(実際、第1章の〈ポールとアンナ〉の実例でも、ポールは新しい恋人シェイラとの関係をうまくいかせるために、妻であるアンナを攻撃している)。いっぽう被害者のほうは、相手が新しい関係を強化するために自分を利用したと知ると、愛人がいることがわかった時以上に、自分が騙され、操られたと感じる。

第1章でも述べたように、モラル・ハラスメントの加害者である自己愛的な人間の世界は、〈善〉と〈悪〉に分離されている。新しいパートナーは〈善〉で、これまでのパートナーは〈悪〉だ。その結果、新しいパートナーを〈善〉の側において理想化しておくためにも、これまでのパートナーを憎むことが必要になる。この憎しみは新しいパートナーを理想化したいという気持ちが続くかぎり、別れても遠くで暮らすようになっても弱まることはない。

✣——暴力の開始

こうして加害者の心に憎しみが表われてくると、いよいよ精神的な暴力がふるわれはじめる。ここで言う暴力とは、もはや態度や身ぶりではなく、侮辱や嘲弄、中傷や悪口、悪意のほのめかしなど、主に言葉による冷たい暴力である。といっても、ひとつひとつの言葉をとってみれば、それほど暴力的であるとは言えない。だが、そういった言葉が繰り返し言われることで、ひとつの暴力を形づくっていくのだ。この言葉による暴力はいつまでも続き、決して終わることがない。そうして、相手に対する非難が始まると、前のことまでひっぱりだしてきて非難する。被害者は前のことなど忘れたくても忘れられない。いや、何よりもまず加害者のほうが忘れることを許さないのだ。

これを外から見ると、表面的にはほとんど何も起こっていないようにも見える。だが、家族にしろ、企業にしろ、個人にしろ、その内側では爆発が起こっているのだ。そこで肉体的な暴力がふるわれることはほとんどない——もしあるとすれば、それは被害者の反抗が激しすぎた時だけだ。その意味ではこれは完全犯罪なのだ。

言葉はあいかわらず間接的に使われ、その暴力性は巧妙に隠されている。被害者が加害者の意向に従わない場合は、暴力が友人を通じてふるわれることもある。その場合は、友人たちもまた加害者によって操られているのだ。あるいは〈ポールとアンナの場合〉のように、子供を通じてふるわれることもある。また、送られてきた手紙やかかってきた電話があとで時限爆弾のように爆発することもある。その手紙や電話の結果、被害者が苛々して子供たちにあたったりすれば、加害者は自分の手を汚さずに不幸の種を播くことができるからだ。〈エリアーヌとピエールの場合〉がまさにそうである。

こういった言葉による暴力が殺人に至るような本物の暴力に結びつくことはめったにない。あるとしたら、それはモラル・ハラスメントの加害者の調子が狂った時だ。というのも、モラル・ハラスメントの加害者は間接的に相手を殺すことのほうを好むからだ。もっと正確に言えば、相手を自殺に導くのが本来のやり方なのである。

加害者は苛立ったり、感情を爆発させたりして相手に敵意を示すわけではない。加害者の敵意はほんの小さな嫌味や皮肉、侮蔑や嘲弄の言葉などを通じて、週に何度か、あるいは毎日のように、数ヶ月か、時には数年にもわたって示されるのだ。また、それは怒りの口調で表現されるのではなく、冷たく、真実を述べるような口調で表現される。いや、もっと恐ろしいことには、加害者はどこまで攻撃を加えたらよいか計算することができて、攻撃の強弱をコントロールすることもできる――もし相手の抵抗が手に負えなくなると思えば、巧みに後退することもできるのだ。また、まわりに証人がいるような場合は、小出しに攻撃を加えて相手を挑発していく。そうして、相手が声を荒げたりすれば、自分はたちまち被害者の位置に身をおき、相手のほうを攻撃的な人間に見せてしまうのだ。

また、被害者を攻撃するのに、加害者はよく悪意のほのめかしを使うが、これは本人たちにしかわからないものが多い。そのため、たとえば離婚のような場合、判事は複雑な状況を理解するのが難しくなる。判事がどれほど警戒して、慎重に事にあたっても、判事自身が混乱に陥り、加害者に操られてしまうこともある。

加害者の攻撃性は肉食動物の攻撃性に似ている。たとえば、動物の攻撃性を研究するエミール・コッカロ教授によると、捕食動物（肉食動物）は獲物をとらえる時、まずどれに襲いかかるかを選び、それから攻撃の準備をするという。加害者の行動はまさにそのように行なわれる。まず被害者を選んで、攻撃を仕掛ける。そうして、骨までしゃぶりつくすのだ。加害者にとって、攻撃とはただ欲しいものを手に入れるだけの手段にすぎない。ちょうど肉食動物が獲物に襲いかからなければ生きていけないように、誰かを攻撃していなければ生きていけないのだ。

また、やはり肉食動物が獲物をとらえる時のように、この攻撃は一方的である。その結果、暴力をふるうほうはもともと自分のほうが相手より優れていると考えることになる。そして、この考えは被害者のほうにも受け入れられる。レイナルド・ペッローネによれば、こういったタイプの陰険な暴力は〈懲罰の暴力〉と呼ばれている[24]。この暴力には休みがなく、また二人の間に和解が成立して暴力がふるわれなくなることもない。そうして、暴力そのものが覆い隠され、封印される――暴力がふるわれたとは二人とも外部には洩らさないからだ。さて、このように、それが懲罰としてふるわれるものであれば、加害者は自分の暴力を正当化できるようになる。〈相手にはそうされるだけの理由があるのだから、文句を言う権利はない〉というわけだ。ところが、そこで被害者が行動し、おとなしく言うことをきくだけの存在であることをやめると、加害者の目にはそれ自体が脅迫であり、攻撃として映る。加害者は自分を被害者の位置におき、傷ついた顔をする。それを見ると、被害者のほうは罪悪感を覚え、それ以上、身を守る行動が取りにくくなる。だが、加害者は自分が攻撃されていると感じているだけに、被害者に対する攻撃の手をゆるめない。そうして、相手が苦しみのあまり感情を爆発させると、それを抑えつけようとして暴力をエスカレートさせるのである（あるいは、言葉による攻撃は使わず、無関心を装ったり、大袈裟に驚いたりして相手の気持ちをそらそうとすることもある）。

この段階まで来ると、加害者と被害者はお互いに相手を避けあうようになる。憎んでいる相手を見ると、加害者のほうは冷たい怒りがわいてくる。被害者のほうは自分に暴力をふるう相手を見ると恐怖を感じるのだ。

だが、そのいっぽうで、加害者は一度捕まえた獲物は決して放そうとしない。実例の〈エリアーヌとピエールの場合〉のように、その気持ちをはっきりと伝えることもある。「私はこれから一生、この人間が生きるのを邪魔します。それが私のただひとつの目的となるでしょう」。そして、その言葉が本当になるように行動するのだ。

この暴力の過程は一度始まってしまうと、決してひとりでに止まることはない。というのは、加害者も被害者も、その双方が心理的に異常な状態になっているからだ。加害者はますます攻撃的で暴力的になっていき、被害者のほうは憔悴して無力になっていく。だが、そこで暴力がふるわれたという証拠はひとつもない。これが肉体的な暴力であれば、目撃者や医者の診断書、警察の事情聴取などによって、何があったか明らかにされる。だが、モラル・ハラスメントの暴力においては、証拠はひとつもないのだ。暴力をふるっても、加害者は手を汚さない。よほどのことでもないかぎり、まわりの人はそれに気がつかないのだ（ただし、暴力が激しすぎたり、加害者がミスを犯せば、そういったこともあり得る）。

❖——追いつめられる被害者

相手を支配下においている段階では、加害者の注意は被害者の考えを抑えつけるということに向けられる。だが、その次の段階では、加害者は自分の思いどおりに被害者が反応し、自分の思いどおりの感情を抱いて、思いどおりに行動することを要求する。

ここで相手が多少なりともモラル・ハラスメント的な人間で、そういった形の防衛手段を講じてくると、加害者同士の戦いが始まる。そして、この戦いは二人のうちよりモラル・ハラスメント的な人間が勝利することによって終わる。だが、一般に被害者はそういった防衛手段がとれない（だからこそ、被害者に選ばれたのだ！）。やむを得ず、被害者がそうする場合は、あとでも述べるように、状況は混沌としてくる。だが、実を言うと、その混沌さえも加害者が望んだものなのである。

また、この段階まで来ると、加害者は相手を責めるために、わざと反抗させようとすることがある。そこで大切なことは、起こったことの責任が被害者のほうにあると見えるようにすることだ。そうやって状況を整えたうえで、加害者は被害者の欠点——抑うつ的な傾向にあるとか、ヒステリーを起こしやすいとか、性格的に問題があるとか、そういった欠点を言いたてて、相手が自分の姿を矮小化して考え、自信を失うように仕向けていく。これは狡猾なやり方だ。とにかく、相手が悪いということにしてしまえば、批判することも貶めることも簡単になる。また、その結果、単に相手を傷つけるだけではなく、〈自分は悪い人間だ〉と相手に否定的な自己イメージを持たせ、相手の罪悪感を増大させることができるのである。

被害者が自分をコントロールできないタイプの人間であれば、軽蔑したような口調でちょっとした挑発をしてやれば、それだけで十分だ。被害者はたちまち反応を示し、加害者のほうはそれを非難してやればよい。たとえば、それが怒りの反応だったとすれば、加害者は誰か人のいる前で相手が怒りだすように仕向けることもある。そうすると、外部の人の目には被害者が攻撃的な人間のように見えるのである。被害者が肉体的な暴力をふるった場合は、それを見ていたまわりの人間が警察に通報することもある。こうなったら、まさに加害者の思う壺だ。また、加害者が被害者に自殺をそそのかすこともある。たとえば、娘に向かって、母親が言った言葉。「かわいそうに。おまえは生きていたって何の意味もない。どうして窓から身を投げないのか不思議に思うね」。そうして、娘が本当に自殺してしまったら、母親は精神病の娘を持った被害者の顔をするのだ。

加害者の支配下におかれて、被害者のほうは次第に追いつめられていく。枷(かせ)は重く、被害者は身動きすることもできない。したがって、被害者が自由を取り戻そうとする時には、思いきった暴力的な手段に訴えるしかない。だが、まわりの人間の目にはそれが衝動的に見え、特にその暴力が激しかったりすると、被害者は精神異常者のように思われることもある。こうして、挑発を行なった加害者のほうではなく、挑発にのった被害者のほうが責任を押しつけられることになる。加害者に罪を負わされるだけではない。被害者はまわりの人間からも攻撃的だと見なされるようになるのだ。被害者は相手と妥協するなど不可能な状態にある。そんなことをしたらいっそう深く罠にはまるだけだからだ。だが、まわりの人間にはその被害者の状態が見えないのである。ここまで来ると、被害者は何をしようと、辛い状態から抜けだせなくなる。行動を起こせば、好んで騒ぎをひき起こす人間にされてしまうし、行動を起こさなければ、加害者の暴力を甘んじて受けなければならない。被害者は八方塞がりの状態に置かれてしまうのだ。

モラル・ハラスメントの加害者は自己愛的な性格であるだけに、相手の欠点を指摘したり、それによって相手に暴力をふるわせて、〈自分はつまらない人間だ〉と本人に思いこませることに喜びを覚える。相手が自分に誇りを持てない状態にするのが嬉しいのだ。そうして、たまりかねた相手が暴力をふるったり、酒に逃げたり、自殺をはかったりすると、性格に問題があるとか、アル中だとか、自殺願望が強いとかレッテルを貼る。被害者のほうは戦う意欲を奪われ、自分が本当に悪いことをしたかのように自己弁護する。いっぽう加害者のほうは、被害者を辱め、そのことを被害者の前で思い出させるという二重の喜びを味わうことになる。こうして加害者がこの状況から利益をひきだし、口には出さずに慎重に被害者のなかに侵入していく間、被害者のほうはあれこれ思い悩んで深みにはまっていくのだ。

こうなってくると、被害者はもう自分を正当化することもできなくなってくる。そして、この閉塞状況から抜けだす道を見つけるために、場合によっては自分のほうもモラル・ハラスメント的な手段をとることがある。そうなったら、関係は混沌としてくる。どちらが加害者でどちらが被害者か表面的にはわからなくなってくるからだ。加害者の理想は他人を〈悪〉にひきずりこむことにある。悪意を持つのが普通の状態になり、みんなが悪意を持つようになれば、それが理想なのだ。他人を堕落させることと、あるいは誰かと誰かを傷つけあわせること、それができたら、加害者にとってはこれほど満足することはないのだ。

……。これに優る喜びはない。被害者を〈悪〉にひきずりこみ、被害者自身を加害者に仕立てあげることはないのだ。

セクシュアル・ハラスメントでもモラル・ハラスメントでも、加害者は相手を自分の論理にひきこみ、相手の持っている常識的な論理を歪めようとする。また、被害者がどれほど悪い人間であるかを強調して、もしそうなら非難されるのは当然であると、まわりの人間に思わせることに力を注ぐ。そうやって、時には仲間をつくるのにも成功する。そうして、道徳をないがしろにするような歪んだ価値観を広めていきながら、その仲間たちに常識では考えられないようなことをさせるのである。

その反対に、被害者が暴力をふるところまで持っていけなかったら、それは加害者にとっては失敗である。相手の挑発に乗らないこと。モラル・ハラスメントの進行を防ぐにはそれしか方法がないのである。

第6章

加害者とはどんな人間か

人は誰でも精神的に追いつめられると、自分の身を守るためにモラル・ハラスメント的な行ないをすることがある。また、自己中心的であるとか、人から賞讃されたいとか、批判を認めないとか、モラル・ハラスメントの加害者に特有な自己愛的(ナルシシック)な性格は、誰もが持ちあわせている（そういった性格自体が特別異常だというわけではないのだ）。それにまた、自分が有利な立場にたつために他人を操ったり、ほんの一瞬にせよ、殺してやりたいほど誰かを憎むことも珍しくない。しかし、だからといって、私たちがモラル・ハラスメント的な人間であるとは言えない。というのも、私たちの場合、仮にそういったことをしたり感じたりしても、その行動や感情は一時的なものであり、また、そのことに後悔の念を覚えるからだ。これに対して、モラル・ハラスメントの加害者は一時的に行動するわけでもなければ、自分のしたことに罪悪感を覚えるわけでもない。そうして、絶えず誰かを自分の利益のために操り、また破壊しようとするのである。

これはモラル・ハラスメントの加害者が内心の葛藤を自分自身では引き受けられないということから来ている。たとえば、神経症の患者であれば、内心の葛藤を自分で引き受けるためにそれがさまざまな症状となって表われる。だが、モラル・ハラスメントの加害者はそれを自分の内部で処理することができないために、その葛藤を外部に向けて、他人を利用して破壊することでそこから逃れようとする。すなわち、自分を守るためには他人を破壊する必要があるのだ。加害者の〈変質性〉はまさにそこにある。[25]

それでは、加害者になるような人間とは、いったいどんな人間なのだろうか？

❖——自己愛的な変質者

本書のなかでは、これまで何度もモラル・ハラスメントの加害者が自己愛的な性格を持っていると述べてきた。だが、ここでもう一度あらためて言っておこう。モラル・ハラスメントの加害者は〈自己愛的な変質者〉である。すなわち、自己愛的な性格が〈変質的〉な段階にまで高まってしまった人間である。自分の身を守るために、他人の精神を平気で破壊する。[26] しかも、それを続けていかないと生きていくことができない。〈変質〉とまさにそのような意味である。

〈自己愛的な変質者〉という概念を最初に提示したのはP＝C・ラカミエ[27]をはじめとする精神分析医たちで、そのあとにまた別の精神分析医たちが続いた。そのうちのひとり、アルベルト・エイグェルは次のように定義している。《〈自己愛的な変質者〉というのは肥大した自我の影響のもとで、関係を持つ人間の健康な自己愛（ナルシシズム）を打ち砕き、相手が自分に脅威を与えないようにしようとする人間である。また、相手の自己評価や自信なども打ち砕こうとする。それと同時に、この〈自己愛的な変質者〉は、「自分がいなければ相手は生きていけない。したがって、この関係に入ることは相手が懇願したことだ」と、ある種の方策を使って相手に信じこませようとする[28]》

精神分析医たちの間では、〈自己愛的な変質者〉——すなわちモラル・ハラスメントの加害者は〈症状のない精神病者〉だと考えられている。というのも、彼らは自分たちの苦しみや自分たちの内部にある矛盾を他人に背負わせて心の平衡を保とうとするが、彼ら自身は自分の苦しみを感じたことがないし、自分のなかにある矛盾にも気づこうとしない。だが、それでも苦しみや矛盾は存在するので、もしそれを放っておけば重大な精神病になる可能性がある。そこで、精神病の症状が現われる前に、そういったものを他人に押しつけてしまうのだ。〈症状のない精神病〉とはそういうことである。その意味で言えば、モラル・ハラスメントの加害者は、わざと悪意のある行動をとっているわけではない。それ以外の生き方を知らないだけなのだ。その生い立ちを調べてみると、加害者自身が子供の頃に精神的に傷つけられたという経験を持っている。その経験から、相手に苦しみを押しつけ、相手を犠牲にして自分を価値あるものにする……。そうしなければ生きていけない人々なのである。では、もう少し細かくその性向を見ていこう。

❖――自己愛的な人格とは

精神病の国際分類マニュアルであるDSM－IV（精神疾患の診断と統計マニュアル第四版）によると、人格障害の項目のなかに〈自己愛的な変質〉は含まれていない。ただし、自己愛的な人格については次のように規定されている（左記のうち、五つ以上の項目にあてはまれば自己愛性人格障害であると診断される）。


――自分が偉くて、重要人物だと思っている。

――自分が成功したり、権力を持ったりできるという幻想を持ち、その幻想には限度がない。

――自分が〈特別な〉存在だと思っている。

――いつも他人の賞讃を必要としている。

——すべてが自分のおかげだと思っている。
——人間関係のなかで相手を利用することしか考えない。
——他人に共感することができない。
——他人を羨望することが多い。

また、オットー・カンバーグが一九七五年に自己愛の病理学で述べている人格は、〈自己愛的な変質者〉——すなわちモラル・ハラスメントの加害者の定義にきわめて近い。《こういった自己愛的な人格の特徴をあげると、自分が偉大だという感覚を持ち、極端に自己中心的で、自分は賞讃や賛辞を求めるのに、他人に対してはまったく共感することができない、と言うことができる。この人格の人々は自分が持っていないものを持っている人を見たり、あるいは単に人生から喜びをひきだしていたり人を見ると、激しい羨望を感じる。また、情が薄く、他人の複雑な感情を理解できないばかりではなく、自分自身の感情も状況に応じた形でわきあがってこない。感情は炎のようにきらめいたかと思うと、すぐに消えてしまうのだ。とりわけ、悲しみや喪（悲哀）の感情は味わったことがない。これがこの人格の基本的な特徴のひとつである。確かに誰かに見捨てられたり、失望させられたりすると、この人格の人々は表面的には悲しんでいるように見える。だが、注意ぶかく見れば、それは復讐の気持ちをともなった怒りや恨みで、大切な人間を失った悲しみではまったくないのである[29]》

さて、自己愛（ナルシシズム）の語源はギリシア神話で自分の姿に恋をしたナルキッソスにあるが（この神話はオウィディウスの『変身物語』[30]の題材にもなっている）、この神話に出てくるナルキッソスをモデルにして考えれば、ナルシシストとは自分自身というものを持たず、鏡のなかに自分を見つける人間である。ここで言う鏡とは他人のことだ。したがって、このタイプの人間は他人の視線のなかに自分の姿を捜すことになる。このタイプの人間――すなわちナルシシストにとって、他人は人間としては存在しない。鏡として存在するのだ。ナルシシストは自分自身の存在を持たない。いわば〈偽物〉の存在である。あるのはただ空洞の殻だけで、自分が空洞であることを隠すために幻影をつくろうとする。いわば〈偽物〉の存在である。その生涯には豊かな実りがなく、ただひたすら死を避けることに費やされる――そのように運命づけられているのだ。人間であるとは決して認められたことがなく、生きているという幻影を自らに与えるためにつねに鏡の作用を利用しなければならない……。ナルシシストとはそういった存在なのである。万華鏡のように、鏡に映った像は反復され、増幅される。だが、そこには何も実体がない。ナルシシストの存在は空虚の上に成り立っているのだ。

❖――変質者への移行

ナルシシストは実体を持たないので、生きていくためには他人とつながっていなければならない。それはちょうど他の生物の血を吸って生きていくヒルのようなものだ。だが、他人とつながるといっても、本人に実体がない以上、本物の関係をつくることはできない。そこでナルシシストは、破壊的な悪意をもとに相手と〈変質的〉につながりを持とうとする――それ以外にはできないのだ。それに成功して、相手が不安に陥ったり、苦しんだりするのを見ると、あるいは相手を服従させ、屈辱を与えることができると、そこでナルシシストは激しい喜びを感じる。こういったタイプのナルシシストがモラル・ハラスメントの加害者になるのである。

また、ナルシシストは中身が空洞で、他人という鏡に映った像だけで成り立っている。そこからすべてが始まり、またそれによってすべてが説明できる。ナルシシストは見かけだけは人間で、生きているように見えるロボットのようなものだ。生命のあるようなふりはするが、生命はない。ナルシシストは悪意に満ちていたり、性的に無軌道だったりする。それは内部が空洞であるということから必然的にもたらされる結果なのだ。内部が空洞であるナルシシストは、まるで吸血鬼のように他人の実体を必要とする。自分に生命がないのであれば、他人の生命をものにしなければならない。もしそれが不可能ならば、どこにも生命が存在しなくなるように、他人を破壊していくしかない。モラル・ハラスメントの加害者の攻撃性は、ナルシシストのこういった傾向が病的に拡大されたものなのである。

〈自己愛的な変質者〉、すなわちモラル・ハラスメントの加害者は〈他者〉によって満たされる。それがなければ生きていくことができない。その〈他者〉は自分の分身でさえない（それだったら少なくとも一個の存在を持っているからだ）。ただ鏡に映る自分の像なのだ。モラル・ハラスメントの被害者がよく個性を否定されたと感じるのはそのためである。被害者は別の個性を持った人間ではない。鏡に映った像なのだ。加害者はこの鏡のシステムを使って内部の空洞を覆い隠そうとする。そして、それが妨害されると、相手を破壊したいという激しい怒りを感じる。〈自己愛的な変質者〉――モラル・ハラスメントの加害者は、他人という鏡のなかに自分の姿を空しく捜している、ただ像をつくりだす機械にすぎないのである。

モラル・ハラスメントの加害者には本当の意味での感情がない。それも当然だ。像をつくりだすだけの機械がどうやって感情を持てるだろう？　したがって、苦しみも感じない。苦しみは肉体を、存在を前提とするからだ。実体がないので、モラル・ハラスメントの加害者は〈個人史〉を持つこともできない。この世界に存在している人間だけが〈歴史〉を持つことができるからだ。もしモラル・ハラスメントの加害者が自分自身のなかにある苦しみを感じることができたら、彼らにとってはそこで初めて何かが始まるだろう。だが、その何かとはいままでのものとはまったくちがうものである。

以上のことを踏まえたうえで、これからあと、モラル・ハラスメントの加害者の特徴をさらに詳しく述べてみよう。

❖——誇大性——自己への過大な評価

自己愛的な人間の特徴はまず何よりもその誇大性にある。〈自分が偉く重要な人物だと思っている〉、〈自分が特別な存在だと思っている〉、〈いつも他人の賞讃を必要としている〉、〈すべてが自分のおかげだと思っている〉、〈人間関係のなかで相手を利用することしか考えていない〉、〈他人に共感することができない〉、〈他人を羨望することが多い〉など、前にあげた具体的な性格の特徴は、すべてこの誇大性から来ている。

このうち、たとえば〈自分が偉く重要な人物だと思っている〉ということについて言えば、モラル・ハラスメントの加害者は何につけても自分が正しいと思っている。その結果、いわば自分が〈常識〉であり、真実や善悪の判定者であるかのようにふるまう。そのため、まわりにいる人々は加害者のことを道徳家のように思って、加害者が何も言わなくても、自分が悪いことをしているような気持ちになることがある。いっぽう加害者のほうは、自分の基準が絶対的なものだと考え、その基準をまわりの人々に押しつける。そうやって、自分が優れた人物であるという印象を与えるのだ。だが、そこで加害者が口にするのは本物の道徳ではなく、人生は悪意に満ちているというモラル・ハラスメントの加害者に特有の確信である。

また、〈自分が特別な存在だと思っている〉ということから、モラル・ハラスメントの加害者は他人に対して興味を持たない。したがって、〈他人に共感することができず〉、その感情を理解することができない。だが、その反面、他人からは注目されたり、自分のしたことに感謝されたりしたいと思っている。まわりの人間が生きていられるのは、〈すべて自分のおかげだと思っている〉のだ。その結果、たとえば、相手のことは厳しく非難し、自分に対してはいかなる批判も反論も許さないということが出てくる。それをされると、被害者のほうは自分が欠点だらけの人間のように思ってしまう。だが、加害者のほうからしてみれば、自分の欠点に気づかないようにするために他人の欠点を暴きたてているのだ。もし自分に欠点があることに気づいたら、不安が精神病のレベルにまで高まってしまう。相手の欠点を責めるのはそこから身を守る方策なのである。

また、モラル・ハラスメントの加害者は〈自分を賞讃してもらう〉ために他人を必要とする。そこで他人と関係を持つことになるのだが、その関係のつくり方は相手を惹きつけるという形で行なわれる（モラル・ハラスメントの加害者が魅力にあふれているというのはよく指摘されることである）。こうして獲物を捕えると、あとは必要に応じて利用できるように、自分のまわりにつなぎとめておく。加害者にとって他人は存在しない。その姿を見てもいなければ、その声を聞いてもいない。他人はあくまでも〈利用価値があるか〉どうかだけなのだ。モラル・ハラスメントの加害者の論理では、他人を尊重するなどという考えは存在しないのである。

感情を避ける

この点についてさらに詳しく述べると、他人との関係をつくる時に、加害者はまず相手を惹きつける。だが、その魅力には愛情的なものは含まれていない。加害者の基本的な行動パターンは、あらゆる感情を避けることにあるからだ——それは自分自身の感情に動揺しないためである。また、さきほども述べたようにモラル・ハラスメントの加害者は他人の複雑な感情にも興味を示さない。そうして、他人が自分とはちがうものであるということや、そのちがいを理解しない。他人とのちがいに注目するのは、そのちがいが自分を傷つけると感じた時だけだ。これはつまり、他人のアイデンティティーを否定するということだ。モラル・ハラスメントの加害者にとって、他人は自分の思いどおりに（つまり加害者が世界に対して抱いているイメージどおりに）物を考え、行動しなければならないのだ。だが、そのイメージとは結局のところ、加害者のナルシシズムを満足させるものでしかない。

　加害者がこのように考えたり行動したりするのは、加害者の感覚が麻痺しているからである。感覚が麻痺しているせいで、モラル・ハラスメントの加害者は苦しみという感情を持たない。また、道徳に反する行為をすることをためらわない（道徳家のふりをすることがあっても、モラル・ハラスメントの加害者は決して道徳的な人間ではない。むしろ、道徳や社会の決まりを破ることに喜びを覚えたりする）。そして、このことは加害者が相手を攻撃する時に何よりの武器となる。というのも、攻撃を受けた相手のほうは、同じようにモラル・ハラスメント的な行為で防衛手段を講じようとしても、道徳に反することはできないとか、相手を傷つけるのは嫌だという気持ちから、思いきったことができないからだ（また、加害者のほうもそのような相手を被害者に選んでいる。もしそんな防衛手段がとれるのなら、相手は被害者にはならず、攻撃を受けることもなかったろう）。

　だが、いくら感覚が麻痺しているといっても、モラル・ハラスメントの加害者がある人間やある活動、ある考えに情熱を持たないということはない。しかし、その情熱は表面的なものにとどまる。モラル・ハラスメントの加害者には本物の感情がないからだ。とりわけ、悲しみの感情は経験したことがない。

相手に失望すると、加害者は悲しみのかわりに怒りや恨みを感じ、復讐したくなる。なかでも関係をつくるのに失敗したり、相手に見捨てられたりなどナルシシズムを傷つけられた場合、その復讐の気持ちには際限がなくなる。これは怒りっぽい人間が一時的に示す激しい反応とはちがう。モラル・ハラスメントの加害者になるような人間はかたくなにこの恨みを持ちつづけ、またそれを正当化するのである。

また、妄想症(パラノイア)の人間と同じように、モラル・ハラスメントの加害者は相手と本当の関係に入らないようにするために、愛情の面で十分な距離をおく。すなわち、相手に愛情を示したり、同情を感じたりしない。だが、もちろん、被害者やまわりの人間はそれに気がつかない。モラル・ハラスメントの加害者がどれほど冷淡で他人の苦しみに無関心であるか、想像もできないのだ。だからこそ、加害者の攻撃は効果を持つのである。

❖――精神の吸血鬼

モラル・ハラスメントの加害者は〈精神の吸血鬼〉である。パートナーは人間としては存在しない。加害者が自分のものにしようとする〈優れた性質〉として存在するのだ。加害者は相手を惹きつけて、そのエネルギーをすする。それはつまり、相手の心に侵入してその健康なナルシシズムをものにするということだ。

というのも、モラル・ハラスメントの加害者――すなわち〈自己愛的な変質者〉の問題は、まず第一に自分の空洞を解決することだからである。この空洞に立ち向かわないようにするために（立ち向かうことができればモラル・ハラスメントの加害者にはならない。実際、加害者にならないような人間はそうしている）、加害者はそこから逃げることを考える。逃げるというのは、他人の存在でこの空洞を埋めることだ。その他人とは加害者の内面でいちばんはっきりした形をとっている人物、つまり母性的な人物である。被害者に対する愛と憎しみはそこから生じる。というのも、加害者はまず、自分の空洞を満たすために被害者に愛を求める。だが、被害者として選んだこの母性的な人物から栄養を吸収し、それを取りこむためには、たとえ萌芽のようなものにせよ、加害者のほうにそれを受け入れるための実体がなければならない。ところが、加害者はそういった実体を持たないので、相手から栄養を吸収することは不可能になる。すると、相手の存在は逆に加害者自身の空洞を浮き彫りにするので、加害者にとっては危険なものとなる。その結果、今度は相手を憎むようになるのである。

また、モラル・ハラスメントの加害者は、自分が持っていないものを持っている人を見たり、人生から喜びをひきだしている人を見ると、激しい羨望を抱く。そこで、相手の持っているものを自分のものにしようとする。その対象は上流社会や知的な集まり、あるいは芸術の世界に入りたいなどという社会的なものであることもある。その場合、加害者はまずそういった世界に自分を導き入れてくれる相手を惹きつけ、その社会に入る力を手に入れる。

そうして、ひとたびその目的を達すると、今度はその相手の自己評価や自信を揺るがし、自分の価値を高める。そうやって、相手のナルシシズムを自分のものにするのだ。

幼い頃に深く傷つけられたという経験から、モラル・ハラスメントの加害者は自己実現(自己の理想を達成すること)ができない。そこで、自己実現をはかっている他人、それができるものを持っている他人を羨望の目で見つめることになる。この羨望は結局は破壊に向かう。すなわち、誰かに対して羨望を抱いた時、モラル・ハラスメントの加害者は自分が努力して相手と同じようになろうとはしない。自分のことは脇において、他人の幸福を破壊しようとするのだ。そういったことから、モラル・ハラスメントの加害者は誰かが楽しんでいるのを見ると、それがたとえ自分の子供であっても、その楽しみを妨害しようとする。そこには相手に対する愛情はひとかけらも含まれていない。あるのはただ羨望にもとづいた強い憎しみだけだ。モラル・ハラスメントの加害者は誰かを愛することができない。そこで、普通の人間であれば他人と持つことができる単純で自然な関係を歪め、相手を破壊しようとするのである。

このように、相手から自由を奪い、その精神を破壊しようとするのは、自分の身を守るためでもある。楽しんでいる人間、幸福な人間を見ると、モラル・ハラスメントの加害者は惨めな気持ちになって、そんな自分を受け入れることができない。そこで、相手を破壊して、その惨めな状態を解消しようとするのだ。相手が苦しんでいるのを見れば、それだけ自分が幸福に思える。すなわち、自分に自信を持つためにも、加害者は相手を破壊しなければならないのである。

同じことは〈知識〉や〈能力〉についても言える。モラル・ハラスメントの加害者は絶えず誰かの悪口を言っている。そうすることによって、自分が全能であることを確認しているのだ。〈ほかの人々が駄目な人間であれば、自分はそれよりも優れている〉というわけだ。

羨望――加害者の推進力

加害者の推進力になっているのは、その自己愛的な性格から来る〈羨望〉である。その羨望は相手の持っているものを自分のものにすることに向かい、それができなければ――いや、それができても、結局は相手に対する破壊に向かう……。そこで、まずこの羨望と破壊の関係について考えてみよう。

羨望とは他人の幸福に憎しみを感じ、他人の持っているものをみだりに欲しがる感情である。〈自分が持っていないものを誰かが持っている〉。そういった認識にもとづいた攻撃的な心情である（といっても、この認識は主観的で、妄想的であることさえある）。羨望は〈自己中心主義〉と〈相手を破壊したいという悪意〉という二つの柱から成り立っている。その前提には、自分が持っていないものを持っている相手に対する劣等感がある。さて、モラル・ハラスメントの加害者の場合、物質的なものでも精神的なものでも、誰か自分に持っていないものを持っている相手を見ると、その自己愛的な性格から自分が傷つけられたような気がして、惨めな気持ちになる。そういった時、おそらく普通の人間であれば、相手と同じものを手に入れようとして努力するか、それができなければあきらめるだろう。だが、モラル・ハラスメントの加害者はそんなことはしない。また、なんらかの形でそれが手に入ったとしても、それを活かす能力は持っていない。それならば、いっそのことそれを持っている相手を破壊しよう――モラル・ハラスメントの加害者はそういった論理で行動するのだ。大切なのは、羨望する相手と自分との差を埋めることである。もしそうなら、相手を辱め、貶めればそれで十分なのだ。まともな形で何かを手に入れることができない加害者にとって、自分の持っていないものを持っている人間は悪魔か魔女のように思える。だからこそ、相手を破壊しなければならないのである。

こういったなかでモラル・ハラスメントの加害者は、まず何よりも他人の人生を羨望する。他人が人生に成功したのを見ると、いやがおうにも自分の人生の失敗を思い知らされるからだ。加害者は自分の〈不幸な人生〉に不満を持つ以上に、他人の〈幸福な人生〉に不満を持つ。モラル・ハラスメントの加害者にとって、人生とは複雑で、試練に満ちて、決してうまくはいかないものでなければならないからだ。その結果、人生に対して持っているこの軽蔑的な見方や慢性的な不満をほかの人々にも押しつけようとする。ほかの人々の喜びを妨害し、世界が悪意に満ち、他人が悪意に満ち、そして相手が悪意に満ちていることを証明しようとする。自分が持っている悲観的な見方を押しつけることによって、加害者は相手を抑うつ状態にする。それから、おもむろに相手を攻撃するのだ。

ところで、この羨望とはいったいどういう種類のものなのだろうか？ それは他人の圧倒的な生命力を前にした時、人間であれば誰もが共通して持っている羨望——すなわち、自分の世話をしてくれる母親に対して子供が感じる羨望である。このことからモラル・ハラスメントの加害者は、ちょうど子供が母親から力をもらおうとするように、エネルギーに満ちて、人生を楽しんでいる人間を被害者に選ぶ。そうして、相手が自分に服従して要求どおりのことを行ない、また自分に依存するようになると、相手の力を自分のものにすることができたと感じるのだ。だが、そこで相手が反抗したりすれば、加害者の羨望は破壊に向かう。欲しいものが手に入らなければ、結局は相手を破壊するしかないのだ。また、〈相手を自分のものにすること〉自体のなかに、すでに〈相手を破壊すること〉も含まれている。だが、ここでは〈相手を自分のものにすること〉に話を絞って、加害者の羨望を考えてみよう。

自分のものにする

羨望するから自分のものにする。加害者にとっては、これはあたりまえのことである。この場合、自分のものにするのが物質的なものであることはめったにない。それはもっと精神的なもの、〈生きる喜び〉だったり、〈豊かな感受性〉だったり、あるいは創造的なもの、音楽や文学の才能だったりする。たとえば、相手が何か考えを述べると、その考えは相手のものではなく、加害者のものになる——自分のものにするというのはそういう形で行なわれる（第1章の実例でもバンジャマンはアニーの功績を横取りした）。もしここでモラル・ハラスメントの加害者が羨望で目がくらんでいなければ、お互いに与えあう関係をつくって相手から学び、相手の持っている才能をたとえわずかでも手に入れることができるだろう。だが、モラル・ハラスメントの加害者はそういった謙虚さは持ちあわせていない。そこで、どうしてもちがった方法をとることが必要になってくる。

一般に、相手の才能に羨望を抱いた場合、モラル・ハラスメントの加害者は〈相手に情熱を抱く〉という形でその才能を自分のものにしようとする。より正確に言えば、誰かが加害者の情熱をわきたたせるような才能を持っていた時、その誰かに情熱を抱くのである。だが、この情熱は前にも触れたように表面的なものでしかない。こうして、モラル・ハラスメントの加害者は誰かに夢中になったかと思うと、すぐに乱暴なやり方で相手を拒絶する。誰かを激賞していたかと思うと、何か特別なことがあったとは見えないのに、その翌日には手のひらを返したように相手の悪口を言いはじめる。まわりの人間にはどうしてそうなるのか決して理解できない。だが、モラル・ハラスメントの加害者にとっては筋が通っている。モラル・ハラスメントの加害者は自分を取り巻く人々から正のエネルギーを取りこみ、生きのびるための力を得て再生する。そうして、相手には自分の持っている負のエネルギーを放出するのだ。

いっぽう被害者のほうは、こうした形で加害者に多くのものを与えている。だが、加害者は決してそれに満足することがない（本当の意味で欲しいものを手に入れたわけではないから、満足できないのはあたりまえだ）。その結果、加害者は自分を被害者の位置におき、自分が満足できなかった責任を相手に押しつける。この相手とは前にも述べたように自分の母親（あるいは、自分の母親を投影してそのかわりをさせている人物）である。こうしてみると、モラル・ハラスメントの加害者は自分が子供の頃に経験した被害者の立場から抜けだすために、相手を攻撃しているのだ。ところが、加害者のこうした被害者的な態度を見ると、本物の被害者のほうはそれに惹かれて、同情し、加害者を慰めたくなる。これは加害者の攻撃が激しくなって、被害者のほうがさすがに〈被害にあっているのは自分のほうではないか?〉と気づいて、加害者から離れていくまで続く。だが、加害者はそうなっても他人に危害を加えることをやめるわけではない。相手に見捨てられると、それによってまた被害者の地位におさまり、自分を慰めてくれるまた別の相手を見つけるのだ。

❖——無責任

さて、モラル・ハラスメントの加害者は本当の意味での主体性を持たないので、どんなことに対しても自分には責任がないと考える。自分に責任がない以上、責任があるのはほかの人のほうだ。ほかに理由はない。ただ、そういうことなのだ。このことから、起こったことに対して相手を非難する時、実のところ、モラル・ハラスメントの加害者は相手を非難しているのではない。加害者にしてみれば、ただ事実を確認しているだけなのだ。自分には責任がないのだから、悪いのは相手のほうだ。それは初めから決まっているのだ。過ちの責任を相手になすりつけ、相手を悪く言えば、ストレスの解消になる。また、何よりも罪の意識を感じなくてすむ。責任も持たなければ、罪悪感も持たない。うまくいかないことは、いつも他人のせいなのだ。

これは自分の身を守るための方策である。何か失敗したり、うまくいかなかったことがあると、相手の責任にして、自分を反省することはしない。そうすれば、自分は安全でいられるからだ。また、モラル・ハラスメントの加害者は自分の身を守るために現実を否認することもある。たとえば、自分のなかにある苦しみを認めない(これは毎日の生活のなかで経験するどんな小さな苦しみにも適用される。現実がそうではないと証明していても、頑としてその事実を認めないのだ)。苦しみだけではなく、不安もそうだ。苦しみや不安はほかの人に持ち去ってもらわなければならない。相手を攻撃することは、苦しみや不安、悲嘆から逃れる方策なのだ。

また、モラル・ハラスメントの加害者は、毎日の生活のなかで決定を下すことができず、いつでも他人に責任を引き受けてもらう必要を感じている。自分では何もできず、いつも他人を必要としているのだ。その結果、相手にしがみつき、別れることに恐怖を覚える。だが、それと同時に、この関係を必要としているのは相手のほうだと考える。したがって、自分が相手にしがみついているとわかってしまう状態を見るのを拒否する。そんなことがわかったら、自分自身に対して抱いているイメージが崩れてしまうからだ。そういったことから、相手があまりに親切だったり世話を焼きすぎたりすると、モラル・ハラスメントの加害者はかえって暴力的になる。そのいっぽうで、相手が独立した存在に見えると、相手から敵意を受けて拒絶されたように感じる。モラル・ハラスメントの加害者はその中間の状態――自分が相手にしがみついているのに、相手が自分に依存しているように見える状態、そういった状態を求めているのである。

こうしたことから、モラル・ハラスメントの加害者はひとりでいると居心地が悪くなったり、何もできないように感じて、他人の支持や協力を過度に求める。また、ひとりで計画をたてたり、何かをしたりすることができない。そうして、一緒にいることを相手に要求して、それが拒否されるとある意味では安心する（それは自分が人生に対して抱いている否定的なイメージと合致するからだ）。だが、そうやってひとつの関係が終わると、すぐにまた別の関係を求めて、自分に必要な支持を得ようとする。結局のところ、他人に依存しなければ生きていけない人間なのである。

❖——妄想症との類似

前にも述べたように、モラル・ハラスメントの加害者は道徳家のようにふるまうことが多い。他人に対して教訓を垂れるのが好きなのだ。その点からすると、モラル・ハラスメントの加害者は妄想症の人格に近いところがある。

妄想症の人格とは次のような特徴を持つ。

——自我の肥大。すなわち、自尊心が強く、他人に対して優越感を持っている。

——精神硬直（異常な非妥協性）。すなわち、執拗で、他人を許さず、冷たい合理性を持っている。また、他人に対して肯定的な感情を示すことができず、他人を軽蔑している。

——警戒心。すなわち、他人からの攻撃を異常に恐れる。また、他人の悪意が自分に向けられていると感じ、不信感を抱く。嫉妬心が強い。

——判断の誤り。なんでもない出来事を自分に対する悪意の結果だと解釈する。

しかしながら、モラル・ハラスメントの加害者が妄想症の人間とちがうところは、社会生活を行なっていくうえで必要な決まりを知っているくせに、そういった規則の網をくぐり抜けることに喜びを覚えることだ。規則に挑戦するのは、モラル・ハラスメントの加害者に固有の特徴である。その目的は相手が持っている道徳的な価値など意味がないことを示し、相手を自分が持っている歪んだ価値観にひきずりこむことだ。

また、妄想症の人間が相手を支配するのに〈力〉を用いるの対して、モラル・ハラスメントの加害者は〈魅力〉を用いる。だが、その〈魅力〉が効果を発揮しないと、モラル・ハラスメントの加害者も

〈力〉を用いることがある。実際、〈暴力の段階〉におけるモラル・ハラスメントの加害者の行動は、妄想症の患者の行動によく似ている。すなわち、〈相手は危険な存在なのだから、もし相手を支配できないのであれば、破壊しなくてはならない〉。そういった論理で行動するのだ。放っておけば、相手は必ず自分を攻撃してくる。だから、そうなる前に、自分のほうから相手を攻撃しなければならないのである。

このように、モラル・ハラスメントの加害者は〈悪いこと〉をすべて外部に投影することによって、不安から身を逃れる。これは自分の精神が崩壊しないようにするための方策である。他人を攻撃することによって、まず何よりも自分の身を守っているのだ。もちろん、そういったことをすれば罪悪感が現われ、精神的な不安は耐えがたいものになる。だが、それは被害者に投影されてしまう。被害者は身代わりの犠牲者（スケープゴート）であり、加害者にとって耐えられないものをすべて引き受けてくれる入れ物なのだ。

これは加害者本人が小さい頃に受けた心の傷と関係している。前にも述べたように、モラル・ハラスメントの加害者は、自分の身を守るために、小さい頃から自分のなかの健康な部分と傷ついた部分を分離してこなければならなかった。これは大人になってからもやめることができない。その結果、加害者の世界は〈善〉と〈悪〉に分かれている。そして、この〈悪〉はすべて他人に投影される。こうして〈悪い部分〉をすべて他人に押しつけることによって、モラル・ハラスメントの加害者は自分が〈よい人間〉でいられ、比較的安定した生活を営むことができるのである。逆に言えば、モラル・ハラスメントの加害者が落ち着いた生活を送るためには、〈悪い部分〉をすべて他人に肩がわりしてもらわなければならないのだ。また、モラル・ハラスメントの加害者は自分に能力がないと感じているので、他人が全能の力を持っていると想像してその力を恐れる。それはほとんど妄想的で、もともとは自分が相手に投影した悪意にすぎないのに、相手の悪意を警戒する。このあたりはきわめて妄想症的である。

こういったメカニズムがうまく働けば、被害者になった人物に憎しみを向けるだけで、モラル・ハラスメントの加害者の心は落ち着き、それ以外の人々に対しては感じのいい人間としてふるまうこともできる。したがって、まわりにいる人々は、それまでいい面しか見せていなかったその人物がモラル・ハラスメント的な行為を行なっていると知ると、非常に驚き、時にはそんなはずはないと否定することさえある。そうなると、被害者がいくら証拠をあげて説明しても、なかなか信じてもらえない。被害者の苦しみはそこでも深くなる……。

では、被害者となるような人間はいったいどんな人間なのだろうか？

第7章 被害者とはどんな人間か

❖——狙われた人間

被害者はどうして被害者であるのか？　それは加害者によって被害者に選ばれたからだ。被害者は身代わりの犠牲者（スケープゴート）であり、すべての責任を押しつけられる運命を負っている。加害者は被害者に精神的な暴力をふるうことによって、自分が抑うつ状態になるのを防ぎ、また自分自身と向かいあって、自分を見つめたり反省したりすることを避ける。被害者はそのためにいるのだ。

被害者は——それが被害者の被害者たる所以であるが——自分では犯してもいない罪の代償を支払わされる。暴力がふるわれるのを目撃していた人々でさえ、被害者のことを疑う。まるで、罪を犯していない被害者などいないと言わんばかりの状態なのだ。人々は被害者がたとえ無意識であっても加害者の共犯なのではないか、つまり、自分から望んで加害者の暴力を受け入れていたのではないか、と想像する。

社会学者のルネ・ジラールによれば、原始社会では集団の間の競争関係は未分化な暴力の状態を引き起こす。それは模倣によって広まり、ある人物なりある集団を暴力の責任者として排除する（死をもたらす）という供犠の興奮のなかにしか出口を見つけられない。すなわち、スケープゴートが死ぬことによって、暴力は取り除かれるのだ。この時、犠牲者は神聖化される。[31]だが、同じスケープゴートであっても、モラル・ハラスメントの被害者は神聖化されない。被害者は罪がないと見なされないだけではない。弱い人間だと見なされるのだ。もし誰かが被害者になるとしたら、それはその人間が弱いからだ。あるいはその人間に何かが欠けているからだ。人々はそう考える。だが、事実は反対である。被害者は加害者が持っていなくて、自分のものにしたいと思っているものを持っている。だからこそ、被害者に選ばれたのだ。

だが、どうしてその被害者でなければならなかったのだろう？

それはまず加害者のそばにいたからであり、どういう形であれ加害者の邪魔になってしまったからである。加害者にとって被害者は特別な存在ではない。たとえその人物がいなかったとしても、その代わりになる被害者はいくらでもいるのだ。被害者はたまたま折りあしく加害者の前にいて、その魅力に屈するという過ちを犯しただけである（といっても、被害者は聡明な、いや聡明すぎる人間であることが多い）。加害者は被害者が自分の魅力に屈し、役に立つのでないかぎり、その人間に興味を持たない。そうして、被害者が自分の前から姿を消したり、なんの役にも立たなくなると、憎しみの対象にするのだ。

加害者にとっては被害者の人間性は問題にならない。〈人間〉ではなく、〈モノ〉にすぎないからだ。とはいっても、加害者は近くにいる者なら誰かれかまわず被害者に選ぶわけではない。自分と同じくモラル・ハラスメント的な行為をする者やそれに近い特徴を持つ妄想症の人間は注意ぶかく避ける傾向にある。ちなみにモラル・ハラスメントの加害者と妄想症の人間が手を組むと、被害者にとっては恐ろしい事態がもたらされる。企業などで見られるモラル・ハラスメントはその例だ。その行為を一緒になって喜んでくれる人間の前で人を嘲弄したり、嫌がらせをしたりすることほど面白いことはないからだ。また、そういった共犯者をつくらないにしても、加害者がまわりの人々から暗黙の了解を得たり、いや、それ以上に賛同を受けていることは珍しくない。加害者はまずまわりの人々の心を動揺させ、それから味方につけてしまうのである。

相手の弱点を白日のもとにさらす

加害者の攻撃の特徴は、相手の欠点や精神的に弱いところなど、もろい部分を攻めることにある。人間には誰しも弱点がある。登山家が岩壁の裂け目を足がかりにして山を登っていくように、モラル・ハラスメントの加害者は相手の欠陥を足がかりにして、相手を攻撃していくのだ。そして、どこが相手の弱点か、どこを攻めれば相手がいちばん傷つくか、よく知っている。その弱点とは被害者本人が見るのを拒否しているものである場合が多い。モラル・ハラスメントの加害者はそれを白日のもとにさらして、相手に辛い思いをさせるのだ。また、被害者がなるべく気にしないようにして、〈どうということはない〉、〈たいしたことはない〉と思おうとしていることなのに、加害者がわざと気になるように仕向ける場合もある。

こうして加害者の攻撃は、被害者の弱点や子供の頃に受けてもう忘れられた心的外傷（トラウマ）に向かう。それは誰の心のなかにもある〈死の欲動〉を刺激する。モラル・ハラスメントの加害者は相手のなかにある自己破壊衝動の芽を捜しだすのだ。それが見つかったら、あとは相手を不安にさせるコミュニケーションを使って、その衝動を大きくしてやればよい。モラル・ハラスメントの加害者と関係を持つことは、自分を否定する鏡の前に立っているようなものだ。自分に対して持っているよいイメージは映らず、悪いイメージばかりが映しだされるのである。

そういったなかで、被害者が加害者の暴力を喜んで受け入れていると言うのは意味がない。被害者は加害者の支配下におかれ、心理的にそう行動するよりほかに方法がないからだ。確かに、被害者は加害者の魅力に屈してしまった。しかし、だからと言って、被害を受けたことに変わりはない。私たちはそのことを忘れてはならない。あるモラル・ハラスメントの被害者は言う。「私のことを愛していない男と一緒に暮らしていたのは、きっと私にも何か原因があったのだと思います。また、あの男に裏切られた時、それを見ようとしなかったのは、私の過去の出来事に関係があったのでしょう。でも、私は思いきってあの男との関係を断ちきり、あの男はそれを納得することができずにいろいろと嫌がらせをしてきました。いま、私はあの男の態度が私個人に向けられたものではないとわかっています。だけど、それでもあれは恐ろしい精神的な攻撃で、精神に対する殺人の試みだったと思います」

加害者の暴力を甘んじて受けているからといって、被害者は決してマゾヒストではない。だが、そのなかにあるマゾヒスティックな部分を加害者が利用しているだけなのだ。

では、モラル・ハラスメントの被害者とマゾヒストはどこがどのようにちがうのだろうか?

✣——被害者はマゾヒストか

モラル・ハラスメントについて考える時、被害者がどうしてその運命を受け入れてしまうのか、知らない人はまずそれに驚くだろう。

実際、加害者はいつも言葉（あるいは言葉にならない態度）を使って、被害者の主体性を否認する。

どうして被害者はこの言葉を受け入れ、それどころか、自分のなかに取りこんでしまうのだろう？ 現実を見ればその言葉は嘘だとわかるのに、どうして被害者はその言葉を信じてしまうのだろう？ それは被害者が心理的に縛られた状態にあるからだ。加害者は被害者を精神的にコントロールし、自分の好きなように利用している。もしそうなら、被害者が喜んでそれをしているとは言えないのである。

フロイトはマゾヒズムを性愛的マゾヒズム、女性的マゾヒズム、道徳的マゾヒズムの三つのタイプに分類している(32)。道徳的マゾヒズムとは、罰を受けたいという欲求を満足させるために失敗や苦しみを求めるという心の動きだ。フロイトの基準によれば、マゾヒストは苦しむだけでは満足せず、緊張や心配を求め、人生を複雑にする。だが、表面的にはそのことを嘆いたりするので、悲観主義者（ペシミスト）のように見える。また、不器用な行動で失敗を重ね、他人の反感を買う。人生のなかに生きる喜びを見つけることができない、などの特徴を持つ。この叙述は決して被害者にあてはまるものではない。あてはまるとすれば、むしろ加害者のほうだ。被害者は本来、豊かで、楽観主義者（オプティミスト）で、生命力にあふれているからだ。

とはいっても、精神分析医のなかには、モラル・ハラスメントの被害者が加害者との間に好んでサド＝マゾヒズム的な関係を打ちたて、加害者の暴力に共犯的に関わると考える者が大勢いる。

だが、フロイトの言う性愛的なマゾヒストに対応するサド＝マゾヒズム的な関係では、二人のパートナーはそこで行なわれる攻撃に喜びを覚える。アメリカの劇作家、エドワード・オールビーの『ヴァージニア・ウルフなんかこわくない』（一九六二年）(33)にはその様子がみごとに描かれている。その関係はあくまでも相互的なもので、パートナーのそれぞれがそこから利益をひきだし、またこの関係から抜けだすのも自由である。

これに対して、モラル・ハラスメント的な行為の特徴は、あらゆるリビドー（性欲動を発動する力）

の痕跡を消すことにある。リビドーとは、すなわち生命だ。モラル・ハラスメントの加害者は、あらゆる生命の痕跡、あらゆる欲望の痕跡を相手から消そうとするのである。これはいま述べたようなサド＝マゾヒズムとは決定的にちがう。

相手のマゾヒズム的な部分を利用する

また、モラル・ハラスメント的な関係は一方的だ。どちらかがどちらかを支配し、支配されたほうは抵抗することも戦いから抜けだすこともできない。そこにこそ、本当の意味での攻撃がひそんでいる。あらかじめ支配下におかれていることによって、被害者は「ノー」と言えない。また、当然のことながら、二人の間には相談がない。すべてが押しつけられたものなのだ。被害者は罠にかけられ、この暴力的な関係にひきずりこまれ、そこから抜けだすことができない。そうして、自分の意に反してこの状況にひきずられていく。だが、それは被害者の責任ではない。人間なら誰もが持っているマゾヒスト的な部分を加害者によって刺激されただけなのだ。加害者はそれがなんであれ、被害者の精神的な弱点を捕まえてしまったのである。F・ルスタンは言う。《人間は誰でも独立して責任を持ち、支配したいという欲望と、その反対に、依存して責任を持たず、何も知らないままでいたいという子供っぽい欲求を持ち、その間を揺れ動く[34]》。モラル・ハラスメントの被害者は、その子供っぽい部分を捕まえられてしまったのだ。被害者の過ちは、加害者と出会った時に警戒心を忘れたことにある。被害者は言葉には表われないメッセージを深く考えてみようとせず、ただ相手の言うままに〈自分が優れた人間である〉という相手の言葉を信じてしまった。そうして、心のどこかで相手に屈従してしまったのだ。

だが、まるで子供のように相手に隷属したいというこの被害者のマゾヒズム的な部分は、たちまち加害者に利用される。加害者にしてみれば、「あっちはそれが望みだったんだ。それが好きで、そうして欲しかったんだ」というわけだ。言いわけは簡単だ。加害者は相手のことなら本人よりも知っていると思うからよけいに始末が悪い。「あっちがそうしたいと思っているから、こっちはそう扱ってやったんだ」。それでおしまいである。

こうして加害者や世間の人々は被害者をマゾヒストのように見なす。時には被害者本人が自分はマゾヒストであるかのように思うこともある。そうなると、被害者はますます苦しむことになる。というのも、現代においてマゾヒズムは恥ずかしいことだと考えられて、マゾヒストであることは罪悪感の対象になるからだ。「ぼくは（わたしは）マゾじゃない！」若者たちはよくこう言う。人からあまり弱い人間だと思われてはいけないのだ。被害者はモラル・ハラスメントの被害に苦しむだけではない。相手の攻撃から身を守れなかったこと、つまりマゾヒストのように見えることを恥ずかしく思うのだ。だが、被害者はマゾヒストとはちがう。その決定的なちがいは、努力に努力を重ねて加害者と別れるのに成功した時、被害者は解放された気持ちになるということだ。苦しみから解放されてほっとするというのは、被害者がマゾヒストではない何よりの証拠ではないか！

被害者は場合によってはかなり長い間、加害者のすることを受け入れている。だが、それは逆に被害者が活力にあふれているからだ。被害者は不可能なことに立ち向かい、このモラル・ハラスメント的な生活に意味を与えようとしているのだ。〈私のおかげで、この人は変わるだろう〉。被害者はそう思っている。これが活力にあふれた態度ではなくてなんであろう？

だが、被害者がそう考えるというのは、それはある意味で被害者の弱点でもある。被害者は自分の力にいくらかの不安を感じている。劣等感を持っていると言ってもよい。だからこそ、死者を生き返らせるようなこの不可能な仕事に身を投じるのだ。これは一種の挑戦である。被害者は強い人間で、また能力にも恵まれている。だが、そのことを自分に証明する必要を感じているのだ。被害者を惹きつける段階で、加害者はこの気持ちを利用する。その結果、被害者のほうは自分のしていることには価値があると感じるようになる。だが、そう思って——いつか自分の力で相手は変わるだろうと思って、加害者の言うなりになっていくと、これは大変危険なことになる。被害者の置かれた状況は本人の力ではどうすることもできず、状況が変わることは決してないからだ。いや、それどころか、状況はますます悪くなっていく。だが、被害者はそれに気づかず、あいかわらず努力をしつづける。しかも、その努力が実らず離婚を決心した時でも、相手を見捨てることに罪悪感さえ覚えるのだ。

だが、繰り返し言うが、それは決して被害者がマゾヒストだからではない。被害者は加害者と出会う前や別れたあとにはマゾヒスト的な傾向は示さない。はたして、そんなマゾヒストがいるものだろうか？

✣——被害者のためらい——私が悪かったのではないか

モラル・ハラスメントの加害者の攻撃は、相手の価値を引きさげたり、相手に罪悪感を持たせるといった形で行なわれることが多い。とりわけ、相手を不安にさせようと思ったら、罪悪感を持たせるのがいちばんである。たとえば、カフカの『審判』[35]では、主人公のヨーゼフ・Kはある過ちを犯したと言われて糾弾される。だが、Kにはそれがなんの過ちかわからない。その結果、自分が糾弾された理由を明らかにしようと、Kはいろいろと考えつづける。そうして、最後には自分自身の記憶を疑い、自分は自分ではないという結論を下すのである。

モラル・ハラスメントの加害者にとって理想の被害者とは、良心的で、罪悪感を持ちやすいタイプの人間である。つまり、すぐに自分が悪かったのではないかと考える人間だ。精神医学においてはこのタイプの人間はよく知られていて、たとえばドイツの精神科医であるテレンバッハ[36]によると、前うつ的な性格である〈メランコリー親和型〉に分類される。すなわち、仕事のうえでも社会的な人間関係のうえでも秩序を愛し、まわりの人々に献身的に奉仕し、他人からはあまり奉仕を受けないタイプの人間である。こうした性格から、このタイプの人々は普通の人よりも多くの仕事を引き受け、またそれを真面目にこなそうとする。その結果、もうこれ以上はできないところまでがんばってしまい、仕事に押しつぶされていると感じることも多い。

比較行動学者のボリス・シリュルニックは、このタイプの人間をさらに詳しく分析している。《メランコリックな性格を持つ人々は、感情に乏しい人々と結婚することが多い。そうすると、結婚相手は周囲の物事に心を動かされることなく、安定した気持ちで過ごす。その傾向はパートナー、つまりメランコリックな人間がすべての心配ごとを引き受けてくれるのでますます強くなる。いっぽうメランコリックな人間のほうは、日常生活全般に持っている罪悪感のせいで、嫌な仕事を含めて何から何まで引き受け、あらゆる問題を解決する。そうして、二十年ばかりそんなことを続けると、その犠牲的な生き方に疲れはてて、突然、泣きわめく。自分ばかりが嫌な役を押しつけられて、苦しめられたと相手を非難するのだ[37]》

前うつ的な性格の人間は相手に尽くすことによって愛を勝ちとり、また相手の役に立ったり、相手を喜ばせることに大きな満足感を覚える。もしそれがモラル・ハラスメントの被害者の性格だとすれば、加害者はまさにその点を利用するのである。

こういった人々——すなわちモラル・ハラスメントの被害者になるような人々は、相手から誤解されたり、相手とうまくやれないことに耐えられない。そこで、もしそんなことがあったと感じたら、それを取り返そうとする。また、何か問題が生じると、さらに努力を重ねてへとへとになるまで尽くし、それでもうまくいかないと、罪悪感を感じてますます尽くす。その結果、心底疲れはて、いっそう罪悪感を感じる。まさに悪循環だが、ともかく何かがあると、〈相手が満足しないのは自分がいけないのだ〉、〈相手が攻撃的になるのは自分がいけないのだ〉と考えるのである。この極端な罪悪感は失敗を恐れる気持ちからきている。こういったタイプの人々にとって、失敗や後悔は大きな苦しみを引き起こすからだ。

また、モラル・ハラスメントの被害者になるような人々は、それがたとえ根拠のないものであっても、他人からの非難に傷つきやすい。したがって、いつも自分のしたことを釈明しているのだが、加害者のほうはこの弱点をつき、被害者の心に疑いを持たせる。つまり、〈もしかしたら、自分は気がつかないうちに相手が非難するようなことをしていたのではないだろうか?〉と疑わせるのだ。仮に相手の言っていることに根拠がないように思えても、被害者は最後には自分のしたことに自信がなくなり、〈やはり自分が責任を引き受けるべきではないだろうか〉と思ってしまう。

加害者のほうは非難をいつでも外に向ける。被害者のほうは非難をいつでも自分に向ける。加害者と被害者の関係は〈非難〉を中心にして完璧な形で成り立っているのだ。

そういった関係のもとで、被害者は加害者の罪悪感を自分のなかに取りこんでしまう。加害者の視線や態度、言葉のなかに自分を攻撃するものがあれば、それが不当だと相手を非難するより前に自分を非難してしまうのだ。いっぽう加害者のほうはその〈変質的な〉ナルシシズムから、自分の罪悪感を被害者に押しつけてしまう。この場合、相手を非難するのに確かな事実をもとにしていなくてもかまわない。実際に起こった出来事については、加害者の言葉ひとつでどうにでもなってしまうからだ（つまり、実際にあったことがなかったことにされたり、なかったことがあったことにされたりする）。加害者のほうは平気で嘘をつき、被害者のほうも結局は納得させられてしまう。ちなみに、このことから被害者は自分がモラル・ハラスメントの被害にあっているとはっきり気づくようになると、精神的な暴力がふるわれたことを事実として確認できるように、〈手紙のコピーをとる〉、〈第三者にそばにいてもらってあとで証人にたてる〉、〈電話の内容を録音する〉など、防衛手段を講じることになる。実例の〈エリアーヌとピエールの場合〉のなかでエリアーヌがとった方法だが、これは正しい。

隠れた劣等感

さて、前にも少し触れたように、モラル・ハラスメントの被害者になるような人間には隠れた劣等感がある。この劣等感を被害者はほかのことによって埋めあわせているのだが、自分が過ちを犯したと感じると、その劣等感が表にあらわれる。だが、この劣等感は被害者をそのまま悲しみとか倦怠とかいった抑うつ状態にひきずりこむわけではない。被害者はむしろ、この劣等感から来る不安を解消しようとして、社会とつながりを持ち、まわりの人間に奉仕しようとする。それによって、劣等感を埋めあわせようとするのだ。だが、被害者は同時に罪悪感を持ちやすい。そこでまた劣等感が表にあらわれてきて、それを埋めあわせるために何かの活動に従事する。モラル・ハラスメントの被害者が活力にあふれているのはそのためである。これはすべて被害者の前うつ的（メランコリック）な性格から来ている。

こうしたことから被害者にとって、加害者との出会いはこの劣等感を埋めあわせるための格好の機会となる。イギリスの精神分析医、M・カーンは、ある専門誌のなかで、受動的な傾向にある前うつ的な女性がいかにモラル・ハラスメント的な関係に陥りやすいかについて、こう述べている。《被害者に対して、加害者はいつも自分の意志を押しつけているように見える。だが、実際にはその意志の押しつけは被害者の空想の領域で行なわれているように思える。被害者は相手の意志を受け入れたいという気持ちから、加害者が意志を押しつけてくることを要求し、それに同意するのだ[38]》。それはいわば知的ゲームのようにして始まる。これほど要求の多い相手に受け入れられるかどうか、被害者にとって、これは一種の挑戦なのである。被害者になるような人間、すなわちメランコリックな性格の人間は自分で感動をつくりだす。加害者との関係のなかに興奮を求め、何かを感じようとするのだ。そうして、難しいパートナーや難しい状況を相手にその困難を乗りきることで、自分を価値のあるものにしようとするのである。

モラル・ハラスメントの被害者になるような人間はメランコリックな部分を持っている人間である。それはいっぽうでは、子供時代に受けたトラウマに結びついている。また、いっぽうでは被害者の持つ並はずれた活力を生みだしている。だが、加害者は被害者のメランコリックな部分を攻撃するのではない。そこから来る〈活力にあふれる部分〉を攻撃するのだ。加害者は被害者の活力に注目し、それを自分のものにしようとするのである。

被害者は自分の劣等感をカバーするために、加害者に尽くし、自分を価値あるものにすることでナルシシズムを満足させようとする。その意味でこれは二つのナルシシズムの間の戦いだ。だが、被害者のほうはそのナルシシズムが相手に健康なナルシシズムを差しだすというマイナスの形で出てくるので、相手に怒りを感じても、まさにその怒りによって身動きすることができなくなる。このような状態では、その怒りは抑えつけられるか、自分自身にはね返ってくるものだからだ。

❖――活力にあふれる被害者

モラル・ハラスメントの被害者になるような人間は、誰から見ても喜びにあふれ、幸福そうに見える。そのため、人から羨望されることになりやすい。被害者になるような人間は何かを持っていることの喜びを隠せない。また、幸福を言葉や態度に表わさずにいることができない。だが、一般に私たちの社会では、そんなことはしないほうがいいとされている。そんなことをしたら、他人の羨望に身をさらすことになるからだ。

また、私たちの社会では平等ということに高い価値が置かれているため、意識していようとしていまいと、羨望というものは羨望される側が引き起こすと考える傾向にある（たとえば、レイプされたら、それはレイプされたほうが挑発的な格好をして、肉体的な魅力を見せつけていたせいだと考える）。こうしたことから、モラル・ハラスメントの加害者にとって理想の被害者とは、自分自身に自信が持てないせいで自分の長所を強調し、必要以上に自分をよく見せようと思っている人間だということになる。

つまり、被害者の持っている活力が加害者の標的となるのだ。

被害者のほうは誰かに与えることを欲している。加害者のほうは誰かから奪うことを欲している。また、被害者は罪悪感を持ちやすい傾向にあり、加害者は罪悪感を拒否する……。これはまさに理想的な関係である。

だが、この関係がうまくいくためには、被害者のほうがその任に堪えるだけの力を持っていなければならない。つまり、あとで譲るにしても、最初の段階でははっきりと抵抗しなければならない。最初から相手の言いなりになっていてはいけないのである。

✣――素直な性格だからこそ

モラル・ハラスメントの被害者は素直な性格で、人の言うことを信じやすい。相手が心底から破壊的な人間であるとは想像することもできず、なんとか相手の行動に論理的な説明を見つけようとし、もしそこに誤解があるなら、それを解こうとする。〈もし私がちゃんと説明したら、相手は理解して謝ってくれるにちがいない〉。そう考えるのだ。これは別に不思議なことではない。モラル・ハラスメントの加害者ではない人間にとって、誰かがそれほどの悪意をもって他人を操ろうとするなどとは考えられないことだからだ。

モラル・ハラスメントの加害者とは対照的に、被害者のほうは素直に相手の言葉を受け取り、そのうえで弁明しようとする。だが、素直な人間が警戒心の強い人間に心を開いたら、警戒心の強い人間のほうが権力を持つに決まっている。加害者のほうは被害者に心を開いたりはしない。攻撃を加えながら、ただ被害者を軽蔑するだけだ。いっぽう被害者のほうは、特に最初のうちは、加害者の行動に理解を示し、それに適応しようとする。もともと人を愛し、認める傾向にあることから、加害者を理解し、許そうとするのだ。「こんな行動をとるのはこの人が不幸なせいだ。私が安心させて、この状態から救いだしてあげよう」。母親が子供を守るように、被害者は加害者を助けてあげなければならないと感じる。「このかわいそうな人を理解できるのは自分だけなのだ！」そう思うのである。被害者は自分をなくしてまで相手に尽くそうとし、場合によってはそれが自分の使命だと考える。相手のすることはなんでも理解し、許し、かばおうとする。話しあえば必ず解決法が見つかると信じて、被害者は加害者に対する。だが、加害者は会話を拒否し、それこそいちばん効果的なやり方で被害者の試みを失敗させるのだ。被害者は相手が変わってくれて、パートナーである自分を苦しめていることを理解し、後悔してくれることを期待する。そして、またきちんと説明したり弁明したりすれば、二人の間の誤解が解けると期待する。だが、相手の事情や気持ちを理解したからと言って、すべてを耐えなければいけないわけではない。相手を理解することと相手の行為に耐えることとは別のことだ。被害者はそのことからはあえて目をそむけているのだ。

モラル・ハラスメントの加害者が自分のやり方をくずさないようにするのに対して、被害者のほうは意識するにせよ、しないにせよ、相手の要求を理解し、相手に合わせようとする。だが、加害者のほうは被害者のどの点をつけば罪悪感を持たせることができるのか、その点を捜している。ここで加害者が被害者に信頼される関係にある人物（父親や母親、配偶者、上司）であれば、攻撃はいっそう効果的に行なわれる。ただし、この場合、被害者が加害者を許したり、恨みを抱かなかったりすると——つまり加害者のすることを完全に受け入れてしまうと、被害者はある意味で力を持つことになる。加害者にとってはこの状態が許せない。というのも、それは被害者が「もうあなたとはこのゲームはしません」と言って、抵抗するのをやめてしまったということだからだ。完全に抵抗をやめるというのは、これはこれでひとつの力なのだ。加害者は欲求不満に陥る。また、戦いを拒否されたことによって、加害者の目には被害者が〈生きた非難〉のように映る。その結果、加害者は被害者をますます憎むようになるのである。

子供の頃のトラウマ

では、どうして被害者は相手の支配を簡単に受け入れてしまうのだろう？　それは子供の頃の経験によるものだと思われる。その経験が現在にも尾をひいて、権力を行使する相手から離れることができないのだ。確かにかなりひどい仕打ちを受けているのに、被害者が抵抗しないのは不思議である。被害者は相手との関係に苦しみ、自分の人生を放棄している。だが、それでもその関係にしがみつき、相手から捨てられることを恐れている。この関係から抜けだせば救われることはよくわかっているのに、被害者はそうしようとはしない。被害者はそれほど子供の頃に受けたトラウマから自由になれないのだ。

アリス・ミラーはその著書[39]のなかで「おまえのためだ」と言って子供を〈屈服〉させる抑圧的な教育について述べている。すなわち、子供の意志を破壊し、本物の感情や子供の創造性、感受性、反抗心を抑えつけてしまう教育だ。ミラーによると、このタイプの教育を受けた子供は大人になってからも誰かに隷属しやすくなる。モラル・ハラスメントの加害者のような個人に対してでも、あるいは宗教的なカルト集団、全体主義的な政党に対してでも、簡単に服従してしまうのだ。大人になって誰かにコントロールされるのは、子供の頃にその準備ができていたのである。

その反対に、抑圧的な雰囲気のなかで育ったとしても、言葉や怒りで親の仕打ちに反抗を示すことができた人間は、大人になってからもモラル・ハラスメントの加害者から身を守ることができるだろうと思われる。

また、モラル・ハラスメントの被害者は相手を理解しようとすると同時に、相手を見てもいる。また、被害者は非常に明晰な頭脳の持主なので、加害者の弱味や欠点を知ることができる。したがって、少し距離を置いて考えてみることさえできれば、被害者は自分の行動がいかに病的であったか理解できるようになる。実際、以前被害者であったある女性は、〈悪いのは相手のほうだ〉とわかった時、相手に対して自分を閉ざすことができたと言う。大切なのは自分が置かれている状況をはっきりと認識することだ。それができれば、〈私が優れていようといまいと、相手から憎しみを受けるいわれはない〉。そう考えることができるようになるのである。

だが、こうして被害者が事態をきちんと理解しはじめると、加害者にとって被害者は危険な存在になりはじめる。そうなったら、加害者は被害者を恐怖によって黙らせようとする。その結果として被害者にはどんな影響がもたらされるのか、また被害者がそこから救われるためにはどうすればよいのか、第3部ではそれについて述べることにしたい。

第3部
モラル・ハラスメントにどう対処すればよいか

ヒッチコックの映画やデヴィッド・マメット監督の『スペインの虜囚』(一九九七年)[40]のように、加害者と被害者の関係はいつも同じ経過をたどって展開する。被害者は最初、自分が操られていることに気がつかない。そして、暴力が激しくなってきた時に、外からの助けで真相が明らかになる。関係は被害者が相手の魅力に惹かれることから始まり、精神病的な、恐ろしく異常な行動で終わりを告げる。その間、加害者は確かに暴力の手がかりを残している。だが、それはすぐにはわからない。もっとあとになって、被害者が部分的に加害者の支配から逃れて、操られていたことを理解した時に初めて、「あれが手がかりだったのか」とわかるのだ。

私たちはこれまで、モラル・ハラスメントの最初の段階で被害者が身動きできない状態にされてしまうことを見てきた。この次の段階では、被害者は破壊されることになる。

第8章 支配されたことの影響

❖——睨みあいの段階

モラル・ハラスメントの加害者が被害者を〈支配している段階〉においては、はっきりした対立を避けるために、加害者も被害者も思いきった態度や行動を示さない。加害者のほうは対立が目に見える形にならないように、ただ間接的な攻撃を加えて、相手の精神状態を揺さぶるにとどめる。いっぽう被害者のほうは対立によって関係が壊れることを恐れて、加害者に抵抗しない。相手が決して譲らないとわかっているので、被害者は話しあいで問題を解決するのは不可能だと感じている。そうして、別れる危険を冒すよりは、むしろ相手に合わせることを選んでいる。その結果、二人の間には表だった衝突は起こらない。二人はただ〈睨みあい〉の状態を続けるのである。

こうして加害者と被害者が正面からぶつかるのを避ける結果、この段階では暴力は表面化しない。といっても、それはひそかに進行しているので、いつ表面化してもおかしくない状態にはなっている。

それはともかく、この〈睨みあいの段階〉では、関係は被害者の犠牲の上に成り立っている。被害者は暗黙のうちに加害者を認めてしまっている。自分の力で相手を変えて幸福にしてやりたいという利他的な幻想から、相手の支配下におかれることを受け入れてしまっているのだ。もちろん、それでも相手の冷たい態度に不満を抱くことはある。だが、その不満は「あの人は頭がいい」とか「子供にはいい親だ」などほかの部分を理想化することによって、被害者の心のなかで抑えつけられてしまう。

しかし、ここで被害者が相手の支配を受け入れてしまうと、二人の関係はそれで決まってしまうことになる。片方はだんだん落ちこんでいき、もう片方はますます権力をふるうようになっていくのだ。

✣——混乱——どうしたらいいのかわからない

相手の支配下におかれると、被害者は混乱する。相手に対してどう不満を抱いていいのかわからなくなり、まるで麻酔をかけられた人間のように、〈頭が空っぽになった〉とか、〈何も考えることができなくなった〉とか訴えるのだ。実際、被害者たちはよく、精神が衰えたとか、感情が乏しくなったとか、能力がなくなってきたとか、生きていても楽しくなくなったとか、何もする気が起こらなくなったとか言う。

また、この状態になると、相手のすることが不当だと感じていても、あまりに混乱しているのでどう行動していいかがわからなくなる。いや、これは無理もない。モラル・ハラスメントの加害者——〈自己愛的な変質者〉を前にしたら、それに対抗することはできないのだ。それができるのは同じレベルの〈自己愛的な変質者〉だけだ。それ以外の場合は、服従するよりほかに道はないのである。

こういった混乱状態に置かれていると、被害者は強いストレスを感じるようになる。心理学的に言うと、ストレスは、大きな不安にさらされて身動きができなくなった時、最大になる。被害者たちはよくこう言う。いちばん不安に感じるのは、はっきりした攻撃を受けることではない。たとえわずかでも自分に責任があるのかどうかわからない状況に置かれることだ、と……。だから、攻撃がはっきりした形を取ると、あるいは、自分が攻撃を受けているのだとわかると、被害者はむしろほっとする。

〈実例　ある被害者の言葉〉

あの人に何か言われると、私はきっとそれが正しいのだろう、私は頭がおかしくて、ヒステリーなんだろうと思うようになりました。そんなある日、あの人はいつものように冷たく憎しみをこめた口調で、おまえは馬鹿だ、なんにもできない、社会には必要のない人間だ、いっそのこと自殺したほうがいい、と言いました。ところが、部屋の戸口にたまたま隣の奥さんがいて、あの人はその奥さんには気づきませんでした。あの人の言葉を聞くと、奥さんは震えあがって、警察に訴えたほうがいいと忠告してくれました。それを聞いて、私はほっとしました。ようやく誰かにわかってもらえたのです。

この例を見れば、モラル・ハラスメントの被害者が事態をはっきり認識するのに、加害者に影響されていない第三者の存在がどれほど大切か、それがよくわかるだろう。被害者は加害者の支配下におかれているので、これほど激しい言葉の暴力でさえ暴力として認めることができず、加害者の言うことが正しいと思ってしまうのだ。

加害者の支配はそれほど大きく、また説明するのが難しい。というのも、それはまず加害者と被害者の心理的な境界が曖昧になり、ついには取り払われてしまうという形で起こるからだ。当事者同士もはっきりと意識しているわけではないので、その支配の実態が見えにくいのである。また、この〈支配の段階〉がどこで〈暴力の段階〉に転じるのか、その境界を見きわめるのも難しい。別れをきっかけにそれまで隠れていた暴力が表に出てくることもあれば、その前からふるわれていることもある。どこまでが相手を支配するための攻撃で、どこからが相手を破壊するための暴力なのか、はっきり線を引くことはできないのだ。また、その暴力も最初は取るに足らない形で始まるので、どこまで激しくなった時に被害者やまわりの人々が気づくようになるのか、それも一概には言えない。その時の状況やまわりとの関係によってさまざまに変わってくるからである。

だが、いずれにせよ、この心理的な戦いのなかで、被害者は〈実体〉を奪われ、自分が自分であることをあきらめていく。そうして、もしその間に相手と別れたり、あるいは精神病や自殺に追いこまれなければ、最後には生きているのか死んでいるのかわからない状態になる。そういった自分は、もはや自分から見ても価値のある存在とは思えない。だが、それは加害者から見ても同じで、そうなると、もう何も奪うことはできないという理由で、加害者は被害者を〈放りだす〉のである。

❖——罪悪感から抜けだせない

さて、それまで支配の陰に隠れていた暴力が表面にあらわれてくると、被害者は支配されていたことによってすでに精神的に衰弱しているだけに、この暴力に抵抗することができない。また、この暴力はまったく考えられないような形をとるので、被害者やそれをたまたま目にしたまわりの人々はこの光景を信じることができない。加害者の暴力はそれほど激しく、相手に対する思いやりを欠いたもので、モラル・ハラスメントの加害者——〈自己愛的な変質者〉でなければ、想像もできないようなものだからだ。「あんなことを言ったりしたら、きっと罪悪感とか悲しみとか後悔を感じるだろう」。誰もが思う。

だが、加害者はそういった感情を持ちあわせていない。その結果、被害者のほうは事態を理解することができず、ただ茫然とする。そうして、現実のほうを否定するのだ。「こんなことが起こるはずがない！　本当は何も起こらなかったのだ！」と……。

被害者は相手の暴力を感じている。だが、暴力があったことは認めていない。その結果、いくら考えても事態を把握することができず、どうしてそんなことが自分の身に起こったのか、その理由を捜そうとする。だが、そんなものは見つからない。そこで、だんだん自信を失い、苛々して攻撃的になったり、あるいはくどくどと考えこむようになる。「こんなふうにされるなんて、いったい私が何をしたというのだろう？」事態は被害者とは関係のないところで進行しているのに、それでも被害者は論理的な説明を求めようとする。加害者に向かってこう言うこともある。「私がどんな悪いことをしたのか言ってちょうだい。そうじゃなければ、うまくいくために私がどうすればいいのか教えてちょうだい」。だが、加害者のほうは必ずこう答える。「何も言うことはない。そういうものなんだ。要するに、きみは何もわかっていないということさ」。こうして被害者は、〈どうすることもできなくなる〉という最悪の宣告を下されるのだ。

暴力をふるった責任が相手にあると思った場合でも、被害者はその暴力を引き起こした原因は自分にあると考える。そうやって罪悪感はすべて自分ひとりで引き受け、加害者の罪を免除してしまうのだ。この関係から抜けだすのは難しい。暴力がふるわれだしたその初めから、被害者は何があっても罪悪感を持つようになっているからだ。そして、ひとたび自分が悪いという立場をとってしまうと、被害者はこの関係のなかで起こったことすべてに責任を感じるようになる。だが、被害者の持つ罪悪感は現実に起こったことには対応しない。被害者は加害者の罪悪感を取りこんでしまったのである。

そこでまわりの人々が被害者を支持してくれればよいが、まわりの人々はやはり加害者の影響を受けて混乱しているので、見当はずれのことを言いだし、乱暴なコメントや解釈を加えたりする。「そういうことはやめて、もっとこうしたほうがいいんじゃない？」、「そんなことをしたら火に油をそそぐようなものじゃないの」、「相手がそうなるのは、あなたが神経を逆なでにするからよ」……。そうなると、被害者の罪悪感はいっそう強くなる。

私たちの社会では、罪悪感を否定的に捉えている。弱気になってはいけない。人は強くなければならないのだ！〈火のないところに煙は立たない〉というように、人々は〈過ちのないところには罪悪感は生まれない〉と考える。こうしたことを背景に、加害者は被害者に罪悪感を抱かせ、まわりの人々にも被害者が悪いと思わせてしまうのである。

❖——ストレスの捌け口がない

相手の支配を受け入れると、被害者はたとえば、できるだけ相手に不満を抱かせないようにする、相手が苛々していたら気持ちを落ち着かせる、反抗しないように努める、などさまざまな形で気をつかい、その結果、いつも緊張していなければならなくなる。この緊張はストレスの原因になる。

ストレスが生みだされる状況になると、人間の身体は警戒態勢に入り、神経内分泌システムを通じてストレスに対抗するホルモン物質を生産する。これは最初、攻撃に対する適応の現象として起こる。したがって、ストレスが一時的なもので、それを感じている人間がうまくその状況をコントロールすることができれば、すべてはたちまち元どおりになる。しかし、ストレスにさらされる状態が続いたり、短い間に何度も繰り返されると、すでに適応能力の範囲は越えているのに、神経内分泌システムは活動を続け、ホルモン物質を大量に生産してしまう。すると、その人間には慢性的な障害が引き起こされることになる。

ストレスの最初の兆候は、不安や苛々など心の症状とともに、動悸や息切れ、圧迫感、疲労、睡眠障害、神経過敏、消化器官の変調、頭痛、腹痛など身体的な症状としても表われる。

また、このストレスに対する弱さは人によってもちがいがあって、そのちがいの原因はこれまで長い間、生物学的な遺伝によるものだと考えられていた。だが、現在ではむしろ環境的な要因が大きいということがわかっている。すなわち、人間は慢性的な攻撃にさらされていると、ストレスに対して弱くなってくるのである。また、性格的に言えば、衝動的な人ほどストレスを感じない。それは加害者がほかの人間を苦しませることによってストレスを解消しているからだ。たとえば、ベトナム戦争など激しい戦場から帰ってきて戦争神経症にならなかったのは、モラル・ハラスメントの加害者になるような人々だけである。

加害者は被害者にすべての責任を押しつけてしまうことによって、ストレスや苦しみから逃れる。いっぽう被害者のほうは事態を把握することができないので、逃げ道を見つけることができない。なにしろ、何もはっきりしたことはわからず、あることが言われたかと思うとすぐに反対のことが言われ、あたりまえだと考えていたことが否定されるのだ。状況に対応できないことに被害者は疲れ、そうなると暴力はますます激しくなり、それに消耗してついには自律神経失調症に陥ってしまう。

こういったストレスを引き起こす状態は長い間（数ヶ月、時には数年）も続くので、身体器官の抵抗力は完全に弱まってしまう。そうなったら、慢性的な不安から逃れることはできない。また、神経ホルモンの変調によって身体の調子もおかしくなってくる。

また、相手との関係で失敗が続くと、被害者は失望し、また今度も失敗するのではないかと先回りして考えてしまう。その結果、自分を守ろうとする試みは無駄に思え、さらにストレスがたまることになる。

こうした慢性的なストレスは恒常的な不安や危惧を引き起こす。被害者はいつも先行きを心配し、あれこれと考えてそこから抜けだすことができない。そうして、あらゆることを警戒して、つねに緊張するようになるのだ。

✥——恐怖にとらわれる

モラル・ハラスメントの加害者は、それに成功するかどうかはともかく、相手に暴力をふるわせて、それを蔑(さげす)みたいと思っている。

いっぽう被害者のほうは、相手の暴力に気づきはじめた段階になると、恐怖の感情を抱く。これは被害者たちがみんな言っていることだ。被害者たちはいつも警戒し、相手の視線に憎しみがこもっていないか、身体がこわばっていないか、口調が冷たくないかどうかを窺い、言葉には表わされない攻撃を探りだそうとする。また、自分が相手の期待どおりにふるまったかどうかを気にし、嘲弄されたり、傷つくようなことを言われたりしないかと恐れる。

こうして恐怖にとらわれてしまったら、被害者にとっては相手に服従するのも、また反抗するのも、ともに誤りである。相手に服従すれば、加害者にも、またまわりの人々にも、被害者になるために生まれてきた人間だと思われてしまう。また、相手に反抗すれば、その暴力性を指摘されて、関係が失敗したのは自分の責任にされてしまう。いや、それどころか、事実には関わりなく、うまくいかないことの原因はすべて押しつけられてしまうのだ。

そういったなかで、被害者は相手の暴力を避けるためにますます優しくなり、和解を求めようとする。そして、愛と優しさがあれば相手の憎しみはやわらぐだろうという幻想を抱く。だが、これも誤りだ。そんなことをしたら不幸が待っているだけである。というのも、この状態で被害者が優しくなるということは、相手よりも優位にたっていると見せつけることになるからだ。そうなれば、もちろん加害者はいっそう暴力的になるだけである。

その反対に、被害者が憎しみを見せれば、加害者は喜ぶことになる。それによって、加害者は自分の行為を正当化できることになるからだ。「こちらが相手を憎んでいるんじゃない。相手がこちらを憎んでいるのだ！」

✣——孤立無援

こういった攻撃に対して、被害者はまったくひとりで戦っているように感じる。とりわけ、相手の暴力が巧妙に、またひそやかにふるわれている段階では、誰かに理解してもらうこともできず、結局は孤立するしかない。

こんなことを、どうやったらうまく誰かに話せるだろう？　相手の攻撃は言語を絶するものなのだ。しかも、目には見えない。あの憎しみのこもった目を、ほのめかしや言葉には表われない態度で示される暴力を、どうやったら伝えることができるだろう？　そういった暴力を相手は人の見ている前ではふるわないというのに……。自分の身に起こっていることをはたして友人たちは想像することができるだろうか？　被害者は考える。だが、たとえまわりの人間が現実を知ったとしても、あまり被害者の役には立ってくれない。加害者を恐れて、本当に身近な人々でも距離を置こうとするからだ。誰もそんなことには関わりたくないのだ。

また、被害者は自分自身の感覚を疑っているので、大袈裟に感じていないかどうか確信が持てない。その結果、ほかの人たちが見ている前で暴力がふるわれても、かえって加害者を弁護してしまうことがある。自分の反応が過剰だと考え、これ以上、火に油を注がないように、攻撃を加えてくる相手を守るという矛盾した行動をとってしまうのだ。

第9章 より長期の影響

❖——暴力に気づいた時のショック

加害者の暴力をはっきり認めるようになると、被害者はショックを感じる。それまで、被害者は加害者をそれほど警戒していなかった。それどころか、相手を信頼しすぎていたきらいさえある。たとえばまわりの人間が、「あなたは少し相手の言いなりになりすぎるんじゃない？」とか、「あんな失礼なことを言わせておいて、少し甘すぎるんじゃない？」とか言っても、現実を見るのを拒否している。だが、ある日、突然、自分が相手の玩具（おもちゃ）であったことに気づくのだ。

それがわかると、被害者はまず傷つき、途方に暮れる。そうして、すべてが崩れさったかのように感じる。相手に支配されて準備もできていないところに、突然、加害者に暴力をふるわれていたことがわかるのだ。この思いがけない発見に、被害者は深い心的外傷（トラウマ）を負う。また、このショックには痛みと不安がともなう。激しい電気ショックを受けて、無理やり侵入を受けた感じ、たまっていたものがあふれて、身体が崩れてしまう感じ……。そういった感覚をある被害者は身体の痛みのようだと言って、こう描写する。「まるでナイフで刺されたみたいな感じでした」。あるいは、「あの人はとっても恐ろしい言葉を私に投げつけたんです。それを聞くと、私はリングに倒れているのにまだパンチを受けつづけているボクサーのように感じたものでした」

怒りを感じない被害者

だが、不思議なことに、こうして相手の暴力に気づいた被害者が別れることを決心しても、怒りを感じたり、相手に反抗したりすることはめったにない。本当なら怒りを感じることで初めて相手から自由になれるのだが、被害者はいまの相手のやり方が不当だと認識しても、正面から反抗することはできないのだ。怒りはもう少しあとの段階でわいてくる。だが、その段階でも、無意識に抑えられているため、それほど強い怒りではない。本当に怒りを感じて相手から自由になるためには、加害者の支配から完全に抜けださなければならないのだ。

また、これまで相手に操られていたのだと気づくと、被害者はまず騙されたと感じる。ちょうど詐欺の被害にあった時のようなものだ。騙されて、馬鹿にされ、利用されたと感じるのだ。そうして、しばらくしてから、自分は被害者であり、相手に弄ばれたのだと理解する。すると、自分が駄目な人間のように感じて、相手の思いどおりに行動してきたことを恥ずかしく思う。「もっと早くきちんとした対応をすべきだった。どうしてこんなことに気がつかなかったのだろう?」そう考えるのだ。

なにしろ、相手のためによかれと思って尽くしたことで、かえって暴力をふるわれることになってしまったのだ。恥の意識はそういったところから来る。

そうなると、被害者のなかには加害者に対して復讐したいと思う者も出てくる。だが、それよりは相手に自分のアイデンティティーを認めさせ、失われた権利を取り戻そうとすることのほうが多い。その結果、被害者はまず相手に謝罪を期待する。だが、もちろん加害者は謝ってはくれない。そのかわりに、かなりあとになって、モラル・ハラスメントに加担していたまわりの人から謝罪の言葉を受けることはある。だが、それだけでも被害者はずいぶん救われた気持ちになる。

✣——抑うつ状態に陥る

被害者は相手に支配されている段階ですでに弱っている。そこにもっとはっきりした形の暴力がふるわれるのだから、もはや耐えることはできない。人間の抵抗能力にはかぎりがあるので、被害者はだんだん元気がなくなり、疲れはててしまう。ストレスの強さに心や身体が適応することができなくなるのだ。被害者は代償不全（機能障害を補うために働いていた機能が破綻をきたすこと）に陥り、慢性的な障害に悩まされることになる。

被害者が精神分析医を訪れるようになるのはこの段階である。被害者は慢性的な不安や心身症の症状を訴え、抑うつ状態に陥っていることもある。また、被害者が衝動的な人間であった場合は肉体的な暴力をふるって、精神病院に入れられてしまうこともある。そうなると、加害者のほうは自分のモラル・ハラスメントを正当化することになる。

職場におけるモラル・ハラスメントの場合、被害者がこの代償不全の状態に陥っていることがわかると、精神科医は休職を勧める。だが、驚くべきことに、被害者がその助言を受け入れることはほとんどない。「もしここで休職したら、もっと状況は悪くなるでしょう。もっとひどいことをされるにちがいありません」。被害者は言う。それほど恐怖が被害者の心を支配しているのだ。

自殺を考える

抑うつ状態に陥ると、被害者は疲れて、元気がなく、自分が空っぽになったと感じる。そうして、なんに対しても興味が持てなくなり、考えることもできなければ、ほんの小さなことに集中することもできなくなる。自殺の考えが生まれるのはこの時だ。その危険は被害者が騙されていたとはっきり感じ、もうどうやっても自分の正当な権利は認められないと思った時にいちばん大きくなる。だが、思いあって暴力的な行為に出た時と同様、被害者が自殺をしたり、あるいは自殺未遂をすると、加害者のほうは相手が頭のおかしい弱い人間だったと確信を抱き、自分の行なったモラル・ハラスメントを正当化する。

相手を支配している段階では、加害者はすべてを知っていて物事を正しく判断できる全知全能の人間のようにふるまっている。それだけに騙されていたと知った時の被害者の幻滅は大きい。一般的に言って、抑うつ状態は大切な人が死んでしまったり、あるいはそういった人と別れたりした時に引き起こされる。だが、それだけとはかぎらない。相手に幻滅して、理想が崩れた時にも引き起こされるのだ。そうした時、人は自分が無力だと感じ、徒労感や敗北感を抱く。困難な状況や危険な状況が人を抑うつ状態に陥れるのではない。無力感や敗北感、罠にはまったという屈辱感が抑うつ状態を引き起こすのだ。

モラル・ハラスメント的な状況においては、被害者は相手とコミュニケーションをはかろうとする試みに何度も失敗したあと、絶え間のない攻撃に身動きすることができなくなり、恒常的な不安を抱くようになる。その結果、何もかもが心配で、どんなことに対しても先回りして恐れを抱き、向精神薬を大量に服用したりする。

被害者によっては、胃潰瘍や心臓血管の病気、皮膚病など、反応が身体に表われることもある。また、痩せて衰弱する人もいる。だが、それでも精神に傷を受けたせいで身体が変調をきたしているのだと気づかないと、ついにはアイデンティティが破壊されるところまでいってしまうこともある。心身症の障害は加害者の攻撃から直接引き起こされるわけではない。被害者が身動きすることができないという状態から来ているのだ。被害者が何をしてもそれはまちがっていて、起こったことはすべて被害者の責任になってしまう、その状態から抜けだせないことから来ているのである。

衝動的な暴力

また、加害者の挑発に乗って、はたから見ると過剰な反応を示してしまう被害者もいる。これは相手に自分の気持ちを理解してもらいたいという空しい試みなのだが、ほかの人の見ている前で泣きわめいたり、加害者に対して肉体的な暴力をふるってしまうのだ。そうなったら、加害者は自分の行為を正当化するだけだ。「ほら、言ったとおりだろう? この男は（女は）完全に頭がおかしいんだ！」

加害者のほうも相手を挑発するのに失敗すると、肉体的な暴力をふるうことがある。だが、挑発に乗った被害者が衝動的に暴力事件を引き起こす可能性のほうが高い。〈自己愛的な変質者〉——すなわちモラル・ハラスメントの加害者は相手のほうが悪いことを証明するために、自分に対して暴力をふるわさせることさえあるのだ。フランシス・ジロー監督の映画『見憶えのある他人』（一九九六年[41]）では、患者が精神分析医を操り、自分を殺させるように仕向ける。相手を悪い人間にするためにはどんなことでもしてしまうのだ。反対に、被害者の暴力が自分自身に向かうこともある。つまり自殺だ。ある状況においては、加害者から逃れるためにはもう自殺しか道が残されていないのである。

もうひとつ、被害者に対する影響で無視されがちなのは、トラウマから来る〈解離〉の現象である。[42]

これは人格の分裂とでも言うべきもので、DSM－IV（精神疾患の診断と統計マニュアル第四版）によると、意識や記憶、アイデンティティー、周囲に対する知覚に突然、混乱が現われる現象だ。この現象はトラウマを引き起こした出来事に対する恐れや、そこからもたらされた苦しみ、それに対する無力感から身を守るために起こる。その出来事は正常な感覚ではまったく受け入れられないものなので、それを歪めたり、あるいは意識から追い払ってしまうのである。これによって、経験は耐えられるものと耐えられないものに分けられ、耐えられないものは忘れられてしまうのだ。その結果、被害者は部分的に保護され、恐ろしい出来事から守られる。

だが、この解離の現象はモラル・ハラスメントの支配を強化し、状況をさらに困難にする。治療にあたってはこの点に気をつけなければならない。

❖――加害者との訣別

加害者の暴力がはっきりしてきた時、被害者は次の二つの行動のどちらかをとるしかない。

――そのまま支配を受け入れる。この場合、加害者は安心して相手を破壊する作業を続けることができる。

――反抗し、戦って、相手と別れる。

被害者の行動としては、もちろん二つめのほうが望ましい。だが、加害者の支配力があまりに強く、またあまりに長い間、その支配にさらされていると、被害者のなかには相手と別れることも、そのために戦うこともできなくなる人々が出てくる。といっても、こういった被害者も、不安が強くなったり、心身症の症状が表われてくると、精神科医や心理療法家（セラピスト）のところに相談に来ることがある。だが、状況を根本から考えなおしてみることは断固として拒否する（このタイプの被害者は、あまり苦しまないようにしながら現在の状況に耐え、相手に尽くすという役目を立派に果たしていきたいだけなのだ！）。その結果、治療の方法としては、長期にわたる心理療法より薬による療法を好む傾向にある。だが、抑うつ状態が続くと抗不安薬を服用しすぎることになるので、精神科医はもう一度、心理療法を勧めることになる。それによって被害者が自らの置かれている状況に気づき、加害者と別れる決心をすれば、それがいちばんいいことだからだ。モラル・ハラスメントが行なわれはじめたら、それを止める方法はひとつ、被害者が加害者と別れるしかないのだ。被害者を救うのは薬ではないのである。

ほかの人間にモラル・ハラスメントの暴力がふるわれているのを見たり、加害者に影響されていない第三者の助けを得て、被害者が自分の置かれた状況をはっきりと認識し、自分から別れる決心をすることもある。

だが、そう決心がついたとしても、被害者にはなおいっそうの苦しみが待っている。加害者のほうはなかなか別れることを認めようとしないからだ。この過程で、被害者は罪悪感に苦しみ、また、さらなる攻撃に苦しむことになる。というのも、〈自己愛的な変質者〉である加害者は、相手に見捨てられた被害者の立場に自分を置き、それを口実にして暴力を激化させるからだ。また、たとえ別れることを承諾したとしても、加害者は自分が損害を与えられたと感じているので、被害者が早く決着をつけたいと急いでいるのをいいことに、相手から最大の譲歩を引きだし、条件を有利にしようとすることもある。

夫婦の場合、もし二人の間に子供がいれば、相手を脅迫したり、圧力をかけたりするのに子供が利用されることもある。また、財産分割の問題で訴訟が起こされることもある。企業の場合は、たとえば、重要な書類を家に持ちかえったことを理由に、モラル・ハラスメントの被害者が訴えられることもある。

いずれにしろ、加害者はいつも自分が損害を受けたと思っている。そして、被害者はすべてを失うのである。

❖――その後の被害者

こうした努力のはてに、被害者が加害者と別れ、もう二度と加害者と接触を持たなくなったとしても、人生の一時期を〈モノ〉として扱われたというこの経験は被害者の心や身体に大きな影響を残す。この経験に結びついて、過去の思い出はもちろん、これから起こる新しい出来事もそれ以前とはまったくちがった意味を持つようになるからだ。

加害者と離れて暮らすことができるようになると、被害者は最初、ほっとする。「これでようやく息をつける」。そう思うのだ。ショックの段階は終わり、以前のようにまた仕事や趣味に対する興味がわいてきて、まわりの人々にも関心を示すようになる。だが、それも決して簡単にそうなるわけではない。被害者には嫌な思い出が残っているが、それがはっきりと意識されているものであればそれほど問題はない。だが、無意識に押しこめられていた嫌な記憶がその状況とともに、突然、脳裡によみがえってくることがあるのだ（これは比較的短期の間に受けた家族におけるモラル・ハラスメントの場合に起こりやすい）。多くの被害者はこの現象を経験し、だが、それに耐えている。

反対にそれを忘れようとすると、精神的、身体的な障害が遅れた形で表われることもある。これまでは、苦しみはまるで他人の心に存在していたかのように、あることはあっても被害者のところまでは到達しなかった。それがモラル・ハラスメントから解放されたいま、被害者のもとを訪れるのだ。

暴力の後遺症が比較的、時間をかけてゆっくりと表われることもある。この場合、被害者は正常に社会生活を続けることができ、表面的には傷跡が残っているようには見えない。しかし、あまり目につかないところでは恒常的な不安や慢性疲労、不眠、頭痛やそのほかの痛みなどとして表われたり、血圧の上昇や湿疹、胃潰瘍、十二指腸潰瘍など心身症的な症状になって表われることもある。また、過食症やアルコール依存症、薬物依存症などの依存症が引き起こされることもある。こういった症状に悩む人々がかかりつけの医者のもとに行くと、医者は心身症の薬か抗不安薬を処方する。だが、患者がモラル・ハラスメントを受けたことを話さないので、過去に受けた心の傷と現在の症状の間に関連が見つけられることはほとんどない。

モラル・ハラスメントの後遺症によって、自分でも抑制できないほど攻撃的になる被害者もいる。これは自分の身を守ることができなかった経験の遺物で、モラル・ハラスメントの被害にあったことで、攻撃性を調整する能力が低くなったからだと考えられる。

ところで、こういった症状は一括して、PTSD（Post Traumatic Stress Disorders 心的外傷後ストレス障害）のなかに入れることができる。そこでこのあとは、そのPTSDについて少し詳しく述べてみよう。

PTSD

これは災害などで恐ろしい目にあうと、その事件の恐怖がそのあとも続いて、いろいろな症状が表われてくるというもので、その症状は時には長い潜伏期をへて出てくることもある。DSM-IV（精神疾患の診断と統計マニュアル第四版）ではこれについていくつかの定義を下しているが、その定義は以前からヨーロッパで言われている外傷神経症の定義にほぼ一致する。[43] 外傷神経症の研究は第一次世界大戦後の戦争神経症の研究から発展し、ベトナム戦争のあとにはアメリカの医師たちによって研究されるようになった。そして、一九八〇年代になって、そこからさらに範囲を広げ、自然災害や人質事件の被害者、強姦事件の被害者などに表われる精神障害を説明するのに使われるようになった。最近では夫婦の間でふるわれた肉体的な暴力の被害者に関しても、このPTSDという言葉が使われている。[44]だが、モラル・ハラスメントの被害者に関連してこの言葉が使われることはめったにない。というのも、PTSDは自分や他人の安全が肉体的に脅かされた経験を持つ人々を対象としているからだ。だが、フランスの〈被害者学〉の専門家であるL・クロックは、脅迫や嫌がらせ、中傷を受けた人々は精神的な被害者であり、PTSDに悩まされる、とする。[45]というのも、こういった被害者は戦争の被害者と同様、絶えず自分の身を守らなければならないという激しい緊張状態にあったと考えられるからだ。

加害者からの攻撃やそれを受けた屈辱は被害者の記憶に刻みこまれ、その時のイメージや考え、感情があとになってからも再現される。同じような状況を見ると、突然、その記憶が姿を現わし、不眠症や悪夢に悩まされる。また、被害者たちは外傷を負った事件について話をする必要を感じるが、そうやって過去を思いおこすたびにその時の恐怖に相当する心身症的な症状が表われる。記憶力や集中力が欠けてくる被害者もいるし、時には拒食症や過食症になったり、アルコールや煙草の量が増加する被害者もいる。

より長期の影響としては、加害者に反抗した時の恐怖やトラウマを受けた状況の思い出が回避的な行動を引き起こすこともある。ストレスが生みだされた状況のことを考えないようにしたり、嫌な思い出がよみがえってきそうな状況を避けてしまうのである。こうして思い出の一部から逃れようとすることによって、被害者はこれまで大切に思っていた活動に興味を失ったり、感情が乏しくなることもある。

同時に自律神経がうまく働かなくなり、睡眠障害に陥って、まったく眠れなくなることもある。

どんな時でも嫌な状況が思い出されてしまうというこの症状は、ほとんどすべてのモラル・ハラスメントの被害者が経験している。だが、なかには仕事やボランティアなどに夢中になることで、この状態から抜けだす人々もいる。

被害を受けた経験は、時間がたっても忘れられることはない。だが、その影響は次第に小さくなっていく。十年後、二十年後になって、加害者の姿が頭にちらついてまだ苦しんでいるという被害者はまずいないと言ってよい。だが、そこで被害者がしあわせな人生を送っていたとしても、昔の嫌なことを思い出して、苦しみが心をよぎることはある。また、被害者は何年たっても、自分が受けた被害を少しでも思い出させる状況に直面すると、そこから逃げだしてしまう。これはトラウマのせいで、モラル・ハラスメント的な関係に対する嗅覚が鋭くなっているからだ。

支配から抜けだせない被害者

そのいっぽうで、モラル・ハラスメントの支配から抜けだせない被害者もいる。とりわけ企業においては、長期の休職をして症状が回復しても、職場の状況が変わっていないので、仕事を再開した時に同じことが繰り返される可能性が高い。症状が回復したので、被害者は再び会社で働きはじめる。だが、しばらくすると、また不安や不眠、暗い考えに悩まされるようになるのだ。被害者は落ちこみ、また休職し、回復して、また落ちこむという過程を繰り返す。これは被害者が会社を辞めるまで続く。

また、加害者とは完全に別れたのに、支配から抜けだせない被害者もいる。人生はトラウマを受けた時点で止まってしまったのだ。こういった被害者は活力がなくなり、生きる喜びを失って、自分からは何もできなくなる。そうして、見捨てられた、騙された、馬鹿にされたと嘆きつづける。性格的には怒りっぽく、とげとげしくなり、社会からは距離を置いて、いつもくどくどと不平を洩らす。そうなると、まわりの人間も次第に耐えられなくなって、「そんな昔のことは忘れて、ほかのことを考えたら」と言うようになる。そうなったら、被害者はますます落ちこむだけである。

謝罪を求める

だが、家族においても、企業においても、モラル・ハラスメントの被害者が相手に復讐しようと考えることはめったにない。被害者たちは完全に償いを受けるのは無理にしても、自分たちが耐えしのんだということを認めてもらいたいのだ。もちろん、企業においては金銭的補償がなされることもある。だが、それで被害者の心が救われるわけではない。被害者が本当に望んでいるのは加害者から謝罪の言葉を聞くことなのだ。しかし、モラル・ハラスメントの加害者に後悔を期待するのは、所詮、無理な話である。加害者にとって、他人の苦しみなどはどうでもいいことだからだ。もし後悔や謝罪の言葉が聞けるとしたら、それは加害者に操られてモラル・ハラスメントに加担したまわりの人々からだ。そういった人々から謝罪の言葉を聞くと、それだけでも被害者は誇りを取り戻して、救われた気分になるのである。

第10章 被害者へのアドバイス——家族における場合

モラル・ハラスメントの加害者と関わってしまったら、その経験から得るところは何もない。せいぜい、自分自身のことがいくらかわかるようになるくらいである。

相手の攻撃から身を守ろうとする時、被害者はいっそのこと相手と同じことをしてやろうかという誘惑に駆られる。だが、それはやめたほうがいい。被害者になっているということは、相手よりもモラル・ハラスメント的ではないということだからだ。加害者と被害者の位置が逆転することは考えられない。加害者とまったく同じ武器を使うことは勧められない。たったひとつの方法は、相手と別れることである。夫婦の場合であれば、法律に頼ってでも離婚をしたほうがいい。

❖——モラル・ハラスメントであると認識する

被害者がまず最初にしなければならないことは、加害者によって責任がすべて自分に押しつけられていたことに気づくことである。それから、自分が感じている罪悪感はとりあえず脇において、この問題を冷静に分析してみることだ。そのためには、相手に寛容になりたいという自分の理想を捨て、自分が愛している（あるいは、かつて愛した）相手は性格的に障害を持った危険な人物だと認識して、何があっても自分の身を守らなければならないと考えをあらためる必要がある。また、子供が被害を受けそうな場合は、親がどんな人物が危険なのか子供に教え、直接的、間接的にモラル・ハラスメントの行為をおこなうような人物を指し示してやらなければならない。だが、そういった人物が近親者である場合は、これはそれほど簡単ではない。

被害者は加害者の支配から抜けださないかぎり、身を守ることはできない。また、加害者にどんな感情を抱いていたとしても（あるいはいまでも抱いているとしても）、加害者が自分にとって危険で、悪意のある存在だと認める必要がある。

もし被害者が相手の挑発に乗っていかなければ、加害者はいっそう暴力を激化させ、その結果、大きな過失を犯す可能性もある。たとえば、モラル・ハラスメント的な攻撃を使わず、肉体的な暴力をふるってしまう……。すなわち、加害者は自分が仕掛けた罠に自分ではまってしまうのだ。いっぽう被害者のほうは、そうなるように持っていくことが大切である。といっても、これは相手と同じ方法を使うということではない。それはどんなことがあっても避けなければならない。加害者の目的は、相手を堕落させ、自分と同じような〈変質者〉にしてしまうことである。したがって、相手に勝つためには方法はひとつしかない。それは相手と同じにならないこと、相手と同じ攻撃をする人間にならないことである。だが、そうはいっても、相手のやり方をよく知って、攻撃から身をかわすことは大切である。

加害者から非難された時に、弁明をする必要もない。モラル・ハラスメントを受けた被害者は、いつも加害者に弁明をしつづける。相手の言葉は嘘と悪意に満ちている。それを考えれば、弁明したくなる気持ちはよくわかる。だが、そんなことをしても、泥沼にはまるだけだ。あげあしを取られたり、ミスをつかれたり、あるいは善意までねじ曲げられて、結局はあらたな攻撃の材料に使われてしまうからだ。

モラル・ハラスメントの標的になった瞬間から、すべては相手に利用される。いちばんいいのは黙っていることである。

また、モラル・ハラスメントの加害者は相手の言ったことはまちがいだと思っているので、何を言っても疑いを抱く。時には相手の言葉を悪意に解釈したり、嘘ばかりつくと相手を責めることもある。加害者にとって人が嘘をつかないというのは、それこそ信じられないことなのである。

こうしたことを考えれば、被害者は相手と話しあったり、弁明したりしようとはしないほうがいい。もし相手と話す必要があれば、第三者を仲介にたてるべきだ。どうしても直接、言葉をかわさなければならない時は、どう対応するか時間をかけてゆっくりと考えてみることである。

別れたあとで、電話を通じてモラル・ハラスメントが続けられる場合は、電話番号を変えるか、相手の電話番号を登録してそこからかかってきた電話は受けないようにすることもできる。手紙が来た場合には、ほかの人がいる時に開封するようにしたほうがいい。その手紙にはおそらく非難や嫌がらせなど、客観的な視点を欠いたさまざまな毒が含まれているはずなので、誰もいないところでそれを読むと、被害者はまた動揺してしまうことになりかねないからだ。

✣——相手と対立する

加害者に支配されていたせいで、被害者はそれまで相手とうまくやろうと努めすぎていたところがある。したがって、モラル・ハラスメントの被害から身を守ろうと思ったら、ここは対応の仕方を変え、対立を恐れず断固とした態度で臨む必要がある。被害者の態度が突然変わると、最初のうち加害者は攻撃を激化させ、ますます挑発してくるようになる。そうやって、相手に罪悪感を持たせようとするのだ。

「きみには同情心というものがないのか？」、「きみみたいな人間とは話をすることができない」。そんなことを言ってくる。

だが、ここでためらってはいけない。被害者は身動きできない状態から抜けだし、相手との間に対立を引き起こさなければならないのだ。自分のほうから対立を引き起こしたことによって、被害者はむしろ加害者のように見えるかもしれない。しかし、そんなことを恐れてはいけない。状況を変えるためには、被害者が行動に出るしかないのだ。対立は支配から抜けだすきっかけとなって、被害者に活力を取り戻させる。事態を解決するためには――少なくとも改善するためには、相手と対立しなければならないのだ。その時期が遅くなれば遅くなるほど、支配から抜けだすためには激しい対立が必要になる。そのことは頭に入れておいたほうがいい。

❖――信頼できる人を見きわめる

被害者は相手に対して心理的に抵抗しなければならない。だが、それをするには誰かの支えが必要になる。だが、逆に言えば、どんな状況にあろうと、たったひとりでも被害者を支持してくれる人間がいれば、被害者は自信を取り戻すものなのだ。といっても、家族や友人、あるいは仲裁に入ろうとする人間の助言には注意したほうがいい。というのも、そういった人々は自分自身、加害者に影響されている可能性がある。したがって、中立的な立場で助言をしているとはかぎらないからだ。ちなみにモラル・ハラスメントの被害を受けると、まわりの人間のうち誰が本当に信頼できるのかわかることが多い。たとえば、身近に思っていたある人々はその人たち自身が加害者に操られていて、被害者の言うことを疑い、逆に非難したりする。また、状況がまったくわからない人々はこの問題に関わろうとせず、逃げるうとそばにいてくれる人々だ。何があろうと、自分自身でいることができる人々である。ことを選ぶ。そういったなかで、本当に信頼できる人々は、被害者を裁くことなく、いつでも役に立と

❖——法律に訴える

モラル・ハラスメントの状況から逃れようと思ったら、いちばんいいのは相手との接触を断つことである。二人がまだ結婚しているのなら、被害者は加害者と離婚するしかない。だが、第1章でも述べたように、加害者は相手が自分から離れていくことを認めないので、離婚をしようと思ったら、法律に頼らざるを得なくなる場合も出てくる（実際、モラル・ハラスメントの加害者と離婚する場合は訴訟になることが多い。加害者のほうから離婚を持ちかけた場合もそうである！）。だが、これは被害者にとっては両刃の剣でもある。特に被害者から離婚を言いだした場合には、罪悪感を感じて、相手に対して寛大になってしまうことがあるからだ。しかし、外部の機関を利用することによって、被害者が初めて起こったことを明らかにし、相手に対して「ノー」と言えるということもある。その意味では、法律に頼ることは決して悪いことではない。

といっても、法的な判断はあくまでも証拠をもとにして行なわれる。もし相手に殴られたのだったら、身体にはその跡が残るだろう。その状態で被害者が暴力をふるったのだとしたら、正当防衛と見なされる。だが、侮辱されて傷つけられたという訴えはなかなか聞いてもらえない。何があったか、証明するのが難しいからだ。

そこで夫婦の場合、もし加害者である配偶者と別れようと思ったら、攻撃が加えられたことを証言してくれる第三者を見つけておく必要がある。また、モラル・ハラスメントがあったことを証明できるよ

うな手紙や書きつけは大事に取っておかなければならない。悪口や中傷、冷淡な態度などは、もしそれが証明されれば離婚の理由となる。

いっぽう恋人からモラル・ハラスメントを受けている場合は、法律を利用して相手と別れることはできない。その場合は、相手が何か犯罪行為をおかしていないかどうか捜すしかない。たとえば、電話による嫌がらせ……。これは軽犯罪である。被害者はその電話がどこからかかってきたのか検事に要請して探知してもらうことができる。そうして、相手から嫌がらせの電話がかかってきたことを証明できれば、なんらかの法的措置が取ってもらえることになる。これは離婚したあとに元の配偶者につきまとわれている場合も同じである。

さて、モラル・ハラスメントに対抗するために、被害者が肉体的な暴力をふるっていたりすると、被害者は法に訴えるのをためらうことがある。だが、この場合もむやみに恐れる必要はない。相手から侮辱を受けたといった理由があれば、被害者の罪は免除されるからだ。被害者の暴力には理由があったと、裁判所は認めてくれるのである。といっても、この場合もやはり、その事実を証明するのは難しいことが多い。したがって、被害者は相手から侮辱を受けたという証拠をしっかり集めておく必要がある。

そういったことを考えてみると、法律に訴えるのもそれほど簡単なことではない。それにまた裁判所の判事たちも、モラル・ハラスメントを理由とした離婚訴訟に消極的な態度を見せることが多い。というのも、まず第一に、判事たちにはどちらが本当の加害者でどちらが本当の被害者かよくわからないからだ（加害者のほうが訴訟を起こすこともあるので、見分けがつかないのである）。第二には、そのどちらかわからない本当の加害者に自分たちが操られることを恐れて、非常に慎重になるからだ。その結果、判事たちは裁判よりも当事者同士を和解させることに重点を置き、比較的時間のかかる調停を勧める傾向にある。だが、そういった措置を取ると、加害者は調停者を巧みに操り、すべての責任を被害者に押しつけてしまうことになる。法律に訴える前に行なわれていたことと同じことがここでも繰り返されるのだ。モラル・ハラスメントの加害者と本物の対話が行なえると思うのは幻想である。加害者はいつでも巧妙に立ちまわり、調停者を利用して自分のほうに有利な条件を引きだしてしまう。そのくらいは簡単なことなのだ。だが、和解調停はどちらかいっぽうを犠牲にして行なわれるべきものではない。被害者はもう十分に辛抱してきた。このうえさらに譲歩ができるとは考えるべきではない。

加害者が直接的、間接的に被害者を挑発して、自分に都合のよい反応を引きだすのを防ぎ、さらなる攻撃から被害者を守るためには、裁判所が厳しい命令を下し、当事者同士の接触を禁止する必要がある。方法はそれしかない。そうすれば、加害者は別の被害者を見つけようとし、現在の被害者に対する攻撃はあきらめるだろう。

また、二人の間に子供がいて、加害者がその子供を利用してモラル・ハラスメントを続けている場合は、被害者はまず自分が身を守ることによって子供をモラル・ハラスメント的な関係から保護する必要がある。その場合、子供の意向は無視することになってもやむを得ない。子供は状況が変化しないことを望むものなので、たとえば、片方の親に会えなくなるのを嫌がるかもしれない。だが、それはしかたのないことなのだ。子供との関係を通じてモラル・ハラスメントが再燃するのを防ぐためには、加害者と子供が接触することを禁止するしかない。それは裁判所の仕事である。

第11章 被害者へのアドバイス――職場における場合

✣――モラル・ハラスメントであると認識する

まず何よりも大切なことは、自分がモラル・ハラスメントの被害を受けているのだと認識し、できることならその過程を分析してみることである。たとえば、ひとり、あるいは数人の人間から敵意のある態度を示され、比較的長期にわたって人間性を踏みつけにされて、誇りを傷つけられていると感じたことはないだろうか？　もしそうなら、それはモラル・ハラスメントである。

それに気づいたら、泥沼にはまりこむ前にできるだけ早く行動を起こすことだ。いったん泥沼にはまりこんだら、被害者が会社を辞めるしかない。

また、その時から、挑発や攻撃だと感じたものは書きとめておくことが大切である。家族におけるモラル・ハラスメント同様、被害にあったことを証明するのは難しいことだからだ。

手紙やメモ、ファックスなど、相手の侮辱や中傷を証明するようなものは、保存しておくか、コピーをとっておくとよい。

証人になってくれそうな人間を確保しておくのも大切である。といっても、残念なことに、モラル・

ハラスメントが行なわれる状況では、同僚たちは加害者の報復を恐れて被害にあっている人間から距離を置くことが多い。加害者はひとりの人間を標的にするので、そのほかの人々はおとなしくして、目立たないようにする傾向にあるのだ。だが、そこであきらめてはいけない。たったひとりでも証言してくれる人がいれば、被害者の申し立ては認められる可能性が高くなる。

❖――企業のなかに助力を求めよ

モラル・ハラスメントに対してまだ十分戦うだけの余地が残されていると判断した場合は、企業のなかに助力を求めるべきである。企業で働く人間は解雇の勧告を受けてからでないと行動を起こさないことが多い。このやり方はあまり賢明ではない。というのも、解雇の勧告が行なわれた時には事態はかなり悪化していて、モラル・ハラスメントに関わっていない上司が介入しようとしても効果は発揮できないからだ。モラル・ハラスメントと戦うならば、もっと早い段階で行動を起こすべきである。自分の部署の上司に助力を求められない場合は、ほかの部署の上司に相談してもよい。

そういった相談相手が見つかれば、その人間に早めに助力を求めていくことでモラル・ハラスメントの被害は未然に防ぐことができる。だが、いったんモラル・ハラスメントが定着してしまったら、そういった相談相手を見つけるのは難しいと考えたほうがいい。

したがって、モラル・ハラスメントが始まってしまったら、まず〈人的資源部長〉（人事部とは別に社員の人間的な問題を解決する役職）に相談すべきである。かなり大きな企業であれば、最近ではそういった肩書きを持つ管理職が増えてきている。だが、残念なことに、せっかく〈人的資源部長〉の肩書きを持っていても、実質的には人事部長と同じことをしている場合も多い。その場合は、〈人的資源部長〉

は社員の成績を査定したり、どの部署にどういった人間を配置すれば効果があがるかということだけを考え、社員の人間関係のトラブルにはあまり関心を払ってくれない。企業では誰もが結果を求められる。それは〈人的資源部長〉も同じである。具体的な数字に関係する仕事がほかにあるのに、直接数字に結びつかない人間関係のトラブルにどうして時間を割けよう?　もしそういう状態であれば、〈人的資源部長〉は解決に乗りださないどころか、興味も示してくれない。

そうなったら、あとは産業医（企業から依頼を受けて、社員の健康管理をする医師）に相談するしかない。産業医はまず被害者から話を聞いて、問題をはっきりさせることに役立ってくれる。それから、職場の状況を確認して、もしそこでモラル・ハラスメントが行なわれているようであれば、事の重大性を認識するようにと、ほかの社員や企業の幹部に話してくれる。だが、それができるためには、その医師が企業から信頼されていて、また当事者同士をよく知っている必要がある。また、たいていの場合、モラル・ハラスメントの被害者は医師に相談するのが遅きに失する感がある。その段階では被害者の精神はかなり不安定になっているので、医師としても薬を処方するか、休職を勧めるしかない。ちなみに、被害者の相談を受けるのは医師にとっても軽く扱えるような問題ではない。医師の言葉によっては、被害者の人生に重大な影響がもたらされることがあるからだ。いっぽう被害者からすると、医師に相談するのをためらう者が多い。医師もまた企業に雇われている身であることをよく知っているからだ。企業に雇われている医師がはたして、モラル・ハラスメントを行なっている企業から——あるいはそれを大目に見ている企業から自由である得るのか、そのことに確信が持てないのである。

❖——休職

加害者と対等に戦って自分の身を守るためには、まず精神状態を良好に保っておく必要がある。第3章ですでに見てきたように、モラル・ハラスメントの最初の過程は被害者の精神を不安定にさせることにあるからだ。したがって、被害者のほうは精神科医や心理療法家（セラピスト）に相談して、相手から身を守るだけの力を補充しておかなければならない。また、ストレスをやわらげ、健康に有害な影響が出ないようにするには、休職しか方法がない場合もある。だが、医師が休職を勧めても、被害者の多くはそれを拒否する。そんなことをしたら状況が悪化するのではないかと心配して、そのまま頑張ろうとするのだ。しかし、被害者が抑うつ状態に陥っているのであれば、抗不安薬や抗抑うつ薬などの薬を飲んで、しばらく休むことが必要である。仕事を再開するのは、完全に身を守れる状態になってからだ。そのため、この休職は数ヶ月かそれ以上に及ぶこともある。場合によっては〈長期療養休暇〉の適用を受けることもある。いずれにしろ、精神科医や国民健康保険公庫の顧問医は被害者を保護し、休職の問題を調整する味方になってくれる。といっても、休職や復職の判断は医師にとっても難しい。

〈実例　医師による休職の判断〉

①ある被害者がモラル・ハラスメントによって抑うつ状態に陥った。医師は被害者が休職するように手続きをとった。だが、加害者や企業にとってはそのほうが都合がよかった。そのため、被害者が復職する意向を告げた時、企業はもう少し休職期間を延長したほうがいいと勧告した。医師はこの問題は被害者と企業の間で解決したほうがいいと言って、その勧告を拒否した。被害者は仕事を

再開し、もっと休んでいればいいのにと非難された。

②別の被害者は数ヶ月にわたって会社の経営者からモラル・ハラスメントの被害を受けていた。被害者は抑うつ状態になり、会社を休職した。その後、被害者は何度か復職したが、そのたびに抑うつ状態に陥った。仕事を再開するたびに、経営者のモラル・ハラスメントがひどくなったからだ。たまりかねて、被害者は訴えることにした。労働裁判所の裁定を恐れて、経営者は補償金を支払って解雇することを認めた。しかし、その手続きを取るのは引き延ばした。被害者はあいかわらず休職状態にあるものの、その病状はよくなっている。医師は悩んだ。はたして、職場に復帰させて退職の日まで働かせるべきだろうか？　裁定の責任者である国民健康保険公庫の顧問医は、職場に復帰させるべきではないという決定を下した。退職の日まで休職期間を延長し、被害者を守ったほうがいいと判断したのである。

❖——冷静さを保つ

モラル・ハラスメントにおいては、相手を挑発して怒らせたり、混乱を引き起こしたりして、ミスを誘うという方法が取られる。被害者はこれに対抗する方法を身につけなければならない。こういった状況では相手に反抗して対立を招くよりも、相手の言いなりになって服従するほうが問題が少ない。といっても、本当に服従してしまったのでは話にならない。大切なのは相手の挑発に乗らないことだ。相手の言葉の裏にひそむ攻撃には無関心を装い、微笑みを浮かべてユーモアのある答えをする。だが、決して皮肉な調子にはならないこと……。被害者にはそう助言したい。いつも冷静さを保って、相手の攻撃の罠にはまらないことが大切なのだ。言いたいことは言わせておけばよい。自分のほうは決して苛立たず、身を守る準備として、何を言われたか書きとめておくのだ。

また、相手に仕事上のミスをつかれないように、その点には注意をしておく必要がある。モラル・ハラスメントを行なっているのが上司ではないにしても、被害者のすることは加害者に注目されている。少しでもミスを犯したり、仕事がおくれたりすれば、たちまち攻撃の材料として加害者に利用される恐れがある。

そういったことからすれば、持ち物の管理にも気をつけたほうがいい。大切なものが入った引きだしにはいつも鍵をかけておく必要があるし、仕事用の手帳や大切な書類は、たとえ昼食に行くだけでも一緒に持ってでることをお勧めする。もちろん、被害妄想だと言われることを恐れて、被害者はこういったことをするのを嫌がる。だが、状況がもう取り返しのつかない状態になってから労働裁判所に提出する書類を準備するのでは遅すぎるのだ。

加害者の言葉に影響されて自分を見失わないようにするために、被害者は自分の心にフィルターを設ける必要もある。心のなかに一定の枠を設定して、常識的に考えて不当だと思われる言葉はまともに受け取らないようにするのだ。そうすれば、被害者は現実的な感覚を失わずにすむ。また、相手がほのめかしを使って攻撃してくる場合は、言われたことだけを受け取り、必要なら相手の言葉の意味を問いただして、ほのめかしの部分は無視することも大切である。

さて、こういった方法で加害者に対抗するためには、前にも述べたように、被害者はあくまでも冷静さを保っていなければならない。加害者の挑発に乗らないこと——被害者はそれを学ばなければならないのだ。といっても、どちらかと言うと衝動的な人間が被害者に選ばれている場合は、相手の攻撃に反応しないでいることは難しい。だが、被害者はこのパターンから抜けだし、気持ちを落ち着けて、自分の時が来るのを待つ必要がある。自分はまちがったことはしていないと自分に自信を持ち、自分はいつか理解されると確信を持つことがまず何よりも大切なことである。

✣——行動する

家族におけるモラル・ハラスメントの場合は、相手の支配から抜けだすために弁明するのをやめることが大切だと述べた。だが、企業におけるモラル・ハラスメントの場合は、あとできちんと弁明できるように、しっかりした態度で臨む必要がある。すなわち、相手の命令や指示に曖昧なところがあったら、あとからの攻撃を見越して、不正確な点や疑問に思った点を明確にしておくのだ。疑問に思った点があったら、はっきりと説明してもらわなければならない。そこでもし相手が拒否したら、書留の手紙で説明を求めることもためらってはいけない。こういった手紙はあとで訴訟が起こった時に、相手が対話を拒否したという有力な証拠になる。そんなことをすると被害妄想だと言われることになるかもしれないが、それは覚悟の上だ。ミスをしたと言われるよりは、警戒のしすぎだと思われたほうがいいのである。相手の思うままにはさせないということを加害者に知らせて、逆に加害者を不安に思わせることができたら、それは決して悪いことではない。

一般に、被害者は自分ではもう解決の方法が見つからなくなって、解雇を恐れるか、辞表を出さなければならない事態に直面した時、初めて労働組合か従業員代表のところに赴く。だが、モラル・ハラスメントの状況が労働組合の知るところとなったら、会社を辞めるか否かの二者択一の問題になることを覚悟する必要がある。労働組合の仕事は雇用に関するトラブルを扱うことだからだ。したがって、加害者との間に調停に入ってもらうことは期待できない。労働組合の役割は話を聞いて調停に入ることではなく、経営者に対して労働者の権利を要求することなのである。

さて、解雇に先立つ話しあいでは、フランスの法律は解雇を予告された従業員が同席者を選ぶことを認めている。これはもしその企業に労働組合があれば、その労働組合の代表でもいいし、そうでなければ〈雇用問題相談員〉でもいい。〈雇用問題相談員〉とは社外の労働組合員で、中小企業の賃金労働者の権利を守るために無料で相談に乗ってくれる。県庁や市役所に行けば相談員のリストがあるので、それを参照すればいい。いずれにせよ、話しあいに臨むためには、信頼がおけて、モラル・ハラスメントの加害者に影響されていない人物を同席者に選ぶことが大切である。

また、話しあいの結果、簡単に辞職をすることは、加害者の勝利を意味する。もし自分の身を守るために辞職しかほかに道がないのであれば、被害者はしかるべき条件のもとに会社を辞めるべきである。

仕事上のミスなどがなく、解雇に正当な理由がない場合でも、雇用者は〈性格の不一致〉を理由に解雇を行なうことができる。これは証拠となる事実を集めるのが難しく、また労働裁判所に却下されることが多いので、実際に使われることはあまりない——特にその従業員が長年会社に勤めているのであればなおさらである。だが、職場の人間を総動員して、誰もがその人物に不満を抱いていると証明できれば、そういったことも可能である。この方法は雇用者自身がモラル・ハラスメントの加害者で被害者を解雇しようとする場合にも使えるし、逆に被害者の訴えによって雇用者が加害者を解雇しようとする場合にも使うことができる。

だが、いずれにせよ、モラル・ハラスメントが起こった責任は雇用者側にある。したがって、この問題を解決するのは本来ならば雇用者でなければならない。といっても、雇用者がモラル・ハラスメントの加害者である場合はもちろん、そうではなくても、事態を改善するのは難しい。それにまた、話しあいを重ねてもモラル・ハラスメントがやまない場合、雇用者のほうから和解案を示してくることはめったにない。それは労働組合か弁護士の助けを借りて、被害者がすることになる。

❖——法律に訴える

モラル・ハラスメントの場合

フランスにはモラル・ハラスメントを抑制する法律はない。したがって、軽罪裁判所に訴えて、雇用者の責任を追求するのは難しい。また、仮にそれができたとしても、この方法は長く、時間がかかる。

といっても、モラル・ハラスメントに関係するような法律がまったくないわけではない。そこで、まずフランスや外国の事情を見てみよう。たとえば、国連で採択された〈犯罪及び権力濫用の犠牲者に対する公正基本原則に関する宣言〉の付帯決議。この決議によると、〈権力濫用の犠牲者〉とは次のように定義されている。《ここで言う〈犠牲者〉とは、個人、あるいは集団によって、国内法には触れないものの、国際的な基準に照らして人権を冒すような行為、あるいはそれを見過ごす行為をされて、肉体、あるいは精神に損害を受け、精神的に苦しんだり、物質的な被害をこうむったり、基本的人権を重大に冒された人物を指す》

これはまさにモラル・ハラスメントの被害者である。本当ならこの決議に従って、こういった犠牲者（被害者）を守る法律がフランスにもあればよいのだが、残念ながら、労働法のなかにそういった条項はない。ただ、雇用者の懲戒権について述べた法律の注釈のなかに、その可能性が示唆されているだけである。だが、それもモラル・ハラスメントというはっきりとした言葉ではなく、〈不品行〉という非常に曖昧な言葉で示されているにすぎない。《原則的に従業員が不品行な行ないをしても、それが私生活の問題であれば、解雇の理由とはならない。しかし、非難されたその行為がその企業において障害となる場合はこのかぎりではない。ある従業員がその企業の女子従業員に対して淫らな行為を繰り返したとしたら、それは重大な過失として解雇の理由になる》

これに対して、外国ではもう少しモラル・ハラスメントに対する法律が整備されているように思われる。たとえば、スウェーデンでは一九九三年から企業におけるモラル・ハラスメントが犯罪として認められるようになった。そういった動きはドイツやアメリカ、イタリアやオーストラリアでも見られる。また、スイスでは私企業に関しても職場の保健衛生と従業員の健康を守るための連邦法が施行され、従業員及び女子従業員の人格を守る義務を述べた法律の条項（第三百二十八条）にこう書かれている。《従業員の健康を守るよう職場の状況を改善し、従業員の肉体的、精神的な健康を保証するために、雇用者はあらゆる方策を取る義務がある。（中略）ハラスメントに対する戦いはこの方策のなかに含まれる。ハラスメントはそれを受けた人間の肉体的、精神的な健康を損なう危険があるからである》

これに比べたら、さきほどから述べているように、フランスの現状はかなり遅れていると言わざるを得ない。しかしながら、もしモラル・ハラスメントの加害者がその企業の経営者で、社員のひとりを標的にして恐怖に陥れているのであれば――ましてやそこに肉体的、性的な暴力が加わっているのであれば、法律を用いてその行為をやめさせるべきである。こういった経営者は社員に対して直接、立ち向かう勇気のない人間だ。もしそうなら、司法に対してはなおさら立ち向かう勇気があるとは思えない。司法が介入すれば、たちまち恐怖にとらわれて、補償金つきの解雇を認めるだろう。夫婦の場合とはちがって、モラル・ハラスメントが企業で行なわれた場合（とりわけ、経営者自身が加害者であった場合）、加害者は裁判に関わるのが怖いのだ。裁判が行なわれれば、自分が悪意のある行動をしてきたことが白日のもとにさらされるからだ。加害者はまず脅しをかけることによって被害者を黙らせようとし、それができなければ、補償金つきの解雇を認める。そうして、自分のほうは反抗的な社員から迷惑をこうむった被害者の顔をしようとするのである。

モラル・ハラスメントの行為は有害な影響力を持ち、またそれを抑制するのは難しい。もしこれに対して、個人や企業が有効な解決策を見つけられないようであれば、セクシュアル・ハラスメントに対して行なったのと同じように、それを防ぐ法律を制定する必要があると思われる。

なお、私の知っているかぎりでは、モラル・ハラスメントの被害者を援助する団体はひとつしかない。AVFT（働く女性にふるわれた暴力に反対するヨーロッパ協会）である。これは職場における性差別や性的な暴力の被害者をサポートする団体であるが、被害者の性別は問わない。

セクシュアル・ハラスメントの場合

セクシュアル・ハラスメントはフランスでは一九九二年から労働法によって処罰の対象となった。これによって、セクシュアル・ハラスメントの被害を受けたり、あるいはそれを拒否した社員が社内で処罰を受けたり、解雇されたりすることは法律で禁止された。

だが、労働法の第二十一条（いわゆるセクシュアル・ハラスメント防止法）を見ると、法律の条項はセクシュアル・ハラスメントのなかでも権力の濫用によるものにしか触れていない。《雇用者、あるいはその企業の代表者、あるいはほかの人間が与えられた権力を濫用して、命令や脅迫、強制など、その他あらゆる種類の圧力を加え、自分や第三者のために性的な利益を引きだそうとした時、こういったハラスメントを受けたり、あるいは受けるのを拒否した従業員がそれを理由に処罰されたり、解雇されることはない》

これを見ればわかるとおり、法の制定者はセクシュアル・ハラスメントのうち、対価型のもの（命令や脅迫、強制によって性的利益をひきだそうとするもの）しか禁じていないのだ。だが、この形のタイプの暴力はわざわざ社内の上下関係や解雇の脅迫と関連づけなくても、本来、抑止されるべきものである。セクシュアル・ハラスメントを防止するのであれば、もっとほかのタイプのものにも目を向ける必要がある。

また、このようにせっかく法律ができていても、フランスではセクシュアル・ハラスメントの訴訟を起こすのが非常に難しい。被害者はそれほど多くの抵抗や妨害に出会うのだ。たとえ証拠のあるれっきとしたセクシュアル・ハラスメントであっても、まともには取り扱ってもらえない。ひと昔前の性暴力がそうであったように、警察や憲兵隊（警察とは別系統の治安組織）に訴えても、それが受理されないことがあるのだ。仮に受理されても、今度は検事が起訴してくれないこともある。その結果、事件がそのままうやむやになってしまうことも珍しくはないのである。

だが、セクシュアル・ハラスメントの問題は世界的な規模で広がっている。日本ではその独特の商習慣から、たとえ女性管理職であってもバーや高級レストラン、ノーパン・クラブ（ウエートレスがミニスカートの下に何もはいていないバー）で得意先を接待することがあるが、その日本でもセクシュアル・ハラスメントに関する訴訟は増えている。職場の男女平等に関する新しい法律（改正雇用機会均等法）が施行される一九九九年の四月からはさらにその傾向が強まるだろう。また、アメリカではセクシュアル・ハラスメントに関する訴訟が過剰と言ってもいいほどに行なわれていて、私たちはその行きすぎをよく批判している。だが、そんなふうに考えていたら、被害は広まるばかりである。アメリカの行きすぎを批判する前に、私たちは職場での個人の尊厳を大切にする風潮をつくり、セクシュアル・ハラスメントに対する予防措置を講じるべきではないだろうか？

✤――予防措置

モラル・ハラスメントは対話が不可能になって、被害者の言葉が相手に聞いてもらえなくなった時に始まる。したがって、モラル・ハラスメントを防ぐには、対話を復活させ、本物のコミュニケーションを打ちたてることが大切である。この意味で産業医は重要な役割を担っている。産業医は企業の上層決定機関とともに解決の道を探るための主導権を持つことができるからだ。従業員が五十人を越える企業にはCHSCT（衛生、安全及び労働条件委員会）があるので、産業医はその場を利用して、労働監督官、企業の幹部、従業員代表とともにこの問題に介入することができる。だが、残念なことに、こういった決定機関では、肉体的な危険や労働基準の遵守にポイントがおかれ、モラル・ハラスメントの問題が話しあわれることはほとんどない。

モラル・ハラスメントの被害を防ぐためには、企業の経営者を教育して、収益性ばかりではなく人間性を大切にすることも考えてもらう必要がある。そのためには、心理学者はもちろん、被害者学を学んだ精神科医を講師にたて、メタ・コミュニケーション、すなわちコミュニケーションに関するコミュニケーションを学んでもらわなければならない。それを学ぶことによって、経営者は被害者のどんなところが加害者の標的になるのかを理解し、また、被害者が感じていることを加害者にわからせることができる。そうなったら、モラル・ハラスメントは未然に防げるようになるだろう。いったんモラル・ハラスメントが始まってしまってからでは、もう遅すぎるのだ。また、労働組合の責任者は解雇があった時に補償金を取りつける交渉は上手だが、人間関係の調整を行なうのはあまり得意ではない。もしそうなら、労働組合の責任者に対しても教育を行なって、人間関係を調整する方法を学んでもらう必要がある。雇用する側のほうは、社内に〈人的資源部〉を設けて、解雇の問題だけではなく、モラル・ハラスメントの問題に介入するための教育を始めているところもあるのだ。

また、できることなら社内の規則や労働協約のなかにモラル・ハラスメントの被害から社員を守る条項がつけ加えられるのが望ましい。同様に、労働に関するフランスの法律のなかに、モラル・ハラスメントを裁くための厳しい条項が設けられることも望まれる。

もうひとつ、モラル・ハラスメントを防ぐには、被害者やほかの従業員、企業から情報が出されることが大切である。職場ではつねにモラル・ハラスメントが発生する危険があって、それは決して珍しいものではなく、また防ぐことができるということを一般の人々に知らせる必要があるのだ。そのためにはメディアの果たす役割も重要である。

人間の問題を解決できるのは人間だけである。もしこのモラル・ハラスメントの状況を助長したり、大目に見たりすれば、それは広まるばかりだろう。企業から失われた人間性を取り戻すのは経営者の仕事なのである。

第12章 被害者の救済

どうやって回復するか

これまで見てきたように、モラル・ハラスメントの暴力は陰険なやり方で被害者にしのびよる……。被害者は自分が支配されているのに気づくのが難しく、だが、それに気づくことによって身を守ることができる。といっても、それは被害者だけの力でできることではない。場合によっては、心理療法の助けを借りることも必要になってくる。一般的に言って、誰かに誇りを傷つけられたとしたら、それは精神的な暴力を受けたと考えてよい。被害者の誤りは、それが限度を越えていることに気づかず、自分を大切にする気持ちを失ってしまうことである。いや、その反対に、被害者はまるでスポンジのように相手の攻撃を吸収してしまう……。したがって、被害者にとっては、自分に受け入れられることと受け入れられないことをはっきりさせ、それによってまた自分がどんな人間であるかを理解することが大切になる。

心理療法の選択

モラル・ハラスメントの被害から抜けだすために、被害者が最初にしなければならないことは、どんな心理療法を受けるのか、その選択をすることである。再びモラル・ハラスメントの過程に巻きこまれて落ちこまないようにするためには、それに対する必要な知識を得て、心がまえをしっかりさせておくことが必要だからだ。もしどんな方法を選んでよいかわからなかったら、精神科医か臨床心理士に相談するとよい。というのも、現状ではいろいろな種類の新しい療法がたくさんあって、できるだけ早く回復させるとその効果を謳っているからだ（だが、その効能は新興宗教の効能に近い）。いずれにしろ、もしその療法に本当に効果があるなら、それは患者を自分自身に向かわせるようなものになる——それは避けられない。適当な精神科医や臨床心理士が見つからなかったら、信頼できる人間に尋ねてみるか、かかりつけの医師に相談するというのもひとつの方法である。そこで助言を受けたら、幾人かの心理療法家（セラピスト）を訪ねるのをためらってはいけない。いろいろと見てまわったうえで、いちばん信頼のおけそうなセラピストを選ぶことが大切である。まず信頼感を持てるかどうか確かめ、それから自分を助けてくれるためにそのセラピストにどんなことができるか、その能力を判断すればよいのだ。

いっぽうそのセラピストが精神分析医であった場合、そちらの立場から言えば、ナルシシズムを傷つけられた患者に対して、いわゆる好意的中立（患者に対して中立性を保たなければならないという分析家の態度）から来る冷淡な態度は望ましくない。フロイトの弟子であり、友人でもあった精神分析医のフェレンツィは、心的外傷（トラウマ）とそれを分析する技法に関してはフロイトに反対し、一九三二年にこう書いている。《精神分析の現場で患者に対してそういった冷たく、職業的で偽善的なよそよそしい態度を示すと、患者は自分の殻に閉じこもってしまう。分析家の態度に患者が感じるものは、以前——つまり子供の頃に感じて患者を病気に追いやってしまったものと本質的にちがわない。それを患者は全身で感じるのである[46]》。セラピストが冷たく沈黙を守っていると、モラル・ハラスメントの被害者は加害者からコミュニケーションを拒否された状況を思い出し、治療の現場でもう一度傷ついてしまうのだ。

モラル・ハラスメントの被害者の救済を考えることは、私たち精神分析医にとっても、これまでの知識や治療の方法を問題にするきっかけとなる。私たちは全知全能の立場にたつのではなく、もっと被害者の立場にたつ必要があるのだ。私たちはこれまでの理論に頼らず、確信的な態度を捨て、時にはフロイトの学説を疑うことも辞さずに、柔軟に考えることを学ばなければならない。といっても、現在、治療の現場にいる多くの分析医はトラウマの現実に関するフロイトの説には従っていない。たとえば、C・ダミアーニはこう書いている。《被害者に適用される分析の技法は、〈心的現実〉と〈事実の現実〉を考慮に入れて、もう一度定義しなおす必要がある。客観化できるような現実よりも心的葛藤を優位におくことは、精神分析医たちが現実のトラウマやその心的な結果をおろそかにすることを意味する[47]》。

精神分析医をはじめとするセラピストはもっと柔軟な姿勢を示し、患者に対してより好意的で、またより積極的で刺激的な療法を編みだす必要がある。モラル・ハラスメントの被害者が支配から抜けだしていない状態では、型どおりの精神分析療法では患者の不満が残ることになり、被害者を助けることはできない。そこできちんとした治療が行なえなければ、被害者はたとえある支配から抜けだしたとしても、また別の支配を受けてしまうことになる。

モラル・ハラスメントであることを明らかにする

治療にあたっては、被害者が外からの攻撃によってトラウマを負っていることをセラピストがあらかじめ知っておくことが大切である。被害者は過去の関係を話すことに困難を感じる場合が多い。というのも、ひとつには嫌な出来事は忘れたいと思っているからであり、もうひとつには自分で言おうとしていることが自分でもまだ信じられないからである。被害者が話をするには時間がかかる。被害者はセラピストに支えられて、ようやく起こったことを少しずつ言葉にしていくことができるのだ。ここでセラピストが被害者の話を信じないようだと、被害者は今度はセラピストから精神的な暴力をふるわれることになる。また、セラピストが黙っていることは加害者の共犯になるのと同じことである。実際、モラル・ハラスメントの被害を受けた患者はセラピストの態度に不満を持って、こう言うことがある。「せっかく話をしようとしても、セラピストは聞いてくれず、自分に興味があるのは子供の頃にどんなトラウマを負ったことがあるかで、今度の出来事でどんな精神的な暴力をふるわれたかではないと言うんです」

また、セラピストは被害者が経験したのはモラル・ハラスメントであることを明らかにする必要がある。それが明らかになれば、被害者はもう同じことを繰り返したりはしない。その反対に現実を否認する態度や罪悪感から抜けだすことができるのだ。加害者の曖昧な言葉や言葉以外の態度による重圧から被害者を解放してやること——被害者が自由になるためにはそれが大切である。そのためにも、セラピストは被害者が自分の心の力に自信を取り戻せるようにしてやらなければならない。自分が行なっている治療の理論がどうあれ、セラピストはまずそういった理論からある程度自由になって、治療においては医師も患者も自由であることを患者に伝えなければならない。それによって初めて、被害者は支配の影響から抜けだすことができるのである。

モラル・ハラスメントにしろ、セクシュアル・ハラスメントにしろ、それがどういう文脈で起こったかを考慮に入れなければ、被害者を治療することはできない。したがって、セラピストはまず加害者がどんなふうに攻撃をしてきたのか、被害者がきちんと思い出して、はっきりと言葉にする手伝いをしなければならない。それから、そういった攻撃に専門的な意味を与えるのを避けて、それがモラル・ハラスメントであることを明らかにする必要がある。そしてまた、被害者本人に自分のもろさから来たものと、外部の攻撃によってもたらされたものを区別させて気づかせなければならない。こうして被害者に自分が経験したのはモラル・ハラスメントであることを認識させるいっぽう、自分はまだ加害者の支配下にいることを認識させる必要もある。加害者がどんな方法を用いて自分をモラル・ハラスメント的な関係に導いたか、それがわかれば被害者はもう加害者に惹かれることもないし、また加害者に同情することもなくなるのである。

また、被害者に怒りを口にするよう要求することも大切である。相手に支配されていたせいで、それまで被害者の怒りは抑えつけられ、口に出すどころか、それを感じることもできなかった。それを表に出してやるのである。もし被害者が何も言えないようなら、言葉にするのを手伝ってやる必要もある。

最初にモラル・ハラスメント的な状況から抜けだす

モラル・ハラスメントの被害者の治療を始めるのであれば、まず最初にすることは、どうしてそんな状況になってしまったのかを知ろうとすることではない。どうやったら、そこから抜けだすことができるか、その方法を考えることである。

セラピストは少なくとも最初のうちは被害者を励まし、被害者が恐怖や罪悪感から抜けだす手伝いをしなければならない。被害者はセラピストが自分のためにそこにいてくれ、自分の苦しみに無関心ではないと感じる必要がある。逆に言えば、そう思わせることがセラピストの役目なのだ。被害者を励まし、被害者の心のなかで傷ついていない部分を補強してやることによって、被害者はかなり自信を取り戻し、自分にとって嫌なことを拒否できるようになる。また、それができるようになれば、加害者に対しても「ノー」と言えるようになるのだ。

自分がモラル・ハラスメントの被害を受けていたのだとわかれば、被害者は加害者の攻撃について学んだことをもとに過去の出来事をふりかえることができる。その結果、相手の言葉や態度をまちがって解釈していたことに気づくだろう。また、〈解離〉の現象によって記憶から遠ざけていたことで、それが起こった時にはよくわからないまま忘れていたさまざまな出来事を思い出し、その出来事がモラル・ハラスメントという文脈のなかで理解できるようになる。被害者はいまは勇気を持って、その時の加害者の言葉や状況の意味を考えてみることができるのだ。被害者はもともと相手のしたい放題、言いたい放題にさせているのは自分にとってもよくないのではないかと思っていることが多い。だが、その時には世のなかにはそんなひどい人間がいるとは想像もできなかったので、相手の支配に屈していたのだ。それがモラル・ハラスメントの過程をはっきりと認識することで、加害者に対して批判を加えることができるようになるのである。

罪悪感から逃れる

被害者は自分がモラル・ハラスメントを受ける状況に陥ってしまったことで、罪悪感を感じている場合が多い。被害者が相手の支配から脱しきれていない以上、これはしかたのないことだ。「あんな攻撃を受けるなんて、私のどこがいけなかったんだろう？」そう被害者は自問している。加害者が「きみは精神病だ」といった攻撃を加えていた場合は、なおさら自分を責める気持ちは強くなっている。だが、被害者は加害者が言った意味で精神に変調をきたしているわけではない。いま治療を受けているのは加害者に「精神病だ」と言われたためではなく、また、加害者との生活をうまくやっていくためでもない。被害者本人のためなのだ。そのことをはっきりさせる必要がある。こういったことから、治療にあたっては、どんなことがあっても被害者の罪悪感を強めるようなことがあってはならない。モラル・ハラスメントを受ける状況に陥ってしまったことは、被害者の責任ではない。被害者はただ、その状況を自分のものとして受け入れる必要があるだけなのだ。

アメリカのセラピスト、D・スピーゲルはモラル・ハラスメントの加害者には従来の心理療法をそのまま行なうべきではないとして、次のように書いている。《伝統的な心理療法では、自分の人生の問題についてできるだけ多くの責任を引き受けるよう患者に助言してきた。だが、それはまちがっている。本来なら医師は、トラウマに対して自分には責任がないと患者が思えるよう手助けをしてやらなければならないのである[48]》。罪悪感から抜けだすことができれば、患者は相手の苦しみを苦しむのではなく、自分の苦しみを取り戻すことができる。被害者の責任について言及するのは、その苦しみが遠ざかり、患者の心の状態が回復してからでなければならない。その段階で初めて、セラピストは被害者の個人史に立ち戻り、被害者がどうしてこのような危険な関係に足を踏み入れてしまったのか、どうして被害者は身を守ることができなかったか、被害者本人が理解できるように導いていくのである。こういった質問に答えられるようにするには、被害者はまずモラル・ハラスメントの状況から生還しなければならないのだ。

被害者の過去のトラウマにさかのぼって、心という装置だけを問題にする心理療法では、モラル・ハラスメント的な状況が生まれた責任を加害者よりは被害者に押しつけることになる。そうなると、被害者はいっそう抑うつ感や罪悪感に浸ることに満足し、同じことを何度でも繰り返すようになる――そういった結果しかもたらされない。被害者が現在苦しんでいる状況を過去のトラウマとだけ関係づけて説明するのは危険である。そういうことになったら、被害者にとって、現在の不幸は自分のせいだということになってしまうからだ。それなのに、一部の精神分析医は加害者が他人を平気で傷つけることのできる人間であることを無視し、被害者に対してどんなひどいことをしてもその行動には言及しない。そればかりか、被害者にとってトラウマを負った経験がどれほど重大なことであったのか考えてみようともせず、ただ何度でも同じことを繰り返すそのやり方だけを皮肉な口調で指摘する……。被害者がどれほど傷ついているかを無視することによって、そういった医師たちは精神分析理論の名に隠れてあらためて被害者を辱め、モラル・ハラスメントを受けた責任を被害者に押しつけてしまっているのだ。また、被害者の態度をマゾヒズムと関連させて、被害者が積極的に失敗や苦しみを求め、攻撃を受けて満足していたのではないかと考えることも、被害者に責任を負わせることにつながる。だが、こういった医師たちは、被害者には責任がなかったとは考えず、むしろ被害者でいることに居心地のよさを感じていると言うのだ。

加害者の理屈がそうであったように、理論や理屈というのは――たとえいくつかの点では受け入れられるところがあっても――被害者にとっては有害である。それは被害者の人間性を無視しているからだ。まちがいなく言えることはただひとつ、モラル・ハラスメントによって被害者はあらたなトラウマに苦しんでいるということだけである。ほかのトラウマと同じように、このトラウマはまさにその苦しみと結びついて固着する恐れがある。そうなったら、被害者はこのトラウマから自由になることはできない。

被害者はそのことばかり考えるようになる。特に被害者が誰にも話を聞いてもらえず、ひとりぼっちでいればなおさらである。そこでもし被害者が同じことを繰り返すのを〈満足〉という言葉で解釈するなら、被害者は同じトラウマを何度でも経験することになるだろう。そういった例はあまりにも多く見られる。大切なのはまず被害者の心の傷を手当てすることである。理屈で説明して根本的な原因を取り除こうとするのはもっとあと——被害者が考える力を取り戻してからだ。

モラル・ハラスメントの攻撃を受けて、被害者は屈辱を味わっている。そんな被害者の気持ちに共感せず、ましてや被害者を暖かく迎えいれることもしないで、ただ理論ばかりを口にする精神分析医に、はたして被害者は相談に行こうと思うだろうか？

苦しみから抜けだす

被害者は子供の頃に目に見えない暴力を受けて、誰かの支配を受け入れ、その影響がずっと続いている人間である。こういった人々を治療する難しさはそこにある。被害者はほかの関係の作り方を知らないだけなのだが、第三者の目には自分からその苦しみにしがみついているような印象を与えてしまうことがあるからだ。精神分析医が被害者の行動をマゾヒズムに結びつけて解釈してしまうことがあるのはそのためだ。F・ルスタンは言う。《分析によって苦しみや孤独の源は明らかにされたかのように見える。だが、患者はそれが大切な宝ものであるかのように自分の苦しみに固執し、その苦しみから抜けだすことは自分のアイデンティティーを放棄することだといった態度を示す[49]》。これは被害者の苦しみがその苦しみのなかで作られた人間関係と深く結びついているからである。もしその関係が被害者の人間形成と不可分のものであれば、被害者はその関係によって生じた苦しみを手放すことはできない。それは被害者が自分にとって大切な関係を断ち切り、その関係によって結びついていた人々を捨て去ることになるからだ。したがって、被害者は苦しみに愛着しているのではない（もしそうなら、それはマゾヒズムと言える）。そうではなく、自分が初めて誰かと人間関係を結んだその状況に愛着しているのだ。

被害者が子供の頃の出来事に固執し、それを加害者との関係のなかで再現しているのだとわかったとしても、あまり早い段階でそういったことに被害者の注意を向けるべきではない。加害者は本能的に被害者の子供の頃のトラウマを察知し、それを足がかりにして攻撃を仕掛けてきたのだ。被害者の目をそちらのほうに向けてしまえば、被害者はモラル・ハラスメントを受けたことに対して、いっそう罪悪感を感じてしまうだろう。治療が始まったばかりの段階では、現在の状況と過去に受けた心の傷の間には関係があると、ただそれだけ指摘しておけばよい。詳しく説明するのは、被害者がモラル・ハラスメントの支配から脱し、病的な罪悪感を持つことなく、自分の責任をしっかりと受け止められるようになるまで待つべきである。

さて、被害者の心のなかには嫌な思い出が突然、侵入してくるということがある。その場合、被害者はいわば同じトラウマを繰り返して経験することになる。この嫌な思い出に結びついた不安を避けるために、被害者は自分の感情をコントロールしようとする。だが、被害者がもう一度人生を生きなおすためには、この不安を受け入れ、それが簡単には消えないと知る必要がある。そのためにはそれまで自分に抱いてきたイメージを捨て、もっと力を抜き、自分が無力であることを受け入れなければならない。それができれば、被害者は苦しみもまた誇りを持つに足る自分自身の一部であると認め、自分の傷を真正面から見つめることができる。そうなったら、もう嘆く必要も、自分のもろい部分の裏に隠れる必要もなくなるだろう。

被害者が自信を取り戻せば、自分が受けた暴力やその時の自分の反応を思い出し、その状況をあらためて考えてみることができる。相手の攻撃のなかで自分がどんな役割を果たしてしまったのか、相手にどんな武器を提供してしまったのか理解できるようになる。そうなったら、もはや思い出から逃れる必要はなくなる。被害者は新しい視点で物事を見ることができるようになるのである。

回復する

回復とは自分のなかのばらばらになった部分をひとつにし、つながりを取り戻すことだ。心理療法の仕事は被害者に対して、〈自分は被害者になるように生まれついたのではない〉という自覚を持たせることである。被害者が自分のなかのしっかりした部分を前面に出していけば、支配されている間、加害者に押えられていたマゾヒズム的な部分は（それがあったらの話だが）、ひとりでに姿を消していく。ポール・リクールは回復の作業は記憶の領域で始まり、忘却の領域に続くと書いている。[50] リクールによれば、被害者はいろいろなことを覚えすぎていたり、屈辱を受けた思い出につきまとわれて苦しむことがある。そうかと思うと、記憶が欠落して、自分の過去がどこかに消えてしまうことに悩むこともある。そういったことがなくなってくるのだ。

被害者は自分の苦しみを認め、心の傷を正面から見すえなければならない。それによって初めて、未来への展望が開けてくるのだ。

加害者の支配から自由になった被害者はそれまでとはちがった人間になる（これを見ても被害者がマゾヒストでないことはわかる）。それはもちろん、モラル・ハラスメントという辛い体験から貴重な教訓を学んだからだ。実際、被害者は自分の独立を守ることを学ぶ。また、言葉の暴力から身をかわすことを学び、誇りを傷つけられるのを拒否することを学ぶ……。ある人間が全体的にマゾヒストであることはあり得ない。加害者はただ被害者のマゾヒストであるかもしれない部分に足がかりを見つけただけなのだ。もしどこかの精神分析医が被害者は苦しみを受けたことに満足していると言うなら、その分析医はあまりにも問題を単純化しすぎている。人間はただひとつの心理現象ではない。さまざまな心理現象が関連したひとつのシステムなのだ。

トラウマを経験したことによって、被害者は人格をつくりなおし、外部の世界とそれまでとはちがった関係を打ちたてる。トラウマは確かに被害者の心に消えない傷跡を残すだろう。だが、被害者はその上にたって、自分の世界を再構築することができるのだ。この辛い体験は被害者が自分を変革する絶好の機会となることが多い。被害者はもっと強く、もっとしたたかになってこの辛い状態から抜けだし、そこでようやく、他人から尊重される人間であろうと決意することができるのだ。残酷に扱われた人間は自分の無力さを認めることによって、その無力さのなかから将来に向けての新しい力を汲みだすことができる。フロイトの弟子であったフェレンツィは、《激しい苦悩は隠れていた才能を呼びさますことがある》と書いている。すなわち、ちょうど真空になった部分に空気が入りこんでくるように、モラル・ハラスメントの加害者によって空っぽにされてしまった部分に新しいエネルギーが入ってくるのだ。フェレンツィはこうも書いている。《知性は通常の苦しみから生まれるものではない。トウラマを負うような苦しみから生まれるのだ。それは二次的な現象であり、麻痺してしまった精神の一部を代償する試みである》[51]。この時、モラル・ハラスメントの被害を受けたことは、成長儀式における試練の役割を果たすことになる。被害者はこの出来事によってそれまで抑圧されてきたさまざまな感情を知ることになり、その結果、この出来事を自分の人生の重要なエピソードとして位置づける。回復とはそういうことである。

では、被害者が回復するためにはどんな治療法を受けたらよいのだろう？　また、どんな治療法があるのだろう？

❖――さまざまな心理療法

モラル・ハラスメントの被害者が治療を受けようと思った場合、さまざまな治療法のなかで迷うことが多い。そういった治療法のなかで、フランスではやはり精神分析療法が支配的で、ほかの療法を圧倒している。これは精神分析の理論が私たちの文化のなかに一般的な基準として広まっているからである。だが、モラル・ハラスメントの被害者に対して、精神分析は必ずしも有効な方法とはかぎらない。時によっては有害な場合もある。そこで、ここではまずほかの療法について述べ、最後に精神分析療法に触れることにしよう。

行動療法と認知療法

行動療法の目的は、患者の人格や、その人格を生みだした誘因に働きかけることはせずに、患者の症状や病的な行動を改善することにある。

この療法には、たとえばリラクゼーションの技法によってストレスを軽減するというものがある。これによって、患者は身体の緊張をほぐし、睡眠障害をなくしたり、不安を軽くしたりすることができる。これは被害者が企業のなかでモラル・ハラスメントを受けていて、まだ自分の立場を守らなければならないといった時にはとりわけ有効である。被害者は、身体の緊張をほぐしたり、呼吸を整えることを学ぶことによって、怒りの爆発をコントロールし、ストレスが身体に与える影響を小さくすることができるのである。

また、別の行動療法では患者は自己主張の技法を学ぶ。モラル・ハラスメントの被害者を治療する場合、行動療法のセラピストたちは、被害者が受動的で、自信がなく、必要なものを必要だと言ったり、嫌なことを嫌だと言えない、自己主張のできない人間だと考えるところから出発する。[52] だが、私から見ると、この考え方は少々図式的で、単純すぎるように思われる。この考え方を受け入れれば、被害者はいつでも受動的で、自己主張ができないということになってしまうからだ。ところが、これまで私たちが見てきたように、被害者はたとえ優柔不断な面はあっても、物事をうまくやろうとしすぎるところがあり、そういった状況では十分な自己主張をする。したがって、自己主張ができるようになっただけで、複雑なモラル・ハラスメントの状況から逃れられるとは考えられない。とはいっても、この技法によって、被害者は自分が受けていたのがモラル・ハラスメントであると気づき、加害者との間にはいかなるコミュニケーションも不可能だと理解して、自分の理想としていたコミュニケーションのやり方を考えなおしてみることができる。その意味では決して悪い方法ではない。

こういった行動療法には認知療法が併用されることもある。認知療法とは患者の〈認知の歪み〉に焦点をあてて精神障害を治療するものだ。これによって、患者はトラウマに結びついた反復的なイメージや考えが浮かんでくるのを阻止することができる。また、この療法では、患者は認知のあり方を変えることによって目の前の困難を切り抜ける能力を身につける。その結果、モラル・ハラスメントにおいては、相手の支配に抵抗し、そこから逃れることができるようになる。

モラル・ハラスメントの被害者を手助けするのに、認知の歪みを修正するというこの方法は素晴しい効果を持っていると考えられる。これまで見てきたように、被害者は抑うつ症ではないが、そうなりやすい性格を持っている。この種の性格の人々は〈もし自分がミスを犯したら、自分には価値がない〉と思いこむような認知の歪みを示しやすい。その結果、こういった人々は真面目で、仕事を大切にし、他人に献身的に仕えるのであるが、モラル・ハラスメントの加害者は被害者のまさにこういった点に食らいついたのである。セラピストは被害者のこの認知の歪みを修正することによって、トラウマに対する被害者の罪悪感を軽減し、そのトラウマを乗り越える手伝いをすることができる。また、暴力の思い出がよみがえってきた時に感じる苦痛を被害者が自ら認め、それに耐えることができるよう被害者の力になったり、自分が無力であることを被害者が認識する手助けをすることができる。

催眠療法

フロイトは〈催眠や暗示は魅了や支配という形で患者の人間性を疎外する〉と考え、最初はこの方法を用いていたにもかかわらず、あとになって放棄した。だが、ここ数年、アメリカのミルトン・H・エリクソンの流れを汲むセラピストたちによって、催眠療法は再び盛んになってきた。エリクソンは一九八〇年に亡くなっているが、催眠療法の常識を覆したセラピストとしてその名を知られている。その療法は理論化されてはいないものの、現在でも高く評価されている。エリクソンは催眠療法のほかにも患者の人生の背景にあるものを考慮に入れたさまざまな療法を実践した。それはこのあとに述べる家族療法の発展にもはかりしれない影響を与えた。

さて、第9章でも述べたように、トラウマを経験した多くの被害者は〈解離〉の能力を発達させている。催眠療法はこの〈解離〉の能力をその治療のよりどころにしている。F・ルスタンは、催眠によってもたらされた意識の部分的な削除はトラウマによる〈解離〉と同じ働きをすると言っている。すなわち、〈解離〉の現象とおなじく催眠によっても、意識にとって耐えられることと耐えられないことが分離され、耐えられないことは忘却の領域に押しやられるのだ。こういった技法を用いて、催眠療法では被害者が新しい物の見方を発達させるのを助け、それによってトウラマに結びついた苦しみを軽減する。ここで大切なことは——ここでもやはりと言うべきか——催眠を使って被害者に心的葛藤を自覚させるのではないということだ。そうではなく、催眠を使って被害者が持っている能力を結集させるのだ。催眠が深ければ深いほど、その人間の独自性が表われ、被害者はそれまで思ってもみなかった可能性を発見することになる。

モラル・ハラスメントの場合、この方法は治療とは矛盾するように見えるかもしれない。というのも、催眠療法ではトラウマによる症状から患者を引き離すため、施療の結果、たとえ一時的にせよ、患者が混乱するのは避けられない。ところが、モラル・ハラスメントの加害者はまさしく相手を混乱させることによって、被害者を支配下においていたからである。しかし、これは決して矛盾ではない。セラピストは被害者の変化を拒否する気持ちを砕き、被害者が自分の世界をつくりなおすのを助けるためにこの混乱を利用する。いっぽうモラル・ハラスメントの加害者は、自分の意志や考え方を押しつけるために混乱を利用していたからだ。だが、それだけにまた、被害者にとってはほかの療法以上にどんなセラピストを選ぶかが重要になる。セラピストは慎重で、経験豊かな人物を選ばなければならない。経験の浅いセラピストには注意すべきである。そういったセラピストは患者の人間としての総体性を考慮に入れず、催眠によってトラウマの思い出を浮かびあがらせることで満足することが多いからだ。

家族療法と夫婦療法

家族療法や夫婦療法とは、家族や夫婦をひとつのシステムととらえ、そのなかでのコミュニケーションを改善し、メンバーのひとりひとりの個性化をはかっていくのを目的とする。問題にするのはあくまでもシステムであって、個人の症状ではない。したがって、たとえば夫婦療法では、治療の対象となるのは夫婦のどちらかひとりではない。夫婦がそろって対象となる。また、家族療法でも、セラピストはさまざまな立場をとって、メンバーのひとりひとりに平等な関心を示す。そうやって、家族のコミュニケーションを分析しようとするのだ。その結果、〈加害者〉であるとか〈被害者〉であるとかレッテルを貼るのは避けられる。

こういった療法を実践している人から見ると、おそらく〈被害者学〉は加害者や被害者の人格を知ることばかりに夢中で、〈関係〉についての説明が足りないと見えるかもしれない。だが、あらかじめひとりひとりの人格を知ることがシステムのなかでの円環的な因果関係（自分の行動が相手に影響を与え、それがまた自分にはね返ってくるという関係）を理解する妨げにはならない。その証拠に、夫婦療法の立場からモラル・ハラスメントの過程を説明してみよう。たとえば妻が夫に心づかいを示しすぎると、夫はそれに依存するようになり、だが、そのことに耐えられなくなる。その結果、夫は妻を拒絶し、攻撃を加えるようになる。いっぽう妻のほうは攻撃を受けた理由が理解できず、自分が何かいけないことをしたからではないかと責任を感じて、なおいっそうの心づかいを示す。だが、それによって、夫の拒否はますます強くなる……。このように、加害者や被害者の人格を知っていようといまいと、その円環的な因果関係はいつでも説明できるのだ。だが、こういった説明はそれだけでは意味を持たない。モラル・ハラスメントの場合、片方が〈自己愛的な変質者〉で、もう片方が罪悪感を持ちやすい人格であることを考慮に入れなければ、その本質を理解することはできない。〈関係〉を説明しただけではなんにもならないのである。

とはいえ、家族療法などシステムを問題にする療法が生みだしたいくつかの仮説（たとえば、家族は何があろうと平衡を保とうするという家族のホメオスタシスの概念。あるいは、思考の過程を麻痺させるためにコミュニケーションを妨害するという二重拘束(ダブル・バインド)の概念）は、モラル・ハラスメントの支配を理解する助けになってくれる。だが、治療の現場においては、加害者と被害者を区別せず、ただ病的な関係だけを問題にするというこのやり方は、被害者の救済という視点を欠いてしまう危険があるように思われる。

確かに円環的な因果関係を分析するというこの療法は、状況がまだ改善の余地を残していれば、関係の修復におおいに役立つことだろう。それによって、家族のひとりひとりの行動はうまく結びつくことができるようになるからだ。だが、状況がモラル・ハラスメントの段階に達していたら、論理やほかのメンバーの意志でそれを変えていくのは不可能である。

また、この療法では、家族の誰かや夫婦のどちらかを道徳的に非難するのを避けるために、〈加害者〉や〈被害者〉という言葉を使わない。そのかわりに、モラル・ハラスメント的な関係があると、ただそれだけ言う。だが、そうなったら、攻撃を受けたほうは自らの罪悪感にたったひとりで向かいあわなければならず、相手の恐ろしい支配から逃れることができなくなる。

それに、だいたい、〈自己愛的な変質者〉――すなわちモラル・ハラスメントの加害者が家族療法や夫婦療法の面接を受け入れることはまずないと言ってよい。〈自己愛的な変質者〉は、自分を省みることが絶対にできないからだ。治療の場にやってくるのは本物のモラル・ハラスメントの加害者ではなく、自分を守るためにやむを得ずモラル・ハラスメント的な方法を使った人間である。といっても、判事の要請で調停が行なわれる時などには、本物の加害者も面接を義務づけられることがある。だが、その場合も加害者は調停者を操り、配偶者がどれほど悪い人間だったかを示そうとする。したがって、この点については、セラピストも調停者も特に警戒することが必要である。

精神分析

被害者がまだ暴力を受けたことにショックを感じていたり、屈辱感を感じている場合、従来の精神分析は療法としてふさわしくない。それだけは、まずはっきりと言っておこう。精神分析は基本的に患者の心的装置だけに関心を示し、他者との関係のなかでもたらされた病理は考慮に入れない。精神分析の目的は、子供の頃に抑圧された欲動の葛藤を分析することにあるのだ。また、分析医への感情転移を防ぐためにフロイトによって望まれた厳格な規則（たとえば患者と医師はあまり時間をおかず、定期的に面接を行なう。あるいは患者は分析医の姿が見えないところで寝椅子に横になるなどの規則）は、コミュニケーションを意図的に拒否されたことに苦しんでいる患者の心に欲求不満をもたらす。その結果、患者は分析医と加害者を同一視するようになり、従属の状態が今度は分析医を相手に続いてしまうことになる。

確かにモラル・ハラスメントの被害者は子供の頃に経験した出来事のせいで加害者に対して寛大でありすぎ、またそこから来る弱点をつかれてモラル・ハラスメントを許してきた場合が多い。その出来事を思い出させて、症状の原因を取り除くのは精神分析の仕事である。だが、それを行なうのは被害者がモラル・ハラスメントによって受けた傷から十分回復してからのほうがよい。

精神分析療法が心の深層構造の修正を目指しているのに対し、ほかの療法は症状の改善や防衛機能の強化を目的としている。しかし、だからと言って、ほかの療法では深層構造が手つかずのまま残ってしまうというわけではない。いずれにしろ、深層的な部分まで含めて被害者が回復するには、そのための準備段階が必要である。被害者は子供の頃に受けた傷を癒す前に、まず現在のモラル・ハラスメントの状況から抜けださなければならないのだ。

そういったことからすると、精神分析だけでは何もできない。いや、患者が努力しなくても自らを変革できるような、そんな奇蹟の解決法はどんな療法にも存在しない。治療の理論などはどうでもいい。大切なのは患者がセラピストやその療法を信頼し、セラピストのほうもその信頼に応えるよう力を尽くすことだ。精神分析医たちは小さな学派のなかに閉じこもるのはやめて、もっと大きな視点を持つべきである。というのも、若い精神科医や臨床心理士の間ではすでにそういった動きが出ているからだ。そこでは自分の専門以外のさまざまな理論が学ばれ、ちがった療法を実践する人々の間で意見が交換されている。治療の過程のなかである療法から別の療法に移ったり、さらに言えばあらゆる心理療法がひとつに統合された形で実践されるようになったら、それは素晴しいことだ。私たちはもっとそういったことを考えてもよいのではないだろうか？

終章

これまでの間、私たちはいくつかの状況において、モラル・ハラスメントがどのように行なわれるかを見てきた。だが、当然のことながら、ここであげた例はほんの一部にすぎず、モラル・ハラスメントの現象は夫婦や家族、企業の枠を越えて大きく広がっている。たとえば学校のように、個人が競争関係にある集団ではどんな集団にもモラル・ハラスメントが存在する。誰かを攻撃してその人が自己に対して抱いているよいイメージを破壊することにかけては、人間の想像力はとどまるところを知らない。そうやって人間は自分の弱さを隠し、他人に対して優位な立場にたとうとするのだ。それはつまり権力の問題だ。もしそうなら、そのことは社会全体にも関係する。確かに、いつの時代にも良心を欠き、打算的に人を操って、目的のためには手段を選ばないという人間はいたはずである。だが、家族や企業のなかでモラル・ハラスメントが増加しているという現在の状況は、私たちの社会を支配する個人主義が行きすぎてしまっていることを示すひとつの証拠に思えてならない。強い者が、そして抜け目のない者が勝つというシステムのなかでは、モラル・ハラスメントの加害者になるような人間――すなわち〈自己愛的な変質者〉が権力を握ることになるのだ。実際、成功だけが人生の価値を決めるのであれば、誠実さは弱さのしるしと見え、平気で人を傷つけることは能力の証しのように見えるだろう。

西洋の社会では個人の自由を尊重するという理由から、〈モラル・ハラスメント的な行為〉[53]を禁じることをあきらめてきた。だが、被害者がそうであったように、こういった行為を受け入れすぎたことによって、いまや社会そのものが〈モラル・ハラスメント的な機能〉を持つようになってきている。社会の指導者である多くの政治家たちは、青少年の模範となるべき立場であるにもかかわらず、ライバルを蹴落とし、権力を維持するためであれば、良心を捨てることさえいとわない。ある者たちは特権を濫用し、私益を守るためだけに心理的な圧力を用い、〈国家的理由〉や〈防衛機密〉などを口実に自分に都合のよいことをする。また別の者たちは税金をごまかしたり、社会的な財産を不当に流用することによって私腹を肥やす。汚職はどこにでもあるような現象になってしまったのだ。そういった状況で、ある集団や企業、あるいは政府が〈モラル・ハラスメント的〉になるためには、そのなかに数人の〈モラル・ハラスメント的な人間〉がいれば十分である。もしそこで行なわれる〈モラル・ハラスメント的な行為〉が告発されなければ、それは恐怖や威嚇、人心操作など、目に見えない形で広がっていくからだ。実際、誰かを心理的に縛りつけようと思ったら、その誰かを騙したり、腐敗させたりして、〈モラル・ハラスメント〉の共犯者にしてやればよい。マフィアや全体主義の国家で行なわれているのはそういうことだ。家族でも企業でも政府のなかでも、〈自己愛的な変質者〉は自分たちがもたらした不幸を他人のせいにし、自分たちのほうは救い主のような顔して権力を握る——そのあとは、権力を維持していくのに、ただ良心を捨てればよい。こういった人々は自分たちの過ちを認めず、責任も引き受けない。そうして、自分たちの悪事の痕跡を消すために、現実を歪めたり、操作したりするのだ。それは歴史が証明している。

いっぽう、個人的なモラル・ハラスメントの背景にはより一般的な問題がある。私たちはその問題について考えてみなければならない。すなわち、どうやったら個人が互いに尊重できる社会をつくることができるのか？　社会はどこまでモラル・ハラスメントを許してよいのか？　そういった問題である。もし個人が自分の力だけでモラル・ハラスメントを阻止できないのであれば、それに介入する法律を社会が制定する必要がある。それに関して言えば、最近、新しい法案が議会に提出された。学校などで見られる新入生いじめを禁止して、人を傷つけたり、辱めたりする行為を抑制しようという法案である。もしすべての人間関係が法律で規定されるのを望まないのであれば、このようにモラル・ハラスメントに対して子供の頃から予防措置をとることが大切である。

解説

立教大学教授・精神科医　町沢静夫

モラル・ハラスメントという言葉はきわめて新鮮な言葉ではあるが、目下、日本で問題になっているのは言うまでもなくセクシュアル・ハラスメントである。セクシュアル・ハラスメントの対応でおおわらわであって、モラル・ハラスメントに関わる余裕がないのが実態ではないだろうか。しかしモラル・ハラスメントの問題を主とする本書を読んでみると、モラル・ハラスメントの重要性がひしひしとわかる。自己愛性人格障害の人たちは共感性が乏しく、あるいは人を動かし、自分が中心でないと気がすまない、いつも誉められなければ安心できない、そのために強引な力の論理や、さまざまな対人関係の技術を使って多くの人を犠牲にしつつ、自分の立場を高めようとしていく人たちである。この自己愛的ないし、本書では自己愛的変質者とも呼んでいるが、このような人たちの相手になる人は、言葉の上でも情緒的なレベルでもさまざまな被害を受け、PTSDに近い精神状態になることもある。

この状況は夫婦の関係、親子の関係、会社内の人間関係といったことが多いが、本書が特に重点を置いているのが夫婦の関係におけるモラル・ハラスメントである。つまり相手を無力化し、相手を思うがままに動かし、相手が加害者であるかの如く役割を押しつけ、その相手の弱味の上に自分が権力を握り、支配をし続け、そしていじめることそれ自体が快楽になっているとすら思える形となる。

このような例は日本にもたくさんある。例えばある夫婦の場合、夫の海外赴任でアメリカに渡っている間は実に家庭は円満であった。子どもが生まれ、それを喜び、いろんなところへ車で旅行し、毎日の生活を楽しんでいたものであった。外国では日本人が少ないので、彼ら自身のまとまりが要求され、自己愛的な行動を取ろうにも、やはり相手を思いやる気持ちがなければ、外国では家族はうまく機能しないものであった。したがって夫の自己愛的な気持ち、あるいは妻の自己愛的な気持ちはかなり抑制された形でアメリカでの生活はうまくいっていたのである。

しかし日本に彼らが帰ってきた時、夫は一人勝手に宗教的な熱意に取りつかれてその活動に入り、妻は妻で夫が自由な行動をするなら、自分は自分を可愛がってくれた父親の方にせっせと子どもを連れて帰ることになり、家族のまとまりはまったく失われてしまったのである。そうこうしているうちに、夫の「俺はこれだけ働いているのに、なぜ俺にちゃんと尽くさないのだ。尽くさないお前は単なる盗人だ」という激しい言葉の攻撃が始まった。妻は最初のうちは「できるだけあなたに尽くそうと思っています」と言っていたが、ついつい夫の側よりも父親の側にいた方が心が休まると、相変わらず実家に戻る日が続いていたのである。そのことは一層夫を嫉妬と憎しみにかき立て、妻に対し「お前なんか出て行け。子どもだってお前を嫌っている」と、さらに激しい言葉の攻撃が続いたものであった。

やがて、ある朝食事をしていると、またしても夫が妻に激しい攻撃を向け始めた。すると妻は突然気が狂ったかのように、マンションの玄関の扉を開け、「この人は私を殺そうとしている」と叫んだ。このことにより、この夫婦は結末を迎えてしまった。離婚し、家族はばらばらになってしまったのである。この場合、夫の自己愛性の強さは言うまでもないが、妻の自己愛性あるいは依存性といった、潜在的にそれぞれが持っていたものが、日本に戻り、露呈され、それによって家族のまとまりを失ってしまったものと考えられる。このような例も、夫の自己愛性人格、妻の自己愛性人格の戦いであったと言えるものである。

また別の家庭をみてみよう。

問題の彼女は、ある田舎の古風で伝統ある地方産業の豪商の家に嫁いだ。彼女は東京では普通の平凡な暮らしをしていたが、その豪商の息子に見初められ地方都市に行ったのである。しかし彼女の結婚後の生活は恐ろしく大変なものであった。東京で自由に暮らしていた人間が田舎の儀式、伝統、しきたりをひととおり覚えるだけでも大変なものだったのである。それをどうやらくぐり抜けたと思った矢先に、今度は嫁姑の問題がきつくのしかかってきた。姑の彼女への対応というのは、一見表面的には優しく大事にするように見えるのだが、日常のちょっとした仕事に口を挟む。それはきわめて陰湿であり、深く人を傷つけるものであった。

彼女がある漆塗りの器を拭いていた時に、姑はすっと横を通るなり、「拭き方も知らないで、平気でこんなところにいるなんて、今ごろの嫁はまったくずうずうしいものだね」と小さな声ではあるものの、しっかり彼女に聞こえるように言うのである。彼女はナイフでぐさっと胸を刺されたかのように感じ、その夜は眠れなかったという。姑は、このように堂々と言うのではなく、何気なく独り言のように言うことによって彼女の反論を封じ、それでいて彼女の行動を支配するのである。そしてそこには「伝統的な儀式やさまざまなこの家のしきたりをよく私に見習い、私を尊敬しなさい」という態度が赤裸裸に見えるのである。このような姑の態度に彼女はおののくばかりであった。女同士のこのような戦いは、まるで江戸幕府の奥女中の世界のようであり、そのような中にまさか自分が身をおくことになろうとは、夫との静かなる地方生活を夢見ていた彼女にとっては想像だにしないことであった。田舎の伝統やしきたりをマスターするのは誰でもが容易ではないにもかかわらず彼女はチャレンジしなければならなかった。しかもそれがどんなに大変なものかを知りつつ、彼女のいたらなさを指摘する姑との関係で彼女は苦しむのである。

しかも夫が彼女を守るのならばともかく、姑に味方する立場に立つので、彼女はただ孤立するのみであった。そして夫もまた「お前はなんて要領が悪いんだ。お前のような奴を嫁と言えるものか」とあからさまに彼女を非難するのである。このような二人の攻撃、一人は囁くように、もう一人は大きく怒鳴るように、この二つの声を彼女はただただ恐れ、うつ病になってしまった。確かに病気になるしかないものであり、また病気に逃げるしかないものであった。

彼女はなぜ夫に苦情を言わないのだろうか。それは「なんてお前は弱いんだ」と一層怒られるからであった。なぜ姑に「このような伝統的なしきたりに、私はまだ十分馴染むことができません。それには時間がかかります」と言えないのであろうか。それを言うと「多くの嫁はそれを全部覚えきって初めて一人前になるのです。あなたには出来ないということは、嫁失格ということです」と叱られることは想像だに難くないからであった。かくて彼女は身動きが取れなくなってしまったのである。さらに彼女の父親は「女はいったん嫁に行ったら帰ってくるものではない」という、東京にいながら意外に古い伝統を彼女に押しつけていた。こうなると彼女はこの牢獄の中に一人さまようしかなくなってしまったのである。これが彼女のうつ病の大きな原因であった。これはまさにモラル・ハラスメントの典型的なあり方であり、しかもそれは日本社会の典型的なあり方である。

日本ではモラル・ハラスメントがフランスよりもよくみられるものと考えられる。つまり日本には「村八分」という現象があり、その村の主たる集団に入らなければ排除される。このようなことは日本の学校でのいじめ現象、あるいは会社でのいじめ現象、いや、あらゆる場でのいじめ現象にみられる。

特に政治家などがこのような村八分現象を顕著に利用しているものである。そしてこのいじめの頂点に立っている人とは、自己愛的変質者であると同時に権力欲、愛情欲求がきわめて強いことが多い。自己中心性もまた強いものである。このような人は人への共感性が顕著に低い。つまり共感がなければないほど簡単に自己決定ができ、人を支配し、人を罵倒し、そして罵倒することによって一層彼らを自分の身に引きつけるのである。このような人たちの周辺にいるのは、確かに本書で示されているように、従順で真面目で几帳面で、やや小心な人たちが多い。彼らは指導力が乏しいために、指導力の傘が欲しくて、あえてこのような自己愛的変質者の支配下にいることが多い。しかしそれによって心が破壊されるほどに大きな被害を受けることは、日常よくみかけるものである。

先ほども述べた政治家というのは、いわばこのモラル・ハラスメントの頂点に立っている人たちなのである。そしてまた教育者の長という人たちも、やはりこのモラル・ハラスメントの頂点に立っている人が多い。たて前ばかりで冷たく、人を愛するかと思えば拒否し、そのきまぐれによって相手を翻弄し、そして彼らの頂点に立っているのである。それは子どもの世界でも言えることである。いじめながら、いじめ抜くことによって相手に逃げることを許さず、わずかな誉め言葉でつなぎ止め、そしてまた彼らに自分への賞賛を要求するのである。

このようなモラル・ハラスメントは日本のどこにでもみられるとするならば、本書で示されたフランスのモラル・ハラスメントは日本にこそあるものであり、そして分析されねばならないものと考えられる。しかし多くの日本人は、このようなモラル・ハラスメントというものを当然のものとして心得、それをうまくくぐり抜けることにやっきになっているものである。そしてこれをくぐり抜ける技術を心得た人が、学校や会社でうまく生き残る人たちなのである。となれば、モラル・ハラスメントの問題は、日本人の生き方を考えるにきわめて重要なものだと考えられる。

今、私はある中学でいじめによって生徒が自殺した事件の裁判における意見書を書く仕事を引き受けている。このケースでは、まず新しい転校生がやってきた。ほぼ同じ時期にもう一人の転校生がやってくる。そして片方だけがいじめられた。この二人を比較すると実にいじめの構造がよくわかるのである。

その中学校では、新しい転校生が来ると、学年で一番強いボスがやってきて、自分の名前を告げ、「覚えておけ」と頭をこづいていくのである。わざわざ隣のクラスの転校生にまでこのようないじめを行うのである。それに対して、この最後に自殺してしまう少年は親や先生には何も言わず受けていたようである。しかし彼は「仲間に入れてくれ」と頭を下げる卑屈な態度は示さなかった。彼は彼らの不当な力と数でくるいじめに対抗したのである。クラスの権力者たち、つまりいじめの首謀者たちは、彼に頭を下げることを執拗に要求するかのようにいじめを延々と続けたのである。彼の教科書は外に捨てられ、机も捨てられ、そしてまた彼の教科書にはマーガリンが塗られ、さらにいたずらがきをされ、机や椅子の上には画鋲が置かれるということが続くのである。このような中で、彼はもはや抵抗しきれないというほど追い詰められていく。睡眠が取れず、目の下には隈ができ、睡眠障害の跡がよくわかるようになってくる。「自分はもうだめかな」とも思ってくる。

もう一人の少年はこのようなクラスの権力者たちに、男であれ女であれ頭を下げ、どうか自分をいじめないで仲間に入れてくれ、という形で入っていく。これが日本人の典型的な転校生のクラスへの馴染み方なのである。頭を下げて卑屈になる。それがクラスに入っていく、まず第一に行われる儀式である。適応のうまい子は演技的であれ、このような卑屈な態度を見せることで彼らから受け入れられる。受け入れられるとなると、思う存分彼らと同じようなスタイルで遊び、仲間の一員となっていく。問題の自殺した少年は、この集団に対し、徹底的に暴力に対しては暴力で返し、いじめの言葉にはいじめの言葉を返す形で抵抗を示すのである。このような抵抗をし続けること自体、ますますいじめる側をいらつかせ、一層いじめがひどく展開されていくこととなったのである。彼が一言でも、その権力者たちに謝ること、卑屈なことを述べればすべてが解決するにもかかわらず、彼はそれをよしとしない。負けず嫌いとも言えるし、正しいことは正しいと主張すると言えるのかもしれない。しかしこのようなモラルを忠実に守ると、結果的に彼がモラル・ハラスメントを受けることとなる。つまり彼らの権力欲、あるいは彼らの賞賛というものを望む欲求に対して、それを無視することになるのである。かくてその果ては心の病になるか、あるいは自殺になるかという限度にまで追い詰められてしまうものである。

かくて彼は自殺する。しかも彼の自殺には遺書もない。つまり自殺の理由も書いてなければ、いじめた人の名前も書いてはいないのである。これは彼がいかに自立心に富んでいたかということを示している。多くのいじめによる自殺というものは、遺書の中にいじめた相手の名前を書いて暴露することがほとんどである。むしろ調べる側からするとその方がよいのである。しかしこれはある意味で弱さでもある。すべてを隠し、すべて自分の責任のもとに消えていく。これは強いが故に消えていくという、日本独特のいじめの構造であり、モラル・ハラスメントの典型的な例だと考えられる。このようなことは会社でもどこでもみられるものであり、この網をくぐり抜けなければ日本人は生きられないのだとすると、何と窮屈な日本社会だと思わざるを得ない。

日本のモラル・ハラスメントを問題にし、その解決を図るにはまだまだ長い時間が必要である。その人固有の人権と自由を尊重する民主主義というものが徹底されていないところで、どうしてモラル・ハラスメントが解決されようか。教科書的に言うならば、あるいは法律的に言うならば、民主主義はゆうに成立しているにもかかわらず、日常の我々は民主主義などというものとは無縁なところで生き方を模索して生きているのである。

ともあれ日本のいじめはきわめて強固であり、真正面から衝突することは非常に危険なものを伴っていることを覚悟しなければならない。では、姑息な生き方でいじめをくぐり抜けるのは妥当なのであろうか。私はいまだにこのいじめ構造の日本社会に対し、妥当な答えをもってはいない。しかしこの種の問題を、フランスのマリー゠フランス・イルゴイエンヌが指摘し、それをセクシュアル・ハラスメントをも含む形で取り上げたことはきわめて進歩的で刺激的であり、本書が翻訳され、日本に紹介されることによって、多くの人が単なるセクシュアル・ハラスメントに注目するだけでなく、モラル・ハラスメントというものが本質的に民主主義のあり方と結びつき、その民主主義こそ我々が身につけなければいけない生き方であることに気づくに違いない。そのことを本書から十分に汲み取れると同時に、それがまた日本人の意識の中に広がることを期待したいと思っている。

註

（1）*Les Diaboliques* d'Henri-Georges Clouzot, 1953.［ビデオ『悪魔のような女』カルチュア・パブリッシャーズ］. この映画は1954年にルイ・デリュック賞を受賞している.

（2）*Tatie Danièle* d'Étienne Chatiliez, 1990.［ビデオ『ダニエルばあちゃん』アスキー］

（3）「変質的な」, そしてこのあとに出てくる「変質」,「変質者」の意味については, 註26を参照.

（4）J.-G.Lemaire, *Le Couple : sa vie, sa mort*, Payot, Paris, 1979.

（5）A.Miller, *C'est pour ton bien*, traduction de Jeanne Étoré, Aubier, Paris, 1984.

（6）S.Ferenczi, "Confusion de langue entre les adultes et l'enfant(1932)", *Psychanalyse*IV, Payot, trad.fr., Paris, 1985.

（7）B.Lempert, *Désamour,* Seuil, Paris, 1989.

（8）B.Lempert, *L'Enfant et le Désamour,* Éditions L'Arbre au milieu, 1989.

（9）A.Miller, *La Souffrance muette de l'enfant,* trad.fr., Aubier, Paris, 1988.

（10）P.- C.Racamier, *L'Inceste et l'Incestuel,* Les Éditions du Collège, Paris, 1995.

（11）H.Leymann, *Mobbing,* trad.fr., Seuil, Paris, 1996.

（12）Fitzgerald, "Sexual Harassment : The Definition and Measurement of a Construct", M.A.Paludi(ed.), *Ivory Power : Sexual Harassment on Campus,* State University of New York Press, Albany.

（13）MacKinney et Maroules, 1991. G.-F. Pinard, *Criminalité et psychiatrie,* Ellipses, Paris, 1997 からの引用.

（14）S.Milgram, *Soumission à l'autorité,* trad.fr., Calmann-Lévy, Paris, 1974.［S. ミルグラム『服従の心理』岸田秀訳, 河出書房新社, 1980］. ミルグラムは1950年から1963年にかけて, この問題についての研究を行なった.

（15）C.Dejours, *Souffrance en France,* Seuil, Paris, 1998.

（16）*Swimming With Sharks* de George Huang, 1995.

（17）N.Aubert et V.de Gaulejac, *Le Coût de l'excellence,* Seuil, Paris, 1991.

（18）*Harcèlement* de Barry Levinson. (*Disclosure,* 1994).［ビデオ『ディスクロージャー』WHV］

（19）P.-C.Racamier, "Pensée perverse et décervelage", in "Secrets de

famille et pensée perverse", *Gruppo* No.8, éditions Apsygée, Paris, 1992.

(20) 原書では J. ボードリヤールの言葉を借りて，さらに詳しく説明している．「この点について，J. ボードリヤールは，相手を惹きつけること――すなわち〈誘惑〉とは，外見に工作して現実から目をそらさせることだと言う．それはエネルギーのようなものではなく，合図や儀式のようなもの，そしてその合図や儀式を悪用することである」．J.Baudrillard, *De la séduction,* Denoël, Paris, 1979. [J. ボードリヤール『誘惑の戦略』宇波彰訳，法政大学出版局，1985]

(21) 「こういった支配は関係性のなかにおいてしか存在しない．それは知的，精神的支配であり，ある人間が別の人間に優位な立場から影響を与えることである」（R.ドレイ）．R.Dorey,"La relation d'emprise", *Nouvelle Revue de psychanalyse,* 24, Gallimard, Paris, 1981.

(22) Sun Tse, *L'Art de la guerre,* traduit du chinois par le père Amiot, Didot l'Aîné, 1772 ; rééd. Agora classiques, Paris, 1993.

(23) M.Hurni et G.Stoll, *La Haine de l'amour* (*La perversion du lien*), L'Harmattan, Paris, 1996.

(24) R.Perrone et M.Nannini, *Violence et abus sexuels dans la famille,* ESF, Paris, 1995.

(25) この点について，原書ではさらに詳しく説明している．「多くの精神分析医が指摘するように，私たち普通の人間には誰のなかにもごく正常な形で〈変質的〉――すなわち〈倒錯的〉な部分が存在する．『私たちは誰もが多形倒錯者なのだ』．精神分析医たちは言う．というのも，私たち普通の人間は誰もがごく正常に〈神経症的〉であり，すべての神経症患者は自分の身を守るために倒錯的な部分を持っているからだ（神経症の症状はその転換された表現である）．だが，モラル・ハラスメントの加害者は内心の葛藤から身を守るために，神経症的な防衛手段をとらない．ただひたすら破壊衝動を満足させることによって，自分の心の安定をはかろうとするのである」

(26) このあと原書では〈変質〉という言葉と〈自己愛〉という言葉をめぐってその言葉の歴史を説明していく．この部分はフランス語における言葉の問題なので，本文のなかでは訳さずにここで訳すことにする．

「さて，フランス語に perversion（変質）という言葉が現われるのは1444年のことである．語源は〈裏返す〉とか〈ひっくり返す〉を意味するラテン語の per-vertere だ．フランス語における意味は〈物事が悪いほうに変化する〉ということだが，一般的には道徳的な価値判断に関して使われるようになり，現在でもその意味で使われることが多い（辞書の訳語によれば，①道徳などの退廃，堕落，②倒錯，異常，とある）．やがて19世紀になると，精神科医たちによって法医学的な立場からこの言葉に興味が持たれるようになる．精神科医たちは犯罪をおかすある種

の人々は〈変質的〉であり，この〈変質者〉たちには法律的に責任能力がないことを証明しようとしたのだ．といっても，それは心神喪失者と同列に見なしたのではない．精神科医たちは〈変質者〉を社会的本能や道徳的本能など，本能から逸脱した人間だと定義した．

たとえば，1809年，ピネルは〈錯乱のない狂気〉の名称のもとに，〈変質〉や社会に適応できない行動，放火癖，窃盗癖など，社会的，道徳的な本能から逸脱したすべての病理をまとめている．

そのあとに，今度はクラフト=エビングが〈性的変質〉，すなわち〈性的倒錯〉に興味を持って，研究を進めるようになる．

いっぽう，自己愛（ナルシシズム）については，その言葉がフロイトの著作に初めて登場するのは1910年のホモセクシュアルについて述べた文章のなかである．フロイトはその後，ナルシシズムを一次的なものと二次的なものに分けて考えた．この一次的ナルシシズムはさまざまな形で精神分析的な文学の主題となっているが，ここではそのことについては触れない．だが，フロイトが『ナルシシズム入門』の冒頭で，この言葉はP.ネッケの『ナルシシズム』（1899）から借用したと述べていることだけ指摘しておこう．だが，そのネッケも実はこの言葉をH.エリスの論文をコメントするために使ったもので，最初にこの言葉を使ったのはそのエリスが1898年にギリシア神話のナルキッソスの物語に関係して〈倒錯的な行動〉を叙述したその論文のなかだということになる（J.Laplanche et J.-B.Pontalis, *Vocabulaire de la psychanalyse,* PUF, Paris, 1968.［J.ラプランシュ，J.B.ポンタリス『精神分析用語辞典』村上仁監訳，みすず書房，1977］）．

さて，フロイトは性欲動以外の欲動も認めていた．だが，そういった欲動の〈倒錯〉，すなわち〈変質〉については，あまり語っていない．

pervers という形容詞（変質的な，邪悪な，倒錯の，あるいは人間を指して，背徳者，性倒錯者，変質者などを意味する）は，la perversité という名詞（邪悪さ，凶悪さ，倒錯，病的悪意などを意味する）と，la perversion という名詞（退廃，倒錯，異常などを意味する）の二つの名詞に対応している．精神分析学の用語としては，la perversion（倒錯）は，ヴァギナへの挿入によって快感を得ることを目的とする正常な性行為からの逸脱（性目標倒錯）を意味し，la perversité（病的な悪意）は，ある種の人々が示す残酷で非常に悪意のある行動や性格を言うのに使われる．J．ベルジュレは〈性格の変質〉les perversions de caractère は，la perversité（病的な悪意）に冒されたles pervers（変質者）に対応するものだとして，性的な la perversion（倒錯）とは区別している（J.Bergert, *La Personnalité normale et pathologique,* Bordas, Paris, 1985）」

こういったことから，訳文ではそれぞれの言葉に〈病的な悪意を持っている〉という意味をこめて，pervers を人間を指す場合には〈変質者〉，

形容詞としては〈変質的な〉, la perversion, la perversité をともに〈変質〉と訳した. また、訳文作成上の問題から, それぞれ〈モラル・ハラスメントの加害者〉, 〈モラル・ハラスメント的な〉, 〈モラル・ハラスメント〉と訳したところも多い. なお, 原書には〈被害者〉と対応する形で〈攻撃者〉agresseur という言葉も頻出する. これもやはり〈加害者〉と訳した.

(27) P.-C.Racamier,“Pensée perverse et décervelage”, in “Secrets de famille et pensée perverse”, *Gruppo* No.8, éditions Apsygée, Paris, 1992.

(28) A.Eiguer, *Le Pervers narcissique et son complice,* Dunod, Paris, 1996.

(29) O.Kernberg, “La personnalité narcissique”, *Borderline Conditions and Pathological Narcissism,* New York, 1975. Privat pour la traduction française.

(30) Ovide, *Les Métamorphoses,* traduction de G.Lafaye, Gallimard, Paris. [オウィディウス『変身物語』中村善也訳, 岩波文庫, 1981]

(31) R.Girard, *La Violence et le Sacré,* Grasset, Paris, 1972. [R. ジラール『暴力と聖なるもの』古田幸男訳, 法政大学出版局, 1982]

(32) S.Freud, *Le Problème économique du masochisme,* PUF, Paris, 1924. [S.フロイト「マゾヒズムの経済的問題」『フロイト著作集 6』人文書院, 1970.「マゾヒズムにおけるエネルギー配分の問題」『フロイド選集 14』日本教文社, 1969]

(33) E.Albee, *Qui a peur de Virginia Woolf,* 1962. [E. オールビー「ヴァージニア・ウルフなんかこわくない」『エドワード・オールビー全集 1』早川書房, 1969]

(34) F.Roustang, *Comment faire rire un paranoïaque,* Éditions Odile Jacob, Paris, 1996.

(35) F.Kafka, *Le Procès,* trad.fr., Flammarion, Paris, 1983. [F.カフカ『審判』, 邦訳多数]

(36) H.Tellenbach, *La Mélancolie,* trad.fr., PUF, 1961. [H.テレンバッハ『メランコリー』木村敏訳, みすず書房, 1985]

(37) B.Cyrulnik, *Sous le signe du lien,* Hachette, Paris, 1989, pour l'édition de poche, 1997.

(38) M.Khan, “L'alliance perverse”, *Nouvelle Revue de psychanalyse,* 8, 1973.

(39) A.Miller, *La Souffrance muette de l'enfant,* Aubier, Paris, 1990.

(40) *La Prisonnière espagnole* de David Mamet. (*The Spanish Prisoner,* 1997)

(41) *Passage à l'acte* de Francis Girod, 1996. [日本公開題『見憶えのある他人』, ビデオ『悪魔の囁き』ポリグラム, 原作 J.-P. ガッテーニョ『悪魔の囁き』扶桑社]

(42) C.Classen, C.Koopman et D.Spiegel, “Trauma and Dissociation”, *Bulletin of the Menninger Clinic,* vol.57, No.2, 1993.

(43) S.Ferenczi,“Psychanalyse des névroses de guerre (1918)”, *Psychanalyse* III, trad.fr., Payot, Paris, 1990.

(44) M.A.Dutton et L.Goodman, “Post-traumatic Stress Disorder among Battered Women : Analysis of Legal Implications”, *Behavioral Sciences and the Law,* vol.12, 215-234, 1994.

(45) L.Crocq, “Les victimes psychiques”, *Victimologie,* novembre 1994.

(46) S.Ferenczi, 前掲論文（註 6 ）.

(47) C.Damiani, *Les Victimes,* Bayard Éditions, Paris, 1997.

(48) D.Spiegel, “Dissociation and Hypnosis in Post-traumatic Stress Disorders”, *Journal of Traumatic Stress,* 1, 17-33.

(49) F.Roustang, *Comment faire rire un paranoïaque,* Éditions Odile Jacob, Paris, 1996.

(50) P.Ricœur, “Le pardon peut-il guérir ? ”, *Esprit,* mars-avril 1995.

(51) S.Ferenczi, 前掲論文（註 6 ）.

(52) I.Nazare-Aga, *Les manipulateurs sont parmi nous,* L’Homme, Ivry, 1997.

(53) ここで言うモラル•ハラスメントとは、〈権力を握ることによって他人を支配し、目に見えない圧力を加えることによって思いどおりに操る〉くらいに意味を広げて考える必要がある。それが他人の人間性を無視していることは言うまでもない。そういった意味のモラル・ハラスメントには〈 〉を付した。

著　者

Marie-France Hirigoyen

精神科医。家族心理療法家。1978年、パリのサン・タントワーヌ大学の医学部で医学博士の学位を取得したあと、1979年に精神科医として開業。1980-85年、パリ第五大学で非常勤講師（精神病理学）。その後、アメリカとフランスで犯罪被害者学を学んだのをきっかけに、モラル・ハラスメントの研究にたずさわる。1998年に刊行された本書は、フランスで50週連続ベストセラー・リストに入り、世界13カ国で翻訳される大ヒットとなった。

訳　者

高野　優（たかの　ゆう）

1954年生まれ。早稲田大学政治経済学部卒業。フランス語翻訳家。主な訳書に、ラファエル・ビエドゥー『私の夜はあなたの昼より美しい』、ロジェ・ラブリュス『罪深き村の犯罪』（以上、早川書房）、アンヌ・ユゴン『アフリカ大陸探検史』、エディット・フラマリオン『クレオパトラ』（以上、創元社）、ジャン・ヴォートラン『パパはビリー・ズ・キックを捕まえられない』、『鏡の中のブラッディ・マリー』（以上、草思社）、マルセル・ベアリュ『夜の体験』、『奇想遍歴』（以上、パロル舎）、クリスチャン・ジャック『ピラミッドの暗殺者』（原書房）などがある。

モラル・ハラスメント

1999年12月20日　第１刷発行©
2000年３月13日　第４刷発行

発行所　株式会社　紀伊國屋書店
東京都新宿区新宿３－17－７
電話03（3354）0131（代表）
出版部（編集）電話03(3439)0172
ホールセール部（営業）電話03(3439)0128
東京都世田谷区桜丘５－38－１
郵便番号　156-8691

ISBN4-314-00861-X C0011
Printed in Japan
定価は外装に表示してあります

印刷・製本　中央精版印刷